Meiners, Johannes

Die Handschriften P [R, W] = Fassung II des festlaendischen Bueve de Hantone

Meiners, Johannes

Die Handschriften P [R, W] = Fassung II des festlaendischen Bueve de Hantone

Inktank publishing, 2018

www.inktank-publishing.com

ISBN/EAN: 9783750133693

Die Handschriften P [R,W] = Fassung II des festländischen Bueve de Hantone.

Inaugural-Dissertation

zur

Erlangung der Doktorwürde

der

hohen philosophischen Fakultät der Georg-August-Universität

zu Göttingen

vorgelegt von

Johannes Meiners

aus Oldenburg i. Gr.

Göttingen.
Druck von Friedrich Haensch.
1914.

Google

Benutzte Literatur.

Lexika und Grammatiken:

A. Bos: Glossaire de la langue d'öil. Paris 1891.

Du Cange: (Glossarium mediae et infinae latinitatis, Bd. IX: Glossarium gallicum), La Curne de Sainte Palaye (Dictionaire historique de l'ancien langage francais; gedr. 1882.

Diez: Etymol. Wörterbuch der rom. Sprachen. Bonn 1878.

Georges: Lateinisch-Deutsches Wörterbuch. Leipzig 1869.

Godefroy: Dictionaire de l'ancienne langue française et de tous ses dialectes du IX e au XV e siècle. Paris 1881 sq.

G. Körting: Lateinisch-romanisches Wörterbuch. 3. Aufl. Paderborn 1907.

Littré: Dictionnaire de la langue française. Paris 1881—82.

Sachs-Villate: Encyklopädisches Wörterbuch. Berlin 1907.

Diez: Grammatik der romanischen Sprachen. Leipzig 1890 sq.

Meyer-Lübke: Grammatik der romanischen Sprachen. Bonn 1882.

Ders.: Histor. Grammatik der Franz. Sprache (Laut- und Flexionslehre). Heidelberg 1908. In der Untersuchung bezeichnet als: M.-L.

Ders.: Etymol. Wörterbuch. Heidelberg [1]).

Nyrop: Grammaire historique de la langue française. Kopenhagen 1899 sq.

Schwan-Behrens: Grammatik des Altfranzösischen. 8. Aufl. Leipzig 1909.

Suchier: Altfranzösische Grammatik. Halle 1893.

Tobler: Vom französischen-Versbau. 5. Aufl. Leipzig 1910.

Selbstverständlich benutzte ich auch die bei Herrn Geh. Reg.-Rat Prof. Dr. Stimming gehörten Kollegs:

1. Die historische Lautlehre des Französischen.
2. Die historische Formenlehre des Französischen.
3. Die historische Metrik des Französischen.

Gelegentlich auch die syntaktischen Vorlesungen.

---

[1]) Es waren mir davon nur die ersten 3 Lieferungen zugänglich.

6

Abhandlungen und Textausgaben:

Die über den Bueve de Hantone erschienene Literatur:

A. Stimming: Das gegenseitige Verhältnis der französischen gereimten Versionen der Sage von B. d. H. Abhandlungen im Toblerband. Halle 1897, p. 1—44.

Ders.: Der Anglonormannische Bueve de Hantone, Bibliotheca nor-
mannica VII. Halle 1899.

Ders.: Der Festländische Bueve de Hantone (Fassung I). Gesell-
schaft für Romanische Literatur, Bd. 25. Dresden 1911.

Oeckel: Ort und Zeit der Entstehung der Fassung II des festländischen B. d. H. Diss. Göttingen 1911.

Sander: Die Fassung „T" des festländischen B. d. H. Diss. Göttingen 1912.

Wolf: Das gegenseitige Verhältnis der gereimten Fassungen des
festländischen B. d. H. Diss. Göttingen 1912.

Andere Texte und Abhandlungen:

Andresen: Über den Einfluß von Metrum, Assonanz und Reim auf
die Sprache der altfrz. Dichter. Diss. Bonn 1874.

Apfelstedt: Lothringer Psalter, Altfranz. Bibl., Bd. 5. Heilbronn 1881.

Behrens: Die 2. pers. plur. des altfrz. Verb. Diss. Greifswald 1890.

Bröhan: Die Futur-Bildung im Altfrz. Diss. Greifswald 1889.

Cohn: Die Suffixwandlungen im Vulgärlateinischen. Halle 1891.

Ebeling: Auberee, Altfrz. Fablel. Halle 1895.

Ehrlicher: Die stammabstufenden Verben des Altfrz. Diss. Heidelberg 1905.

W. Foerster: Li chevalier as deus espees. Halle 1877.

Ders.: Richars li Biaus. Wien 1874.

Ders.: Cligés. Halle 1884.

Ders.: Lyoner Ysopet. Altfranz. Bibl., Bd. 5. Heilbronn 1882.

Ders.: Aiol et Mirabel und Elie de St. Gille. Heilbronn 1876—82.

Friedwagner: Meraugis de Portlesguez, v. Raoul de Houdenc. Halle
1897.

Ders.: Vengeance Raguidel. Halle 1907.

Ders.: Die Sprache des Huon de Bordeaux. Neuphilolog. Studien
Bd. V.

Gennrich: Li romans de la dame a la lycorne et du biau chevalier
au lion. Dresden 1908.

Goerlich: Der burgundische Dialekt im 13s und 14s .Progr. Dort-
mund 1888.

Gengnagel: Die Kürzung der Pronomina hinter vokalischem Auslaut
im Altfrz. Diss. Halle 1882.

Haase: Das Verhalten der pikardischen und wallonischen Denkmäler
des Mittelalters inbezug auf a und e vor gedecktem n.
Diss. Halle 1880.

Hoepffner: La prise amoureuse. Dresden 1910.
Hüellen: Der poetische Gebrauch in der afrz. Chanson: Amis et Amiles. Diss. Münster 1884.
Helfenbein: Die Sprache des Trouvere Adam de la Halle aus Arras. Zeitschr. f. rom. Ph., Bd. 35.
Kramer: Syntax des Possessiv-Pronomens. Diss. Göttingen 1905.
Krause: Zur Mundart des Departement Oise in Zeitschr. f. Spr. u. Lit. XVIII p. 58—84.
Lemme: Die Syntax des Demonstrativ-Pronomens im Franz. Diss. Göttingen 1906.
Lorenz: Die 1. pers. plur. des Verbums im Altfranzösischen. Diss. Heidelberg 1886.
Metzke: Der Dialekt von Ile-de-France im XIII s und XIV s. Archiv für das Studium der neueren Sprachen LXIV 1880, LXV 1881.
Nebh: Die Formen des Artikels in den französischen Mundarten. Diss. Gießen 1901.
Neumann: Zur Laut- und Flexionslehre des Altfranzösischen, hauptsächlich aus pikardischen Urkunden von Vermandois. Heibronn 1878.
G. Paris: Orson de Beauvais. Soc. des anc. textes frs. Paris 1900.
Perle: Die Negationen im Altfrz. Zeitschr. f. rom. Ph. Bd. II p. 1 sp.
Röhr: Der Vokalismus des Französischen im 13 s. Diss. Halle 1888.
Rydberg: Zur Geschichte des franz. e. Upsala 1907.
Rennert: Studien zur altfranzösischen Stilistik. Diss. Göttingen 1904.
Schmidt: Untersuchung der Reime in den Dichtungen des Abtes Gilles li Muisis. Diss. Bonn 1903.
Schönenberger: Deklination der Substantive mit wechselndem Accent und Silbenzahl. Diss. Heidelberg 1910.
Schultze: Der Konsonantismus des Französischen im 13 s. Diss. Halle 1890.
Strammwitz: Strophen- und Vers-Enjambement im Altfranzösischen. Diss. Leipzig 1887.
Suchier: Aucassin et Nicolete, 3. Aufl. Paderborn 1889.
Tobler: Li dis dou vrai aniel, 2. Aufl. Leipzig 1884.
Wackernagel: Poetik, Rhetorik und Stilistik, herausgegeben von L. Sieber. Halle 1873.
Wiese: Die Sprache der Dialoge des Papstes Gregor. Halle 1900.
Ders.: Blondel de Nesle. Dresden 1904.
Willenberg: Der Konjunktiv Praesentis der I. schwachen Konjugation. Diss. Straßburg 1878.
Zemlin: Der Nachlaut i in den Dialekten Nord- und Ostfrankreichs. Diss. Halle 1881.

Weitere, nur gelegentlich benutzte Arbeiten werden in der Untersuchung zitiert.

Inhalts-Verzeichnis.

Einleitung.

Über das gegenseitige Verhältnis der gereimten Versionen des festländischen Bueve de Hantone hat Stimming in „Abhandlungen zur Toblerfeier" Halle 1895 p. 159 sq. eingehend gehandelt; es sind drei verschiedene Fassungen zu unterscheiden:

F I[1]): P¹ = Paris. B.N. fr. 25516; 10614 Verse.

F II[2]): P = Paris. B.N. fr. 12548; 19123 Verse.

      R = Rom Vatikan. Bibl. Christ. 1632.

      W = Wien, Hofbibliothek 3429.

F III[3]): C = Carpentras. Städt. Bibl. 401; 16239 Verse.

      T[4]) = Turin. Univ.-Bibl. L II 14; 20572 Verse.

      V = Venedig. Bibl. d. Marco 14; ca. 9300 Verse.

      M = Modena. Staatsarch. nur als Bruchstück erhalten, 304 Verse.

Die sprachlichen Formen der wichtigsten dieser Hss. sind in mehreren Dissertationen bearbeitet worden, es sind bereits erschienen:

L. Behrens: Die Fassung P¹ des festländ. Bueve de H. Diss. Göttingen 1913.

G. Sander: Die Fassung „T" des festländ. Bueve de H. Diss. Göttingen 1912.

F. Schlütsmeier: Die Sprache der Hs. „C" des festländ. Bueve de H. Diss. Göttingen 1913.

Fr. Oeckel: Ort und Zeit der Entstehung der Fassung II des festl. Bueve d. H. Diss. Göttingen 1911.

---

1) Erschienen in Ges. f. rom. Lit. Bd. 25 Dresden 1911.

2) Erschienen in derselben Ges. als Bd. 30.

3) Erscheint demnächst.

4) Durch einen Brand vor einiger Zeit vernichtet, doch in Abschrift von Herrn Geh.-Rat Stimming erhalten.

1

Während nun die drei ersten der genannten Arbeiten sowohl die Sprache des Dichters (Untersuchg. der Reime und Assonanzen) wie die des späteren Kopisten (Untersuchg. des Versinnern) ausführlich behandeln, beschränkt sich die Arbeit Oeckel's, abgesehen von kurzen Notizen über den Schreiber, lediglich auf die Untersuchung der Reime und Assonanzen, gibt dafür aber einen Überblick über die ganze Fassung (P, R nicht W). Es ist nun für weitere Fragen der Bueve-Forschung, besonders für die Untersuchung des Abhängigkeitsverhältnisses der einzelnen Fassungen und Handschriften von einander, die genaue Datierung und Lokalisierung einer jeden Handschrift, sowohl inbezug auf den Dichter wie den Schreiber, unbedingt erforderlich. Diesem Umstande Rechnung tragend, wendet sich die nachfolgende Untersuchung nochmals der Fassung II zu, und zwar beschränkt sie sich nicht darauf, wie ursprünglich beabsichtigt war, die Arbeit Oeckels zu vervollständigen, sondern macht den Versuch, eine allgemeine Charakteristik der Hs. P und, soweit es möglich ist (cf. Kap. VI u. VIII), auch der erst in zweiter Linie stehenden Hss. R und W zu geben. Dabei stellte sich eine gänzliche Neubearbeitung der Oeckel'schen Untersuchungen als unerläßlich heraus, weil dort eine ganze Reihe, für die Datierung und Lokalisierung der Hs. P, wichtiger Kriterien unberücksichtigt gelassen waren, sodaß das Ergebnis notwendig ungenau werden mußte. Ferner zeigte sich, daß Oeckel bei der Untersuchung der Versausgänge nicht erkannt hat, daß das ursprüngliche Gedicht durch die Hand des Schreibers ganz wesentliche Veränderungen erfahren hat. Es werden so unter dem Konsonantismus p. 50 sq., besonders aber im Anschluß an die Untersuchung der Reime und Assonanzen, p. 38 sq. Erscheinungen aufgeführt, die sicherlich erst durch den Kopisten in den Text gekommen sind; andererseits glaubt Oeckel, seine Arbeit nicht beschließen zu können, ohne einige Änderungsvorschläge für den kritischen Text, betreffend die Methode der Setzung des Flexions -s und einige die Reinheit störende Formen, machen zu müssen. Sämtliche Vorschläge sind aber, wie die Untersuchung ergeben wird, unannehmbar, eben weil sie nicht das Original betreffen, sondern sämtlich Punkte sind, die ausnahmslos auf Rechnung des gewissenhaften stets korrigierenden Schreibers zu setzen sind.

Wir rechtfertigen unsere Behauptungen bezügl. des Kopisten jedesmal durch einen Vergleich mit den Parallel-handschriften CT, RW. Von diesen gehen CT, wenigstens für einen Teil entsprechend den Versen 21 (21)—1357 (1358), mit P auf dieselbe Vorlage zurück (cf. Wolf[1]) a. a. O. p. 106); wichtiger noch für unsere Zwecke ist der Umstand, daß T die letzten ca. 6400 Verse, entsprechend den Versen 13141 (13222) bis Schluß, wörtlich aus dem Original P genommen hat (cf. Wolf p. 140). Da also P (Kopist) und T diese 6400 Verse aus derselben Quelle (Original P) abge-schrieben haben, so nehmen wir an, daß im Falle der Übereinstimmung beider Hss. die Lesart der Vorlage un-verändert geblieben ist, dagegen bei Abweichungen ent-weder die eine oder die andere Hs. geändert hat. Der Sachverhalt ist nun der, daß die Hs. T. bezügl. der Vers-ausgänge im allgemeinen normale Verhältnisse zeigt, d. h. das Flexions -s, den Regeln der Grammatik entsprechend, gesetzt oder nicht gesetzt hat, während die Hs. P ein freies Spiel mit dem Flexionszeichen getrieben hat, es hier setzend, dort auslassend, und zwar ohne Rücksicht auf die Erfor-dernisse der Grammatik, nur um für das Auge einen reinen Reim zu erhalten. Dürfen wir nun in solchen Fällen schon mit großer Wahrscheinlichkeit annehmen, daß die Abweichungen von der Norm durch unseren Kopisten verursacht sind, so werden unsere Vermutungen durch den Umstand bestätigt, daß der Schreiber in seinem Vor-gehen nicht ganz konsequent gewesen ist, sondern hier und da die lautgesetzl.-korrekten Formen trotz des dadurch entstehenden ungenauen Reims hat stehen lassen: er hat also in seiner Vorlage diese lautgesetzl.-korrekten Formen vorgefunden.

---

[1] Die soeben erschienene bessere Arbeit von Paetz war mir leider noch nicht zugänglich.

Das Verhältnis der Hss. R und W zu P ist augenblicklich Gegenstand einer besonderen Dissertation. Ich habe mir für meine Zwecke ein eigenes Urteil darüber gebildet: Beide Hss. stellen — das ist unschwer zu erkennen — keinen selbständigen Typus unter den Bueve-Fassungen dar, sondern es handelt sich in beiden Fällen, wie aus mehreren Punkten der Untersuchung zu schließen sein wird, um Bearbeitungen (bezw. Abschriften) der Überlieferung, nicht des Originals P (vgl. weitere Bemerkg. unter R und W am Schluß). Aus diesem Grunde können natürlich beide Hss. über das ursprüngl. Gedicht keine Auskunft geben.

Meine Untersuchung schließt sich den Ausführungen Oeckel's nur in wenigen Punkten an und ist im allgemeinen auf breiterer Grundlage angelegt. Wenn nun die Analyse in einigen Punkten bis in die Einzelheiten durchgeführt wird, so geschieht das allein zu dem Zweck, dem wahren Sachverhalt auf den Grund zu gehen und dadurch einen verläßlichen Ausgangspunkt zu gewinnen. — Die Bezifferung der Belegstellen ist stets eine doppelte, die erste Zahl bezieht sich auf die Hs. P, die zweite (in Klammer gesetzte) auf den kr. [1]) Text, der im wesentlichen dem von P folgt. Um in jedem Fall ein Nachschlagen der Belege für P zu ermöglichen, wird die Zahl für den kr. Text auch dann gesetzt, wenn dieser von P abweicht, die abweichende Lesart der Hs. P ist in solchen Fällen stets in einer Fußnote unter dem kr. Text zu finden.

Die Handschrift P.

Die folgenden Angaben entnehme ich der Abschrift des Herrn Geh.-Rat Stimming, welche mir für meine Untersuchung gütigst überlassen wurde. Das Gedicht ist überliefert unter dem Titel: „Bueves de Hanstone" zusammen

---

1) A. Stimming: Die Fassung II des festld. Bueve de Hanstone. Ges. f. rom. Lit. Dresden 1912 Bd. 30.

mit dem Roman: „Ansëys de Cartage" in dem Manuskript
12548 der Bibliothèque nationale zu Paris. Das Ms. enthält 211 Blätter und zwar werden f. 1—78 vom Ansëys
und f. 79—211 von unserem Roman eingenommen. Die
Seiten sind vierspaltig. Jedes Gedicht beginnt mit einer
Miniatur auf Goldgrund, die bei Ansëys die Breite des
ganzen Blattes, beim Bueve die einer Kolonne einnimmt.

Unter den Miniaturen beginnt der Text, bei jedem
Gedicht mit einer sehr großen Initiale, die ein reiches
Muster in rot, blau und gold zeigt, und zwar ein S. bei
dem ersten, ein P. bei dem zweiten Roman.

Jede Laisse beginnt mit einem Goldbuchstaben auf
rotem Grunde. Das Innere dieser Buchstaben enthält ein
(jedesmal verschiedenes) Muster auf blauem Grunde. Die
Schriftzüge sind groß und deutlich; Schreibfehler kommen
nur sehr selten vor. Teilweise sind die Buchstaben so
groß, daß hin und wieder ein Vers auf 2 Zeilen hat verteilt werden müssen, z. B. V. 748 (747).

B. Das Gedicht.

I. Die Mundart des Dichters.

Bei unserer Handschrift handelt es sich um eine Abschrift, nicht um das Original des Romanes. Da der Verfasser und der Schreiber des Gedichtes verschiedenen
Dialekten angehören können, so ist eine getrennte Untersuchung erforderlich. Die Silbenzahl und die Reimvokale,
weniger auch die auf letztere folgenden Konsonanten sind
die einzigen Kriterien, welche über die Mundart des Dichters
einen einigermaßen sicheren Aufschluß gestatten, während
alle übrigen Sprachformen eine vom Überarbeiter her-
rührende Umformung in dessen Sprache erfahren haben
können.

Erscheinungen, die selbst bei den Reimvokalen und

besonders den Konsonanten auf den Kopisten zurückzuführen sind, werden jedesmal besonders hervorgehoben.

a. Vokalismus.

a.

1) vlt ā:
   a. lat. Deckung
   > part 4069 (4092), pas 4071 (4094), dras 4076
   > (4099), char (carnem) 4082 (4105), cheval 17800
   > (18259), vassal (kelt. gwas + rom. -allum) 17806
   > (18265).

   b. rom. Deckung.
   > bras (bracjum) 4080 (4103).

   c. germ. Deckung bei Wörtern, die aus dem Germanischen herübergenommen sind:
   > estal 17796 (18255).
   > Endung -art: gaignars (germ. Stamm ganja) 4078
   > (4101), Eigenname Achopart 4073 (4096).

2) lat. freiem a der bekannten einsilbigen Atona (cf. M.– L.
   a. a. O. pg. 62—63):
   > ia 4077 (4100), cha 10418 (10495), la (illac) 17233
   > (17566), a (habet) 4083 (4106), 11334 (11413), da-
   > her auch im Futurum: taurra 4068 (4091), sera 15395
   > (15510), enterra 11330 (11419);

   analogisch nach a (habet):
   > va 16322 (16511), 17228 (17561), sowie die 3.
   > pers. perf. der a-Verba:
   > redouta 4066 (4089), estora 4074 (4097) etc.

3) Das lat. Suffix -alem:
   > costal 17802 (18261), hiretal 17794 (18253), cen-
   > dal 17807 (18266), loial 17798 (18257), campal
   > 17799 (18258), esperital 17803 (18262), infernal
   > 17804 (18263); dazu auch mal (Substantif) 17795
   > (18254) (cf. ęl).

   Ausgangswechsel von -alem für -elem:
   > crual 17797 (18256), 17805 (18264).

Die Erklärung obiger Erscheinung ist allgemein bekannt, ich verweise auf die Diss. von Nathan: Das lat. Suff. -alis im Franz. Straßbg. 1886.

ã, ẽ.

Das Verhalten dieser Laute vor gedecktem Nasal ist ein wichtiges Dialektkriterium. Bekanntlich werden, von einigen Ausnahmen abgesehen, im pikardischen (wall.) und normannischen Dialekt *an* + Kons. und *en* + Kons. im Reime mit einander nicht gebunden, im Gegensatz zum Centralfranzösischen, wo seit dem XI[s] *en* wie *an* gesprochen und gewöhnlich auch geschrieben wird (cf. Metzke a. a. O. p. 64).

In unserem Texte ist nicht nur phonetisch *en = an,* sondern auch graphisch jedes *en* durch *an* wiedergegeben, also eine völlige Vermischung beider Laute eingetreten (vgl. dagegen ã und ẽ beim Kopisten).

Sie entsprechen:

1) vlt ă.

    a. lat. Deckung.

        grant 183 (183), an(s) (annum + s) 215 (215), 236 (236), camp 4061 (4084), sanc 9442 (9510), espant 1159 (1167), enfant 1161 (1169), lance 2204 (2223).

Endungen:

-antem = Part. Praes.:

        verdoiant 167 (167), doutant 1153 (1161), secourant 7507 (7557).

-ando = Gerundium:

        estant 2952 (2972), oiant 945 (9513), samblant 9792 (9867), poignant 18059 (18686).

-antia:

        samblance 326 (324), 2196 (2215), pitance 339 (337), pesance 2207 (2226), viutance 12213 (12315.

-antia statt -entia in volkstüml. Wörtern:

        creance 1342 (1353), fiance 320 (318), 342 (340).

b) rom. Deckung.

chambre 2192 (2211), mance 2194 (2213).

c) germ. ged. a vor Nasal:

gant (germ. want) 2685 (2704), 13977 (14077), blanc 4315 (4338), flanc 4327 (4350), 5260 (5288), brant 9432 (9500), Mombranc 2703 (2722), banc 12725 (12805), franc 12915 (12997).

2) vlt a = arab. freiem â.

drugemant (torgomân „Ausleger") 12785 (12866), 12780 (12861), cf. Diez 123.

3) vlt ę vor Nasal:

vant (ventum) 1162 (1170), 4053 (4076), gant (gentem), 2688 (2707), 4324 (4347), argant 942 (942), parant 5246 (5274), entant 1514 (1525).

Endungen:

-mentum: aaisemant 1509 (1520), sairemant 8395 (8448), tourmant 13246 (13316).

-mente: cortoisemant 179 (179), longuemant 525 (526), folemant 11078 (11167).

Selbstverständlich erscheinen die Wörter, die in allen Dialekten in ẽ und ã Assonanz vorkommen (Adiaphora), bei uns ebenfalls nur mit ã:

oriant 216 (216), 1150 (1158), maltalant 1516 (1527), sergans 230 (230), 4837 (4860), talant 188 (188), 964 (964), esciant 2690 (2709), noiant 1515 (1526), 10705 (10783).

A n m e r k u n g : In den Laissen 84 (82) und 116 (114) finden sich je 2mal Wörter, in denen *en* graphisch geblieben und nicht, wie sonst, zu *an* geworden ist: forment 5240 (5268), durement 5241 (5269) und entent 3817 (3843), arrestement 3818 (3844), beide Male zu Beginn der Laissen. Diese Schreibweise entspricht dem Sprachgebrauche des Kopisten, der beide Laute streng aus einander hält (cf. ẽ und ã beim Kopisten). Abgesehen von diesen vier Fällen — es finden sich übrigens alle Wörter wiederholt mit *an* -- hat der Schreiber jedes *an* der Vorlage unverändert gelassen.

6) vlt ę̌.

    a. = cl. ė vor gedecktem Nasal:

        α) lat. Deckung:

            prandre 2203 (2222), prant 4836 (4859), 10659 (10735), pourprant 9453 (9521), vant (vẹndit) 10720 (10805).

        β) rom. Deckung:

            famme 3199 (2218), 2213 (2232) u. ö.

    b. cl. ged. ī vor Nasal.

        souuant 2686 (2705), ans (intus) 13567 (13655) laians 4041 (4064), fant 12809 (13903).

    c. kelt. ged. ĕ vor Nasal:

        arpant (kelt. arepennis) 10670 (10763) (cf. t).

    d. germ. ged. ĕ vor Nasal:

        garant (ahd. wërento) 220 (220), 9446 (9514) u. ö.

    e) germ. ged. ī vor Nasal:

        masange (*misinga = ndl. mees + germ. Ableitungssuffix -ing-). —

Ebenfalls sind hierher zu rechnen:

        bauchant 10688 (10761), païsant 16276 (16465) cf. Nyrop a. a. O. Bd. III p. 72, 96 und 171).

e.

Über den Lautwert der 3 e vergl. Suchier, Jenaer Litteraturztg. 1878 Nr. 21 und Z. f. r. Ph. III, 138 sq. Zur Zeit unseres Denkmals ist e = lat ė, ī, in gedeckter Silbe schon mit e = lat. ĕ in gedeckter Silbe zusammengefallen, sodaß wir nur ein offenes und geschlossenes e auseinander zu halten haben. Dieser Lautwandel vollzieht sich im Anglo-Norm. schon kurz nach 1150, auf dem Festlande jedoch erst nach 1200. Wenn daher Oeckel p. 42 nicht einziges Beispiel dieses bei uns ausschließlich belegten und für die Datierung unseres Denkmals so wichtigen Überganges von ę̌ > ę̧ erwähnt, so ist die von ihm zu früh angesetzte Entstehungszeit unseres Gedichtes wohl erklärlich.

ę.

1) vlt ę̣.
   a. = cl. ged. ĕ:
   fer 1883 (1903), cerf 1886 (1906), honnestes 2833
   (2853), geste 2809 (2829), terre 2794 (2814),
   conuerse 12576 (12653), pelle (*pessulum?) 2802
   (2822).
   Endungen:
   lat. Suffix -erna:
   paterne 2795 (2815), lanternes 2819 (2839), Bisterne
   12152 (12254).

   -ellum:
   dansel 1875 (1895), 1884 (1898), clauel 1878 (1898),
   cerclel 4901 (4924), vaucel 4881 (4914).

   -ellum für -ulum:
   lioncel (leunculum) 1887 (1907) cf. Cohn, Suffixw.
   p. 24.

   -ellum für -alum:
   cembel (cymbalum) 4892 (4915).

   -ella:
   pucelle 111 (111), 2796 (2816), nouueles 1782
   (1805), alemele 2829 (2849).

   In Isabel (Isabele): -ẹl 4914 (4937) ist das End-e dem
   Reim zu Liebe geopfert worden.

   -ella für -ula:
   röele 12169 (12271).

   -ella für -ẹla:
   querele 12171 (12273), 12420 (12497).

   Die Reime sind also frei von einer pik-wall. Eigentümlichkeit, nämlich der Diphthongierung des ged. ĕ (cf.
   Suchier Auc. p. 64). Für die einzige Ausnahme siele
   (sella): mamele 1749 (1815) ist der Kopist verantwortlich,
   außerdem begegnet das Wort in derselben Laisse
   zweimal in der franz. Form scle: -ẹle 1794 (1812), 1894
   (1892).

2) = lat. ae in rom. Deckung:

> querre 1755 (1773), 12165 (12267), requerre 2799 (2819), conquerre 1751 (1769).

3) = germ, ged. e:

> guerrè 1778 (1796), elmes 2833 (2843), hauberc 1876 (1896), isnel 4926 (4947).

4) lat. ged. ē:

> cesse: fenestre 2808 (2828); 2831 (2851), arreste: 2823 (2843), 2826 (2846), 12595 (12672), teste(s): e 2832 (2852), 12438 (12515), 12579 (12656), ancestre: ę 12164 (12266). Die Beispiele lassen sich noch vermehren.

5) cl. I in Deckung:

> ceste (ecce ista): ę 12167 (12269), sautele (*saltillat 2805 (2825).

6) = lat. freiem ē in dem gelehrten Worte:

> profete (prophēta) 12429 (12506), cf. Schw.-B. a. a. O. § 39 I A).

7) lat. a + sek-i, graphisch stets e:

> vor str: estres (astrium) 2817 (2837), irestre 12427 (12504), aber auch schon sonst: eslés 4913 (4936), plest 4920 (4943), eue 1786 (1804), fere 12168 (12270), afere 12433 (12510), festes 12590 (12667).

ę.

1) lat. freiem a.

> pre 1637 (1648), 1647 (1657), ber 2284 (2303), nef 3115 (3135), 4219 (4242), pel 3229 (3250), reméz 2677 (2696), el (*alum für aliud) 4192 (4215), 5616 (5649).

> vor Muta + Liqu.:
> frere 1950 (1970), 4845 (4868), mere 4886 (4909), lere 4887 (4910).

> In Verbalendungen:
> Inf. -are: parler 2263 (2282), gëuner 2945 (2965), finer (Neubild. < fin) 5943 (5977).

-atis (2. pl. und Imp.):

parlés 1383 (1394), alés 3523 (3546), osés 8226 (8279), analogisch danach für -etis, -itis: deués 1720 (1731), öes 219ʒ (2114), venés 1599 (1610), dieselbe Endung in der 2. pers. plur. Fut. esmaierés 1376 (1387), comparrés 7321 (7368), porrés 3540 (3565), uenrrés 9147 (9207).

-atum, -atam:

tröé 2291 (3010), listé (*listatum < germ. lista) 8917 (8971); crevee 4875 (4798), mallëuree 14279 (14387).

In Subst.: barné 2330 (2349), fossé 3174 (3195); denree 9 (9), 1951 (1971), contree 11927 (12029), nach (graph) gn: regné 2675 (2694), 3998 (4020).

Folgen 3 e aufeinander, so ist das eine (das letzte cf. metrische Bemerkung) vom Kopisten nicht geschrieben worden, das mittlere é hat dafür die Funktion von zwei e übernommen: Statt esfreee erscheint esfreé[1]): ée 7953 (8006), 16014 (16179), 15664 (15779), im letzten Falle auch in R (!), statt desreee zweimal desreé: ée 14533 (14651), 17754 (—), statt veee einmal veé: ée 12358 (12441) hier auch RW (!).

Unser Kopist hat im allgemeinen konsequent é statt ée geschrieben, wichtig ist nun, daß einmal die korrekte Form geblieben ist: esfreee: ée 13204 (13285) PT, fehlt RW, wir dürfen also wohl vermuten, daß er sie so in der Vorlage angetroffen hat, ganz abgesehen von der Hs. T (cf. Einleitung p. 3), die hier überall die korrekte Endung -eee bewahrt hat.

-a(ve)runt: cauperent 12406 (12483).

-atem (Subst. Endg.):

viuté 3183 (3204), volenté 2018 (2038), iretés (hereditatem + s) 2125 (2144), poverté 12607 (12684).

---

1) Im kritischen Text ist natürlich in solchen Fällen die Lesart des ursprüngl. Gedichtes wieder eingesetzt, im Folgenden wird das nicht jedesmal besonders bemerkt werden.

-alem: ostel 2252 (2271), champel 5594 (5627), naturel 4134 (4162), c(h)arnel 4649 (4671), 12109
(12210), esperités 2011 (2030), 3124 (3144), tinés
(*tināle + s von tinum) 1590 (1601).

Das Substantiv malum erscheint 3 mal im Reim korrekt als mel[1]): 1353 (1364), 1367 (1378), 6952 (6995).

-arem erscheint stets in der lautgeseßlicchen Entsprechung -er, eine Vermischung mit -ier läßt sich für den
Dichter noch nicht nachweisen:

> bacheler 1375 (1386), 5867 (5901), sollers 2792
> (2812), sengler 2921 (2941), 4004 (4026), piler
> 3308 (3329).

-arem statt alem:

> principer 12340 (12 423), 17412 (17521); cf. -arem
> beim Kopisten).

Hervorzuheben im Reim auf -é sind die Verba auf
-itare, -idare:

> oublïer 2254 (2273), fïer 2256 (2275), marïee 1880
> (2000), devïer 6684 (6725), 16130 (16314), crïer
> 2901 (2921), dazu mercïer (Neubildg. aus merci)
> 5625 (5648), denn nicht selten erscheinen neben
> lautgeseßlichen Entsprechungen Formen mit ié
> (vgl. die Bemerkung unter ié).

Ferner sind hier die Wörter zu erwähnen, welche inbezug auf das Bartsch'sche Geseß schwanken, also neben
ie auch é aufweisen:

> α. es erscheint e, wenn in der vorhergehenden Silbe
> ein primäres „i" steht:
> irer 7099 (7145), 7272 (7318), iré(s) 2253 (2272),
> 3048 (3067), äirer 5884 (5918), aquiter 7437 (7487),
> raquiter 8578 (8626), deviser 5982 (6015), 6657
> (6733), ebenso in pité(s) 1670 (1681), 9658 (9730)
> und respiter 14836 (14952), wenn dieses nicht
> besser als Neubildung < respit aufzufassen ist.

---

1) cf. M.-L. Gr. p. 42: Das korrekte mel < malum hat sich in
der epischen Sprache in der Asson. bis ins 13ª erhalten.

β. wenn der Stamm auf mehrere Konsonanten ausgeht:
amisté 8567 (8615), 11 812 (11 914), mauuaisté
17528 (17 920).

Nur mit „e", wie überall, erscheinen:
desirer 7108 (7154), desiré 12640 (12 717), disner
3192 (3213), consirer 10300 (10 375).

2) lat. freiem ē:

segree (der Kopist schreibt serree) 4851 (4874) ist
gelehrten Ursprungs: Foerster: Richars li Biaus p. 35 erklärt den Reim secrees: regardees aus einem Wechsel
von ẹ und e und stellt ihn auf dieselbe Stufe wie: erent:
amenerent. Nach Sch.-B. Gr. 39, 1a liegt in diesem Worte
ein ẹ vor wie in prophete, das auch in unserem Text mit
e belegt ist, cf. p. 11.

3) lat. ai, das im Französischen in den Auslaut tritt:

é[1]) (habeo) 11 125 (11 213) daher auch in der
1. pers. sg. fut.: fairé 10513 (10 588), penderé
11 156 (11 244), fineré 11 817 (11 918), cesseré
11 794 (11 896), harré 12 115 (12 216).

Die 1. pers. sg. fut. liegt ebenfalls vor in dem Reimwort des Satzes:

Mes cors mëismes cest message feré: ẹ 13874 (13 970)
(dasselbe belegt Sander a. a. O. p. 6). Hier steht der Aus-
druck: Mes cors mëismes syntaktisch gleich dem Pronomen
je, während sonst diese Wendung der 3. pers. des Pronomens entspricht z. B.: Mes cors sera feruestus et armés
11 447 (11 541). Es ist anzunehmen, daß diese einzige
Ausnahme durch den Reimzwang verursacht ist.

4) lat. freiem ĕ:

lat. deum erscheint im Reime stets als dé 1303
(1313), 1571 (1582), 2285 (2304), 3209 (3229),
u. ü. Nom. dés 7199 (7245). Nach Andresen
a. a. O. p. 26 findet sich diese gelehrte Ent-

---

1) Es ist auffällig, daß sich diese Formen nur im zweiten Teile
des Gedichtes finden; der Dichter hat wahrscheinlich verschiedene
Vorlagen benutzt, cf. Kap. III 9 cff.

sprechung des lat. *deus* fast nur im Reim und in der Assonanz.

4) germ. a:

re (mhd. râz = Scheiterhaufen) 1309 (1320), he (*hato = fränk. hatjan) 7654 (7702), het 8201 (8254), he (Subst.) 9804 (9879), 10529 (10605), 11124 (11212).

Ebenfalls in dem Eigennamen: Fourrés (germ. Volrat + s) 2038 (2057), 2041 (2060).

6) germ. ai:

dehé 494 (493), 10528 (10604), 10796 (10848) u. ö.

i.

1) lat. freiem ī:

vie 131 (131), 722 (722), ire (iram) 1906 (1926), riue 4274 (4297), ris 2543 (2562), cri 2746 (2766), di(s) vl. dīem, cl. dīem + s 1428 (1439), 1445 (1456), deuis 12450 (12527),

vor Kons. + r:

occire 1905 (1925), vivre 3894 (3920), delivre 2384 (2403).

Endungen:

-ire: establir 613 (613), sentir 2240 (2259), honir 4123 (4146), marir (germ. marrjan) 5414 (5445), analogisch auch in starken Verben: sëir 2237 (2256), cäir 2489 (2508), vëir 615 (615), 4375 (4398). Diese Infinitive auf -ir zeigen sich besonders im Pik., seltener im Norm., cf. Konjugation.

-ivit (vlt. íut): feri 642 (642), saisi 639 (639), dormi 2433 (2452),

i statt -ut dialektisch in einigen starken Verben: chäi 3777 (3803), crëi 5309 (5337), cf. Konjugation

i statt -iét < ēdit analogisch nach der 2. pers. sg.
entendi 10913 (10998), respondi 11977 (12079),
atendi 11922 (12094) etc., cf. ié p. 29.

-i[ve]runt: issirent 5752 (5786), coisirent 5735 (5769).

-irent statt -ierent analogisch [s. o.]: vendirent 5755
(5789).

-itum, -am: esiöi 3725 (3750), burni (*brunitum
germ. brunjan) 4418 (4441), öie 108 (108), fenie
(*fenitam) 9555 (9628).

Subst.: oubli 11391 (11485), departie 11370 (11463).

-isum: paradis 1461 (1472), 4575 (4598).

-icem: pertris 5467 (5499).

-ilem: auril 1416 (1427), gentis (gentilem + s) 1465
(1476), cf. l. p. 33 sq.

-ía (Subst. Endung), sehr häufig: folie 109 (109),
druerie 153 (153), compaignie 3879 (3905); Marie
157 (157), Surie 691 (691) etc.

-ivum + s: erscheint stets in der franz. Form -is:
aidis 2498 (2517), chaitis 885 (885), 2233 (2252),
pensis 12470 (12447).

2) germ. freiem i:

guise 1916 (1936), guie 4298 (4321), gris 2218
(2237), estri[s] (Vbsubst. zu germ. striban) 3755
(3781), eschauie (skapid) 3885 (3911).

Eigennamen: Tierri 5303 (5331), Gui (Wido) 11381
(11474).

3) lat. ī in Deckung:

α. lat. Deckung:

vile[s] 1894 (1914), 1912 (1932), escris 2424 (2443),
Christ 2743 (2763), mil 4998 (5018), riche(s) 1899
(1919), 5406 (5437) u. ö.,

ist nicht < germ. rikja abzuleiten, wie in allen Gramma-
tiken angegeben wird, sondern wegen prov. ric und ital.
ricco auf ein vlt. *riccam + (s) zurückzuführen (Stimming).

rikja hätte außerdem rice und nur dialektisch riche ergeben [1]).

   β. rom. Deckung:
     -icium, -aticium:
       larris (ndl. laar) 4957 (4930), ferëis 4520 (4543),
       hordëis 4397 (4420), caplëis 4996 (5021), poignëis
       15469 (15585), plourëis 13117 (13198).
     -iculum: peril 2480 (2489).

4) vlt. ę = cl. I:
     mëisme 2381 (2400), petit 4967 (4990), petis 5315
     (5343), hier erwartet man e, i erklärt sich durch
     Dissimilation.

5) germ. e:
     espie (Vbsubst. zu spëhon) 5274 (5301), lige (lëdig)
     5285 (5313).

6) germ. I in jüngeren Wörtern:
     siglent 4296 (4319) (altr. sigla).

7) lat. i + sec. i:
   α. vl. ī + sec i:
     mie (micam) 112 (112), 120 (120), 1244 (1254)
     u. ö. alie (alica) 693 (693), esmie 4249 (4282),
     amie 1919 (1939), anemie 125 (125), auch bei -icum
     cf. M.–L. p. 75: amis 2449 (2468), 15078 (15199),
     anemis 5660 (5693), 15079 (15192), dis (dicis)
     4961 (4985), dire 1542 (1553), 3876 (3902) u. ö.
     dites 2370 (2389), 2383 (2402).
    -ise <-ītium statt ītium, im Reime nur in dieser
    Form erscheinend:
     justise: -ise 11776 (11878); 5421 (5452) u. ö.
   β. vl. I + i:
     dist (dīxit) 1415 (1426), 2231 (2251) u. ö. analogisch:
     dit (dīctum) 2296 (5324), dite 1897 (1917), malëi
     4531 (4564) etc.
    -iscit: gehist 5654 (5687), analogisch: pleuis (1. p.
     praes. ind.) 2732 (2752), 4977 (5006) u. ö.

---

1) Vgl. noch dazu Formen wie riquece, rikece, die dialekt. für
richece stehen, unter ch beim Kopisten.

8) kelt. i + i:

    lie (kelt. Stamm lig = Weintrester, eigentl. Bodensatz) 1637 (1648), 4252 (4275), 4266 (4289).

9) lat. a vor palat., wenn es nach -i haltigen Konsonanten stand:

    gist 2474 (2493), 5464 (5496).

10) lat. e + sek. i:

    α. vl. ẹ + i:

        pis (pejus) 2529 (2558), sire 1547 (1558), 2375 (2394) u. ö.,li (*illẹi) 12712 (12792), prie 1907 (1927), 4113 (4136), analogisch danach pri (preco) 4639 (4662).

Kons. + r: wichtig ist die pik. Form entir 5471 (5503), da lautgesetzlich < integrum entstanden; meist ist statt der seltenen Endung -ir, das häufige Suffix-ier eingetreten (cf. -ié p. 29).

    β. vl. ĕ + i:

    Kons. + j: pris (pretium) 2506 (2525), prise 11781 (11883), mi (medium) 15850 (15982).

    -erium: baptestire 4116 (4139), sonst ist auch hierfür -ier eingetreten (cf. ié p. 32).

    lis (lectum + s) 2718 (2738), pis (pectus) 4049 (4972), list (*lexit) 2539 (2558), sis (sex) 5794 (5828) etc.

Von dem mundartlich weit vereiteten ẹi < iei findet sich also beim Dichter keine Spur.

11) vlt. ẹ unter Einwirkung eines ī der Folgesilbe (i-Umlaut:

    il (nach quī) 5305 (5333), nenil 2421 (2440), fis (fecī) 2526 (2545), 12707 (12787), pris (presī) 13059 (13140), deuenis (devenestī) 2532 (2551).

Analogisch nach der 1 p. perf. sind gebildet:

    mis (p. perf.) 2742 (2762), occist 634 (634), 4966 4989), pris (p. perf.) 853 (853), (con)quis (p. perf.) 4445 (4468), 5522 (5554), requist 5696 (5729), prëissent 5407 (5438); analogisch nach der 2. p. perf.: fëistes 5421 (5452), venistes 5739 (5762).

12) lat. freiem ĕ unter Einfluß einer vorangehenden Palatalis:

> mercis 1404 (1415), 12476 (12540) u. ö., loisir 2216 (2235), plaisir 604 (604), 1455 (1466) u. ö., cire 2382 (2401) taisir 603 (603), gesir 2550 (2569), 5349 (5367), besonders in der Endung -is < *ẹsem: marcis (marc[a] + ensem) 620 (620), 625 (625) u. ö., parisis (Parisii + ensem) 5345 (5374), parezis (der Kopist schreibt paregis) 12463 (12540), päis (pagum + ensem) 1431 (1442).

13. lat. ī + sek. i in der Verbem auf -icare, -idiare, die im Reime gewöhnlich Analogieformen nach prieproiier zeigen:

> otrie 4273 (4295), otri 1367 (1378), fourmie 4112 (4135), gramie 11307 (11396), ondie 13881 (13978), larmie 17591 (17988) etc.

14) Die unter dem Einfluß des Bartsch'schen Gesetzes stehende Partizipial-Endung -ata wird beim Dichter ausnahmslos zu íe reduciert. Über das Verbreitungsgebiet von íe für iée cf. Suchier: Aucassin p. 65:

> entaillie 1255 (1265), 13875 (—), renoiie 1250 (1269) apareillie 9558 (9631), detrenchie 9549 (9622).

Unter dieselbe Erscheinung fallen:

> foiie (*vicatam) 1251 (1261), fies (*vicatam + s) 5739 (5773), für welche Körting: Etymol. Wörterbuch Nr. 10347 noch fiée, fiede neben gewöhnl. foiée belegt, ferner das Wort: haschie 159 (159), haiscie 1248 (1258), 5295 (5323) < germ. ha[arm]skara.

Dieses wurde lautgesetzlich > haschiere, doch ist r infolge schwacher Artikulation früh gefallen und dann iee wie ursprüngliches iee > ie geworden (cf. r).

15) lat u, für welches infolge von Stammausgleich i eingetreten ist:

> äie (adjutat) 715 (715), äies 1923 (1942), äit 5306 (5335), Verbalsubstantiv äie 733 (733) u. ö., vgl. auch u p. 25.

16) lat. ui:

> Als betonte Mask.-Form des Personal-Pronomens
> erscheint *lui*: i nur selten: 4516 (4539), 4990
> (5013), gewöhnlich ist schon dafür *li* eingetreten:
> auvec li 1433 (1444), ebenso 4973 (4996), 11 352
> (11441), 11 404 (11 498) u. ö. Vgl. dazu M.-L.-Gr.
> p. 84: „Wie oę (< oi) über uę > ę werden kann,
> so wird auch altes úi über üé z. T. > i. Die
> Reduktion > i begegnet am frühesten bei li für
> lui, das im Agn. seit Anfang, im Zentrum seit
> Mitte des 13ˢ auftritt." Da die sekundäre Form
> *li* bei uns in reingereimten i-Laissen (vgl. z. B.
> L. 196 (193)) wiederholt erscheint, so haben wir
> keinen Grund, dieselbe für den Dichter nicht
> schon anzunehmen.

17) Bemerkenswert ist der dialektische Reim: líues : sire
3887 (3913).

ĩ.

1) = lat. freiem i vor Nasal:

> pin 1459 (1470), 2442 (2461), fin (finem) 2505
> (2524), finent 4250 (4273), destin (Vbsubst.) 10 387
> (10 464), fin (vgl. finus = Vbadj. zu lt. finire)
> 5499 (5531).

Endungen:

> -inum: Alexandrin 1440 (1451), souuin (supinum)
> 4456 (4479), mastin (mansionatinum) 5337 (5363);
> Maxin 10 404 (10 473), Martin 10 392 (10 469).
>
> -ina: sapine 3891 (3917), ferine 3893 (3919), marine
> 3880 (3906).

2) lat. ĭ vor Nasal + Kons.

rom. Deckung:

> -iginem: orine 1539 (1250).

3) arab. freiem ī + Nasal:

> meskin (arab. meskin) 4435 (4458), mescine 3873
> (3899), 3882 (3908).

4) lat. ī + sec. i < mouill. n, das in den Auslaut trat:
   lin (*līneum = Geschlecht, Abkunft) 1466 (1477)
   u. ö., escrin (scrīnium) 4501 (4524).

5) lat. ẹ vor Nasal nach Palatal:
   sarrasin 1417 (1424), 3757 (3783), poucin (pullicenum)
   5321 (5349).

6) lat. ẹ + sec. i < mouill. n, das in den Auslaut trat:
   engin (ingenium) 3773 (3799) u. ö.

7) vl. ẹ + Nasal + ī der Folgesilbe (i-Umlaut):
   vins (*ventī + s, cl. viginti) 4601 (4623).

   Analogisch nach dem Umlaut, der in der 1. sg. ind.
perf. lautgesetzlich eintritt (venī < vin) sind die Formen:
   tint 1460 (1471), sorvint 645 (645), auint 3703
   (3728), retint 4641 (4664).

8) lat. ẹ + Nasal:
   estrine (strēna) 1900 (1920) ist eine pik. Nebenform von estraine cf. Foerster Aiol Anm. 655.
   -īnum statt -ẹnum in venin 10388 (10465), nach
   Schw.-B. § 40b Anm. ist *venimen, angelehnt an
   crimen, anzusetzen.

lat. ǫ in Deckung:
   port 11175 (11263), tort 11177 (11265), mort
   13306 (13388), fort 13301 (13382). In Vbsubst.:
   confort 11176 (11264), desconfort 13305 (13387),
   deport 11178 (11266), acort 11180 (11268).
   Eigenname: Aubefort 13300 (13382). Es erscheint stets mit sich selbst gebunden und zwar
   im Reim -ǫrt. Nur 1 mal lieg etymologisch u
   zu Grunde: regort (regurgitem) 13302 (13384).
   Dieses Wort besitzt bekanntlich Doppelformen
   mit ǫ und ọ; ebenso gorge (gurga?) und mot
   (muttum).

   Es ist nicht ausgeschlossen, daß das allerdings gedeckte
r in unserem Worte die offene Aussprache bewirkt hat
(cf. Schw.-B.-Gr. § 66 Anm.).

ǫ.

vlt. ǭ (= cl. fr. o) hat in seiner Entwicklung bei uns
die dritte Stufe (ö) noch nicht erreicht, es steht noch mit
vlt. ọ (= cl. ged. ọ̄, ọ̈, ü) auf der gemeinschaftlichen Lautstufe (u), graph. ou und o. Wichtig sind die Bemerkungen
Schw.-B. Gr. p. 122 einerseits, daß die Schreibung ou für
vlt. ọ in franzischen Hss. seit dem 13ª begegnet und
die Röhr's a. a. O. p. 8 andererseits, daß die Schreibung
ou (o) für vlt. ọ in Urkunden aus Paris noch um 1250 die
ausschließliche ist (vgl. dagegen ·diesen Laut beim
Kopisten).

1) = lat. freiem ọ̄:
>flour 50 (50), aour (adoro) 302 (300), vous 3687
(3713), demour 307 (305) und demor 295 (293) in
diesem Worte liegt etymol. ọ vor, ǫ ist erst
sek. Ursprungs, vgl. die Bemerk. unter o beim
Kopisten.

-orem (Subst. Endung):
>ou: träitour 69 (69), coulour 58 (58), tenrrour 53
(53), valour 57 (57), vigour 315 (315), poignëour
56 (56).

>o: hounor 286 (285), seror 304 (302), jouglëor 48
(48), poignëor 48 (48).

-orem (Komparativ-Endg.):
>menour 43 (43), 313 (311), meillour 47 (47),
pluisour 67 (67), grignour 801 (799).

-orem (erhaltene Endung des Gen. plur.):
>ancienour 46 (46), 291 (290), missaudour 60 (60),
vauassour(s) 61 (61), 306 (304).

2) lat. ged. u:
>graph. stets ǫ: ior 49 (49), 65 (65), 293 (292),
317 (315) u. ö., sejor 52 (52), 3676 (3699), 3698
(3724) u. ö.

3) germ. ged. u:
>estour 314 (312), 3681 (3707), bours (germ. burg
+ s) 3673 (3699).

Go gle

4) griech. ged. o:

> ou: tour 54 (54), atour 310 (308), contour 3682 (3708).
>
> o: destor 3699 (3725).

5) kelt. ged. o:

> plaindour 62 (62), 300 (298) = plain (plenum) + dor (= kelt. dorn „Hand, handbreit").

6) vl. ged. o = cl. freiem ō:

> tout (*tottum) 3672 (3697).

7) lat. u + l + Kons:

> douce (*dulciam) 4349 (4372), in ō Assonanz. Da vor i, e: l stets geschwunden ist in unserem Texte, mag auch hier einfaches ǫ vorliegen und nicht o (u) < o + u.

õ.

graph. o, seltener dialektisch ou (cf. Röhr a. a. O. p. 11).

1) lat. freiem ō vor Nasalen:

> o: pomme 41 (41), nonne 935 (935), don (donum) 257 (256), couronne 974 (974), 2638 (2657), Rome 965 (965), despersonnent 2624 (2643);

besonders in der Endung:

> -onem: perron 242 (242), poisson 664 (663), esperon 1116 (1124), bandon 1130 (1138), Eigennamen: Milon 274 (274), Buevon 4735 (4758) etc.
>
> ou: persoune 927 (927), abandoune 4343 (4366).

2) lat. freiem ō vor Nasalen:

> a. in satztieftoniger Entwicklung:
>
> bonne 931 (931), boune 23 (23), bon(s) (Subst.[1]) 3809 (3832), 16646 (16866), und in dem pronominal gebrauchten on 1099 (1107), 10806 (10891) u. ö.

---

1): Als Substantiv erscheint stets buen bei älteren Dichtern, bon dafür erst seit dem 13ᵉ cf. Suchier Gr. p. 73.

b. durch Einfluß des Obliquus homme in:
> hom (Subst.) 248 (247), 2401 (2420), 12805 (12886) u. ö.

c. durch den Einfluß endbetonter Formen gleichen Stammes in:
> son (sŏnum) 12780 (12861), sonne (sŏnat) (990 990).

3) griech. freiem o vor Nassal:
> ton (tonum = gr. τόνος) 16620 (16839), 18081 (18707).

4) germ. freiem o vor Nasal:
> guerredon (wiϑarlon) 10809 (10894), 14206 (14314) (cf. d. beim Kopisten).

5) lat. freiem ŭ vor Nasalen:
> -on 1 pers. plur.:
> Praes: dison 1114 (1122), deffendon 2413 (2432).
> Fut: feron 262 (261), iron 4788 (4811).
>
> -ommes nach sommes (dieses nach esmes):
> Praes: cantommes 26 (26), auommes 4348 (4371).
> Fut: lairommes 2628 (2647), dirommes 2629 (2648).

6) lat. ged. ŭ vor Nasalen:
> plon (plumbum) 264 (263), somme 21 (21), abonde 36 (36), monde 970 (970), parfont 5048 (5071), ondes 2640 (2659), fonde (funda) 932 (932), 969 (969), fonde (fundus, mit unorganischem, durch Reimzwang verursachten -e) 2626 (2645).

7) lat. ged. o vor Nasalen:
> α. lat. Deckung:
> front 554 (553), mons (montem + s) 268 (267), pon(t) 1115 (1123), conte (computat) 2631 (2650), respondre 2641 (2660).
>
> β. rom. Deckung:
> o: contes (comitem + s) 24 (24), home 40 (40), preudom(m)e 22 (22), 39 (39).
> ou: houmes 25 (25).

8) kelt. ged. o vor Nasal:
> descombre (kelt. combro) 2627 (2646).

' 9) germ. ged. o vor Nasal:

blonde 30 (30), blont 4753 (4776), blon 17 067 (18 694) (cf. t.).

10) vlt. au:

somme (*sauma < sagma) 991 (991), ont 4749 (4772).

11) germ. au:

honte (hauniϑa) 28 (28), 2647 (2666).

12) In ō Laissen eingestreut sind:

poignent 2625 (2644), Couloigne 4345 (4368), besoing 15 184 (15 298) dafür auch dialektisch beson: -on 2395 (2414), 9867 (9942), der Ton lag also noch auf o. Eine ursprünglich burgundische Form ist auonne: -one 929 (929), 979 (979) < auoine < aueine < lat. avẹna.

ü.

1) = lat. u:

escu(s) (scūtum + s) 404 (403), 1204 (1213), hu (< Interjektion hū) 408 (407), nue (nūda) 3868 (3894), mus 5008 (5033), plus 1469 (1480), mules 3858 (3884), sus (vlt. sūsum < sursum < sub horsum) 5017 (5042).

Endungen:

-ucum (statt cl. -ucam): festu(s) 438 (438), 11 579 (11 673).

-utem: vertu 422 (421), 443 (442) u. ö. salu 1223 (1232), 11 006 (11 091).

-utum, utam, Endung des Part. Perf.:

entendu 397 (396), vendu 1032 (1033), sëu 10 998 (11 083), ëue 16 110 (16 282), ebenfalls aiue (Subst.) 3860 (3886).

-utum statt itum der i-Konjugation:

feru 2781 (2801), ferus 1499 (1510), issus 2814 (2834), consentu 1120 (1229), salu 2482 (2502),

ferner im Part. Perf. anderer Konj. sowie zahlreich
in Adjektiven:

> irascu(s) 419 (418), 425 (424), arrestu(s) 401 (400),
> 1039 (1040), cremu 13504 (13586); ramu 441
> (440), foillu 412 (412), menu 430 (429), herbu
> 15527 (15641), membrus 17809 (18268), über
> Doppelformen dieser Wörter cf. Metrik, über ihre
> Verbreitung im allgemeinen: Andresen a. a. O.
> pg. 52.

2) rom. ged. ŭ = cl. freiem ū:

> lus (lūcium) 1472 (1483), 1482 (1493)

3) germ. u:

> bu (būk) 420 (419), 1215 (1225) u. ö., drus (drūd
> + s) 1209 (1218) u. ö., huue (germ. huba) 3866
> (3889).

4) kelt u:

> drud (*druta, kelt. druto dicht, dick) 16111 (16286).

5) lat. o unter Einfluß einer Labialis:

> repus (repo(n)sum, cf. Wiese, L: Blondel de Nesle
> p. 96) 5033 (5058).

6) lat. ǫ:

> fu < focum dialektisch für feu 5019 (5044).

7) In der 3. pers. sg. der 3. Klasse der starken Verba
erscheint u:

> iut 1036 (1037), aperçut 5032 (5057), beim Kopisten
> erscheint auch iu cf. Konjugation.

ū.

Es findet sich nur einmal in oraler -u-Laisse:

> gëun 1474 (1485).

oi.

1) = lat. freiem ē:

> soir 3920 (3946), soi (sē) 8927 (8955), moi 1843
> (1861), 1852 (1871), oir (*hērem statt heredem
> 12889 (12972).

Endungen:

-ēre im Infinitiv:

veoir 12890 (12973), sauoir 12896 (12978), 12891 (12973), seoir 12912 (12995), Subst. voloir 3916 (3942), auoir 3845 (3871).

-ēbat:

Impf.: auoit 1856 (1875), vestoit 3849 (3879), metoit 12910 (12993) stets auch so, in der Franz. Form, analogisch bei den a-Verben: amoit 3926 (3953), apeloit 3850 (3879).

Kond.: avoit 1874 (1893), taurroit 3847 (3873) adouberoit 1846 (1865),

-ētis Endung d. 2. pl. Fut.:

porrois 3902 (3928), perdrois 3904 (3930), verrois 12905 (12988), descouverrois 12894 (12977) sonst findet sich hierfür das analog. gemeinfrz. -és cf. Konjugation.

-ēsem (cl. -ensem):

cortois 1846 (1864), 1859 (1878), maginois 1859 (1882) analogisch in bourgois 1870 (1889), das lautgesetzl. [borgis] geworden wäre.

-ētem: typisches Suffix für Abteilungen von Baum-arten:

roinssoi 3909 (3935), aunoi 3922 (3048), caurroi (gr.-lat. colyrus statt corylus) 3907 (3933).

2) germ. freiem ē:

conrrois (altfränk. red.) 12908 (12991), conroi 15660 (15775).

3) lat. freiem ī:

poil 1845 (1876), 3843 (3869) u. ö., foi 12897 (12980), nois (nivem + s) 1860 (1879), noif 12907 (12990), im Eigennamen: Bonnefoi (der Kopist schreibt: bonne foi) 1851 (1869).

4) germ. freiem ī:

esfroi Vbsubst. zu esfroier = esfreer < -*es + germ. fridu + are) 12911 (12994), espoi (spīt)

3918 (3944), im Eigennamen: Godefroi 15658 (15773).

5) kelt. freiem ē:
   palefroi (*paraveredum = kelt. v'red) 3824 (3950).

6) vlt ę̄ + sec. i:
   α. cl. freiem ē:
      rois (regem + s) 1875 (1894), doi (*dejo) 3855 (3881), loi 12893 (12076).
   β. cl. freiem ĭ:
      fois (vĭcem) 1853 (1872), vor Kons. + r: noir (nigrum) 12888 (12971).

7) vlt ę̆ + sec. i:
   α. cl. ged. ē:
      droit 1858 (1877), endroit 3907 (3933), adrois 3925 (3951), in dem Part. Perf. toloit (tolēctum) 3911 (3937).
   β. cl. ged. ĭ:
      dois (discum + s) 1842 (1860), estroit 12909 (−), destrois 3848 (3874).
      -iscum: francois 1272 (1292), 1850 (1869), espanois 3846 (3872), 3857 (3883), Yndois 1864 (1883).
   Die Deckung trat erst im Rom. ein:
      orfrois (< aurum *frisium statt phrygium) 1862 (1881), froit 3915 (3941), doi[t] (digitum) 1871 (1890), 12913 (12996).

8) oi statt i erklärt sich aus den stammbetonten Formen:
      proi 15694 (15769) statt pri (preco).
   a. lat ō (oder ū) + i
      ambedoi 3856 (3882), brois 3926 (3952); connois (*connosco) 3844 (3870) ist analogisch nach der 2. pers. praes. Ind. gebildet.

   oi < ei (bew. ę + i) und oi < o + i sind in der Sprache des Dichters also schon auf der gemeinsamen Lautstufe [oé] angelangt. Diese Vermischung läßt sich für Paris zum ersten Male aus Geufroi's Bible (1243), für den Norden schon um, oder kurz nach 1200 bei Jean Bodel aus Arras (Artois) nachweisen (cf. Suchier Altfrz. Gr. p. 51).

ié.

ié ist teils aus lat. ĕ oder ae, teils aus lat. a entstanden. In jenem Falle ist ié ein im Romanischen weit
verbreiteter, fast Gemeinromanischer, in diesem ein speziell
französischer Laut.

a. Altromanisches ié.

1) lat. freiem ĕ:

> moillier 76 (76), pié 373 (371), fier 80 (80), 3272
> (3293), fiert 3266 (3287), autr'ier 8725 (8778),
> relief (Vbsubst.) 10073 (10148), ies (= es) 12819
> 12002).

> Vor Kons + r:
> arrier(e) 2143 (2161), derrier(e) 1081 (1083), in
> entier 1083 (1085), 52∴9 (5237) (12 mal) liegt Aus-
> gangswechsel mit -ier < arium vor (cf. i p. 18).

vlt. ę > ié begegnet ferner lautkorrekt in dem perf.
der 2. schw. Konj. (-dędi Gruppe).

> respondié 2567 (2586), 13440 (13522), respandié
> 8847 (8901) und analog danach in nasquié 15255
> (15370). Häufiger sind jedoch die jüngeren Formen
> auf -i(t), cf. p. 16.

2) lat. freiem ae.

> lié 369 (367), liés 3281 (3302), ciel 1829 (1844),
> 2562 (2581) u. ö., quier 356 (354), quiere 1273
> (1283).

3) germ. freiem e:

> biés (germ. bed) 2586 (2605), 6525 (6565), biere
> (bęra) 1277 (1287), fie(f) [1]) 1832 (1850), 15262
> (15377) = vlt fęvum < germ. fehu.

4) lat. ged. ę:

> in dem bekannten tiers 3802 (3828).

Nach Suchier liegt hier Einfluß von *tier < lat. tęr,
nach Voretzsch Einwirkung der folgenden Palatalis statt.

---

1) fief. erscheint seit dem 13ˢ, es gingen vorauf die Formen:
feu, fiu, fied cf. Suchier Gr. p. 55.

5) Das Suffix -erjum erscheint nur 1 mal in seiner lautgesetzl. Entw. als -ire: baptestire (cf. i p. 18), sonst erscheint dafür das jüngere -ier: (< arium cf. Thomas:
Nouveaus essais II p. 341): mestier 98 (98), 769 (769)
u. ö., moustier 1062 (1063), 7042 (7088) u. ö., ebenfalls -ier findet sich in zahlreichen abstrakten Verbal-
substantiven:

> recouurier 2190 (2209) u. ö., encombrier (kelt.
> kombro) 106 (106) u. ö., desirier 6219 (6254) u. ö.,
> destourbiers 3478 (3501) etc.

6) germ. eo:

> espiel 382 (380) u. ö., espié 3436 (3459), espiés
> 3411 (3434) = jüngere Entsprechungen des germ.
> speüt (cf. l. p. 33). Die Form estrier für estrieu
> < germ. streup, die Suchier Ztschr. f. r. Ph. I
> 430 erst aus dem 13ˢ belegt, ist für den Dichter
> die ausschließliche: 2132 (2165), 2854 (2874), 6111
> (6146), 6231 (6268) u. ö.

b. speziell französisches ié:

1) lat. ā in den Fällen des Bartsch'schen Gesetzes, das bei
uns streng durchgeführt ist.

> α. nach i-haltigen Konsonanten:
> chier 1814 (1832), 2191 (2210), cachier 82 (82),
> trauillier 100 (100), vergognier 3808 (3834), ap-
> procier 12570 (12647).
> -atis: veilliés 2882 (2902), acompaigniés 10240
> (10315).
> -atum: trauillié 2620 (2639), trenchié 3279 (3300),
> Subst.: planchié 1817 (1835), marchié 2866 (2886).

> β. Unmittelbar hinter französischem -i oder einem mit
> i endigenden Diphthong (graph. oft i statt ii).
> esmaiier 765 (765) — esmaier 6146 (6182), noiier
> (negare) 16516 (16721) — noier 5198 (5226), enoiier
> 7064 (7110) — anoier 5200 (5225), loiier 6530
> (6584) — loier 6325 (6364), besonders in den
> Verben — icare, idiare: otroiier 774 (774) — otroier

1058 (1069), esbanoiier 3494 (3516) — esbanoier 94 (94).

In antié 385 (384), 12 647 (12 724) u. ö. statt anti liegt Suffixvertauschung vor.

γ. hinter gewissen Konsonanten, wenn die vorhergehende Silbe ein sec. i hat.

aidier 4203 (4226), esploitier 10884 (10969) repairier 93 (93), abaissier 90 (90), araisnier 2167 (2186).

δ. den unter -é p. 14 aufgeführten Wörtern entsprechen mit -ié und zwar in der Mehrzahl (cf. Suchier afrz. Gr. p. 45):

αα. äirier 2580 (2599), irié 3476 (3499), 7053 (7099), airiés 2891 (2910), respitier 2568 (2587) u. ö., aquitier 7035 (7082), diuisier 10775 (10860); pitié 3450 (3473) u. ö.

ββ. amistié 369 (369), 3508 (3531) u. ö.

2) nach Ausfall einer Dentalis; es ist dies ein pik. Zug unseres Textes (cf. Aiol Anm. 3733), im Französischen findet sich in diesem Falle é:

merciié 374 (373), 15 275 (15 390), merciier 11 920 12022), fiier 10 868 (10 953), deviies (part. perf.) 18 426 (19 107).

Auch im Franz. begegnet in ié Assonanz: delaiier 6575 (6616), 12 242 (12 335) u. ö., — delaier 3453 (3476), delaiés 15810 (15 939).

Nach Foerster erklärt sich dieses Wort < *dilacare, es ist aber wohl besser ein dilatare mit hiatustilgendem j anzunehmen, cf. Boeve de Haumtone (Anglonorm. Fassg.) p. 238.

3) Eine Ausnahme von der Regel macht ferner bei uns das Vb. contralïer, es erscheint nämlich ebenfalls nur in ié-Assonanz:

contraliiés (2. pers. pl.) 3799 (3824), contraliiés (part. perf.) 3474 (3497), contraliié 5459 (5491).

4) in Wörtern germ. Herkunft mit i-haltiger Stammsilbe:

deshaitié (zu germ. hait) 347 (346), haitié 6035 (6072), rehaitier 6455 (6495).

c) Einen besonderen Fall bildet das Suffix -arium,
-ariam, die Entwicklung > ier(e) ist nicht ganz durchsichtig;
es ist höchstwahrscheinlich germ. Einfluß anzunehmen (cf.
Thomas-Vising Rom. XXI sq.).

> chevalier 71 (71), denier 83 (83), paumier 2198
> (2208), carpentiers 5448 (5479), escuier 6048
> (6083), legier 3515 (3538), sehr häufig in Eigen-
> namen: Renier 78 (78), Richier 6271 (6310), Gar-
> nier 6205 (6240).

iẽ

findet sich einzeln in orale ié-Laissen eingestreut.

1) = lat. e vor Nasalen:
> bien 2135 (2154), 3502 (3525).

2) lat. a vor einfachem Nasal hinter i:
> paiens (pagum + ensem) 17203 (17414).

ai.

= lat. a + einfachem Nasal:

Es handelt sich nur um zwei gelehrte Bildungen des
Suffixes -anum: Statt -ai erscheint a in:
> cordoan(s) 919 (919), 950 (950), 1144 (1152), ferner
> in dem Eigennamen: Popelicans 4031 (4054).

b. Konsonantismus.

Da unsere Dichtung nur zum Teil reinen, und zwar
vielfach nur vokalischen Reim aufweist, so lassen sich über
den Konsonantismus des Dichters nur wenige sichere Angaben machen. Dazu kommt, daß fast sämtliche
Laissen mit konsonantischem Auslaut durch die Hand
des Kopisten weitgehende Veränderungen erfahren
haben, die darin bestehen, daß derselbe ohne Rücksicht
auf die Regeln der Grammatik die unreinen Versausgänge des Gedichtes durch Fortstreichen oder unorganisches Zusetzen der End- (Flexions) Konsonanten in reine
Ausgänge verwandelte. Oeckel hat diese, wie alle, Ver-

änderungen des ursprünglichen Gedichtes durch den Kopisten, in seiner Arbeit unberücksichtigt gelassen und führt
so unter dem Konsonantismus des Dichters cf. p. 50 sg.
Erscheinungen auf, die erst durch den Schreiber in den
Text gekommen sind. Unhaltbar werden dadurch seine
auf p. 40 und 84 gemachten Ausführungen gegen die im
kritischen Texte gewählte Methode betreffs der Setzung
des Flexionszeichens; ich werde diese, für unsern Text
so wichtige Frage im Anschluß an die Untersuchung der
Assonanzen und Reime genau prüfen und meine Behauptungen mit Hilfe der Parallelhandschriften T(C) zu stützen
suchen. Im Folgenden wird auf diese Frage nicht ein-
gegangen.

I.

Es handelt sich hauptsächlich um die Endungen -alem
und -ilem:

1) l vor Konsonant:

Vor Flexions -s verstummt l, ohne eine Spur zu
hinterlassen:

nach e: mortés 15953 (16225), 16062 (16234), tes
18241 (18897), ostés 18406 (19087). In der Assonanz: carnés 5168 (5193), naturés 5096 (5121),
esperités 2010 (2030)

nach u: nus: issus 2028 (1029).

nach i: hier ist, wie im Franz., l ebenfalls stets gefallen, also nirgendwo finden sich im Reime Formen
auf -ius, vgl. dagegen diese Endung beim Kopisten.
signoris 13107 (13188), gentis 10467 (10544),
13096 (13150), 13121 (13202).

dahin auch ī:

fis 12446 (12523), 12486 (12564), 12658 (12759)
u. ö. auch lis 1439 (1451) etc.

o: douce 4349 (4372) in õ-Assonanz.

2) l im Auslaut:

Es handelt sich um die Formen des Acc. sg. und
Nom. pl. der Wörter anf. -alem und -ilem, die z. T. in

3

rein gereimten -é, -i Laissen auftreten und somit die Reinheit des Reimes stören. Doch ist wohl anzunehmen, daß die Artikulation des l selbst zur Zeit des Dichters schon keine ständige mehr gewesen ist und daher die Ungenauigkeit nur noch für das Auge besteht.

α. primäre Formen:

tel : é 10498 (10575), ostel : é 11117 (11205) u. ö., charnel : é 12108 (12210), 12201 (12203), autretel 10742 (10839), nöël : é 12133 (12235), gentil ist nur aus der ersten Hälfte belegt: 2513 (2526), 2734 (2754), 3705 (3736).

β. sekundäre Formen, die zum großen Teil auf den Kopisten zurückgehen dürften:

li baron naturé : é (P (RW), T -él) 16502 (16706); cf. 10571 (10647), 10591 (10667) u. ö., auch 6363 (6403), 6400 (6440) u. ö., en bataille campé : é (P (RW), T -él) 15888 (16032), home charné : é 13746 (13836), signouri 10900 (10985), 10932 (11017), 10954 (11037) aber stets auch diese sec. Form in der Assonanz: 1434 (1446), 4594 (4617) u. ö., dasselbe ist aus anderen Texten belegt, es scheint der Abfall des -l in diesem Worte früh allgemein geworden zu sein, vielleicht ist auch eine Suffix-Vertauschung anzunehmen (cf. Andresen a. a. O. p. 15 Anm.).

γ. mouilliertes l scheint im Auslaut die Mouillierung und auch den Lautwert verloren zu haben:

escil : i (sonst reine Laisse) 11388 (11482), auch 5718 (5751), peril 2480 (2499).

3) Für die schwache Articulation des l spricht auch der Reim:

file (3 p. präs. ind.) : percie (sonst reine Laisse) 9532 (9605).

4) Suffix-Vertauschungen:

a. von -alem für -arem in dem bekannten autel 18120 (18332) [autés 7419 (7468)].

b. von -arem für -alem (Reimzwang) principer 12340
(12423) (cf. Stimming, Boeve, Fassung I a. a. O.
Anm. z. Vers 10120).

5) Unorganisch ist l in espiel. Dieses Wort erscheint bei
uns in doppelter Gestalt: als espiel in -ier-Reimen und
Assonanzen: 9189 (9252), 9252 (9320), 11913 (12015);
2605 (2624) u. ö., als espié in ié-Reimen: 10437 (10514),
10453 (10530) u. ö. Nach Suchier: Ztschr. f. rom. Ph. I
429 liegt fränk. *speut (altgerm. speuta) zugrunde,
woraus lautgeseßl. espieus − espieu(t) entstand, espiel
ist dann sec. Acc., als wenn ieu = iel wäre. Die zweite
Gestaltung espié erklärt sich entweder durch Reduktion
des Triphthongen ieu zum Diphthongen [iö] oder als sec.
Acc. zum dialekt. Nom. espiés.

r.

Sehr häufig ist r im Reime nicht beachtet worden.
Wenn nicht völliges Verstummen, so muß doch sehr
schwache Artikulation desselben angenommen werden
(Zungen-r vor Konsonant stand den Vokalen sehr nahe).

1) r wird nicht gerechnet:

a) vor Konsonant und zwar stets vor s, so erscheinen
im Reim auf:

-es: digners 12159 (−), sollers 18257 (18918).

-is: souspirs 13114 (13195), plaisirs 15459 (15575).

-us: pariurs 1485 (1496), 5008 (5033), securs 5002
(5027), purs 1029 (1030), Turs 5009 (5034).

-iés: chevaliers 17075 (17375), destriers 17084
(17384), miers 17101 (17410), fiers 18415 (19096),
premiers 17087 (17388).

b. zwischen Vokalen:

in ee-Reimen: vantere 4862 (4885), mere 4886
(4909), lere 5887 (4920), clere 4309 (4332), frere
4846 (4869), pere 13172 (13253), graph. sogar
gefallen in ie-Reimen: haschie 159 (159), haisc(h)íe
1248 (1258), 5295 (5324) u. ö. statt haschiere (cf.
p. 19).

2) Einfaches r statt rr ergibt t + r:

derriere: fiere 1267 (1277), 1275 (1285), arriere: lumiere 1269 (1280) (cf. r des Kopisten).

3) r im Auslaut ist erhalten, besonders in den Endungen -er, -ier, -ir, -or, die in der zweiten Hälfte mit sich selbst reimen.

4) Unorganisches r.

Für estrief, dem eine Form estrieu voraufging, zeigt unser Text stets estrier, welches nach Suchier Ztschr. f. r. Ph. I 429 sq., im 13^s durch Suffixvertauschung entstanden ist. In dem Chev. as. II espees, der vor der Mitte des 13^s entstanden ist, cf. Foerster p. 62, findet sich noch estrié, wenigstens bessert Mussafia estrier, das mit siet reimt, in estrié. Beispiele für unseren Text sind unter ié angegeben.

m.

1) Auslautendes etymologisches m und n sind im Reime zusammengefallen, also m ist > n geworden.

a. graphisch bleibt m:

hom: -on 5048 (5073), Mahom: on 14216 (14308), preudom: -on 4797 (4820).

b. häufiger noch setzt der Kopist dafür n, um den Reim auch für das Auge herzustellen:

on (homo): on 14214 (14322), preudon: -on 12791 (12872), renon: -on 16426 (16627), non (nomen): -on 12815 (12958), Mahon: -on 13657 (13749), in der ersten pers. plur. des Vb. erscheint stets -on: feron 262 (261), diron 252 (251) u. ö.

2) auch inlautend sind m und n gebunden, auch m: mm, n: nn, doch sind diese Schreibungen ganz identisch mit denen des Kopisten, im ursprüngl. Gedicht hat wohl nur einfaches m und n gestanden (cf. m, n des Kopisten):

preudome: boune 22 (22), houmes: cantommes [1] 24 (25), preudomme: home: pomme 39 (39) sq.,

---

1) Zu der Schreibung mm in der 1. pers. plur. cf. Konjugation.

persoune: donne 928 (928), home: somme 966 (966).

4) Statt des primären acc. sg. plumbum > plomp erscheint bei uns stets die sekundäre Form. plon 253 (252), 264 (263) u. ö., gebildet nach dem nom. plons, wo vor dem dentalen s : m > n werden mußte.

4) m im Auslaut nach r ist gefallen:
estour (sturm) 314 (312), 3681 (3707) u. ö.

n.

1) Der Ausfall des n ist gesichert:

a. vor s in repus: vertus 5033 (5058), remes: alés 8966 (9020).

b. in senior bei der bekannten vortonigen, oder besser Kurzform: martire: sire 2375 (2394).

2) n im Auslaut ist:

a. nach Vokal stets erhalten:
-in: Maxin 10364 (10461), venin 10368 (10465), fin 10382 (10479), chemin 10388 (10485).

b. nach r stets gefallen, man kann aber hierhin sec. Acc. Formen erblicken:
o(ur): ior[1]) 49 (49), 65 (65), 293 (292), seior 52 (52), tour 54 (54), atour 310 (308), contour 3682 (3708), plaindour 62 (62), 300 (298).

c. Mouilliertes n im Auslaut hat wie im Reim die Mouillierung verloren: lin: -in (reine Laisse) 10385 (10462), engin; fin 10390 (10467), 10403 10480), beson: hom 2395 (2414), 9867 (9942), in den Assonanzen begegnen: besoing 15184 (15298), poignent 2625 (2644), Couloigne 4345 (4368).

d. runcinum ergibt nur einmal korrekt roncin: -in 10401 (10478), sonst erscheint regelmäßig die Nebenform ronci: -i 4555 (4578) u. ö., roncis: -is 2549 (2568), 4410 (4433), cf. Aiol. Anm. 615.

1) cf. M—L Gr. p. 181: jor statt jorn erscheint seit dem 13 ª.

v, f.

1) f vor Flexions-s ist stets geschwunden:

-és: nes (navem + s) 17 285 (17 623); 1607 (1618),
cles 8808 (8862), tres (trabem + s) 15 797 (15 926),
vor adverb. -s in soués 16 598 (16 809).

-iés: fiés 12 546 (12 623), chiés 5458 (5489), meschiés
3480 (3503).

-is < -ivum + s, niemals -ius: aidis 10 475 (10 552),
2498 (2517), poëstis 13 106 (13 187), vis 12 488
(12 565).

2) f im Auslaut begegnet häufig in -é, i, -ié Laissen,
jedoch besteht die Ungenauigkeit inbezug auf den reinen
Reim nur für das Auge, einen Lautwert hat hier f zur
Zeit des Dichters wohl nicht mehr gehabt:

a. Formen mit f:

clef: é 14 039 (14 142), noif: -oi 12 907 (12 989),
fief: ié 1832 (1850), 2175 (2194), nef: é 1561
(1572), 3115 (3135), 4219 (4242).

b. Sekundärformen ohne f: sie stammen wohl größten-
teils vom Kopisten, für den reine Reime fürs Auge
maßgebend waren:

tré: é 14 651 (14 766), soué: -é 11 856 (11 948),
fié: -ié 10 427 (10 504), 15 257 (15 372) u. ö., estri:
-i 10 952 (11 037); 3755 (3781) etc.

c) dem Dichter, nicht dem Schreiber gehört die lautgesetzliche Entsprechung von *anticum (cl. antiquum):
anti: -i 11 353 (11 441), 11 401 (11 495) u. ö., dazu
das Femin. antie: -ie 12 646 (12 724), 13 905 (14 244);
1924 (1944). Niemals finden sich im Reime antive,
oder daraus neugebildetes antif, ferner das dialekt.
antiu, das stets in der Sprache des Kopisten erscheint.

Auf antié, worin eine Suffix-Vertauschung zu sehen
ist, machte ich schon unter ié aufmerksam.

t, d.

1) Intervokale Dentalis ist längst geschwunden: vie (vitam) 131 (131), maisnie 10175 (10249), auch wenn sie in den romanischen Auslaut tritt:

> merci 12476 (12540), vertu 15532 (15648), salu 11006 (11091).

Eine Eigentümlichkeit des pik. Dialektes ist bekanntlich die Erhaltung dieser einfachen, auslautenden Dentalis (cf. Neumann a. a. O. p. 113; G. Paris: Alexis p. 271), dem entsprechend finden wir bei uns: congiet: ciel 3530 (3543), liet: moullier 3816 (3842), beide Wörter am Schluß einer Laisse mit bloßer ié-Assonanz. Nach den übrigen Lauterscheinungen zu urteilen, kann dieses t sowohl der Mundart des Dichters wie der des Kopisten angehören, t verstummt in Verbformen:

> a. in der 3. pers. praes. ind. der a-Verba: escrie 15842 (15971), guie 4298 (4321).
>
> b. habet: a 11324 (11413), im Futurum: conduira 11340 (11429), ara 10423 (10500).
>
> c. im Perfekt:
> -avit: deuisa 11316 (11405), monta 11342 (11431),
> -ivit: sali 11396 (11490), saisi 3779 (3805), -edit: descendié 16997 (17251) und respondi: 10930 (11015).

dagegen ist t stets erhalten als charakteristisches Merkmal der starken Konjugation: jut 1036 (1037), apercut 5029 (5057), prist 11986 (12088) etc. außer fu 11953 (12055) u. ö., das seit 1150 — bei uns stets — auch ohne t erscheint.

> d. im Part. Perf.:
> -atum: mandé 17363 (17895), fichié 10454 (20531), einmal esclairiét 2879 (2899), und zwar in ié Assonanz; -itum: coisi 12679 (12757); -utum: sëu 10998 (11083).

2) Gestütztes t im Auslaut ist im Verstummen begriffen: Graphisch ist es

a. fest in den zahlreichen, mit sich selbst reimenden
— ant-Laissen, sowie in der einen — ort-Laisse

b. unfest in zahlreichen Substantiven und Adjektiven
auf -ont in -on-Reimen, doch gehen die Schreibungen
ohne t meist wieder auf den Kopisten zurück.

α. Formen mit -ont:
Braidimont: -on 2306 (2325), blont 4752 (4775),
pont 5357 (5380), 5371 (5399), reont 15 186 (15 300),
mont 10853 (10 938).

β. Formen mit -on:
pon: -on CT (pont) 1115 (1123). mon: on (CT
mont) 1108 (1116), blon 17334 (PRW. T 17 718),
18 067 (18 694), manchmal ist sogar der Kopist
inkonsequent, indem er innerhalb derselben Laisse
die primären neben den sekundären Formen verwendet, und das von denselben Wörtern: Fromont
5376 (5394) — Fromon 5400 (5429); mont 13355
(13437) — mon 13392 (13 474).

3) In zahlreichen Wörtern ist *t* nicht etymologisch, sondern
erst sekundären Ursprungs:

Da zu *nz* der häufigste Obliquus *-nt* ist, vgl. amanz-
amant, so bildete man:
alemant 538 (537), 937 (938), 1137 (1145), arpant
10670 (10763), dromont 15188 (15302), Jehant
13244 (13325) etc. zu alemanz, arpanz etc. (cf.
M.-L. Gr. p. 181). Besonders häufig ist -ant in
Wörtern orientalischen Ursprungs (cf. Diez. Gr. I
337): Jherulalant 537 (536), 1168 (1176), Moysant
2705 (2724), Biauliant 7514 (7564), drugemant
12785 (12851), amirant 13591 (13679), 14 799
(14 913) etc.

-ant statt älterem -enc (cf. Nyrop a. a. O. Bd. III
p. 42, 96 und 171) in: ferrant 12737 (12817),
13227 (13308), bauchant 10688 (10761), päisant
16276 (16456).

4) Unorganisch ist *t* in dont < lat. donique 5356 [5386].
Diese Form begegnet häufig im Pik., wo t und c nach n
im Auslaut wechseln (cf. Kopist); außerdem kann man
hier Einfluß von dont < de unde annehmen.

s, z.

Auslautendes -s unseres Textes ist mit auslautendem
-z jeder Herkunft phonetisch zusammengefallen, graph. begegnen s und z.

1] s, sofern es stammhaft ist, erhält sich auch in der
Schrift; es begegnet hauptsächlich:

   a. in Substantiven:

      avis 13134 (13215), vis 13116 (13200), -ensem:
      päis 13135 (13216), 13099 (13180); marcis
      12465 (12541), 13092 (13173), parezis 12463
      (12539).

      α. 1.sg. Perf.: pris 13059 (13140), assis 3706
      (3731).

      β. Part. Perf.: mis 16203 (16380), pramis 13104
      (13185), conquis 10462 (10539), occis 10470
      (10547), remes 8966 (9020).

      γ. eine Ausnahme macht das Wort escons; es
      finden sich davon Formen mit und ohne -s:
      escons acc. sg. 4770 (4793), 4776 (4799), 4783
      (4805), escon (T escons) 677 (677), 17349 (18093),
      rescon 2399 (2418), die Formen mit verstummtem
      -s dürften dem Schreiber gehören.

      δ. eine andere Ursache hat das Fehlen des -s in der
      1. pers. plur. -on (cf. Konjugation.)

2] Ursprüngliches z erscheint graphisch gewöhnlich als *s*,
doch nicht selten begegnet noch die archaische Schreibung z. Die vollständige Gleichsetzung des auslautenden
s und z weist nach der Pikardie, allein es ist zu beachten, daß auch die übrigen Dialekte in der späteren
Zeit diese Laute zusammenfallen lassen. Friedwagner:
Meraugis a. a. O. p. XLI erkennt speziell in dieser Bin-

dung ⁻ s : ⁻ z einen mundartlichen Zug seines Denkmals
(< Beauvaisis), im Gegensatz zu Chrestien, Erec 2249,
3870, 4975, wo bloß Nachlässigkeit (cf. Foerster Anm.
3870) des Dichters vorliegt.

Die Endungen, aus denen sich z entwickelt sind:

a. -atis, 2 pers. plur. b. Vb.:
   -s: aués 14110 (14214), reposerés 14115 (14219),
       savés 14490 (14608), entendés 16780 (16739).
   -z: auez 14078 (14184), esmaierez 14111 (14215).

b. Flexions-Endung des Nom. sg. u. Acc., plur.
   -s: tornés 14098 (14202), desfäés 14112 (14216),
       flouris 13150 (13196).
   -z: pitez 14114 (14128), adolez 14117 (14200), vertuz
       1501 (1512).

c. die Entsprechung des Suffixes -(at)icium:
Es erscheint:
   s: plouréis 13117 (13198), poignéis 15469 (15585),
      feréïs 15063 (15176), auch pöestéis 4401 (4424).
   dagegen erscheinen stets ohne -s:
      arrabi 10910 (10995), 10918 (11003) u. ö., auch
      2429 (2438), 2494 (2501), tresli 11394 (11488) und
      treslie 1917 (1937), 9547 (9620), worin eine Suffix-
      Vertauschung von -itus für -icius angenommen
      werden muß. Ebenfalls ist -s abgefallen in vanti
      11397 (11491), vantie 1538 (1549), 17869 (18503),
      doch begegnen auch daneben Formen mit -s,
      z. B. 890 (890), wir haben also wohl hier nicht
      Ausgangswechsel, sondern sekundäre, unter Ein-
      wirkung des Reimzwanges entstandene Formen
      zu sehen, vgl. auch Andresen p. 21, 22.

3) adverbiales, ebenfalls durch Reimzwang entstandenes
   -s begegnet in:
      ensis: -is 12471 (12548) und soués: -es 16598
      (16809); sonst finden sich noch regelmäßig ensi,
      soue[f].

4) Nur mit stammhaften -s belegt ist die Acc. Form fis
   (statt fil) 10934 (11019), 12446 (12563) u. ö. Über die

zahlreichen, durch den Kopisten zerursachten, unorganischen s-Formen im acc. sg. und nom. pl. vgl. die Bemerkung im Anschluß an die Untersuchung der Assonanzen und Reime.

5) Einer besonderen Erwähnung bedarf das Suffix -ītium; es ist bei uns im Reime stets durch -ītium ersetzt, das lautgesetzl. > -īse wird: Beweisend ist prise: *justise:* conquise: 11776 (11878); auch 5421 (5452) u. ö., *seruise* 5686 (5719), 5745 (5778) u. ö., vgl. dagegen - itium beim Kopisten.

Gutturale, Palatale.

Hierüber ergeben die Reime fast nichts: Die Gutturalis ist vor folgendem Flexions-s stets gefallen:

blans 12761 (12841); 5533 (5585) sans (*sanguem + s) 4063 (4086); 1510 (1521), flans 12727 (12807); 4055 (4078).

ntj, nkj

erscheinen im Reime stets wie im Französischen als *c*:

lance 323 (321), quitance 334 (332), esmaiance 335 (333), France 335 (332), ebenfalls so in der Assonanz: France 2200 (2219), samblance 2194 (2215), desfendance 2209 (2228).

c vor a

erscheint nur einmal in der Assonanz: mance (manicam): -ane 2194 (2213), also in der pikardischen Form; vgl. diese Laute dagegen beim Kopisten.

Explosivlaute im Auslaut.

Auslautende Muten sind zwar zur Zeit des Dichters graphisch noch fest, wie die Untersuchung der einzelnen Konsonanten ergeben hat, doch ist ihre Artikulation keine ständige mehr gewesen. Die zahlreichen Ausgänge auf c, p, t in z. T. absolut reinen -ant- und -ont-Laissen sind daher nur noch Ungenauigkeiten für das Auge. Außer den bereits behandelten Fällen seien hier noch genannt:

a. in -ant-Laissen:

banc: -ant 12784 (12864), blanc 5260 (5283), 7874

(7926), 13 824 (13 919) u. ö., flanc 5263 (5288), 12 742 (12 821), sanc 9442 (9510), 9752 (9827), nebeneinander finden sich: brant 9432 (9500), 9454 (9522), 9775 (9848) u. ö. und selteneres branc 9789 (9864), 13 827 (13 922), ebenso: Mombrant 11 619 (11 717), 11 629 (11 727), 13 788 (13 896) u. ö., und Mombranc 2712 (2731), 2703 (2722); dasselbe gilt von einer Labialis: camp: -ant 5252 (5287), 9764 (9839), 9788 (9847), 9432 (9499) u. ö.

b. in -on-Laissen:

selonc: -on 13 362 (13 444), lonc 5364 (5392).

Dentalis: herbergeront: -on 13 393 (13 475), diront 5054 (5082), confont 5055 (5081), ont 4749 (4772), sont 4791 (4814) etc. Über die zahlreichen sec. Acc.-Formen cf. t p. 40.

II. Flexionslehre.

In der altfrz. Flexion sind zwei Perioden zu beachten. Während in der älteren, die mit dem Anfang des 12 s. ihren Abschluß erreicht, die lautgesetzlichen — archaischen Formen durchaus vorherrschen, macht sich in der jüngeren Periode eine starke Analogiewirkung zumeist nach I a (masc.), als der umfangreichsten Deklination, geltend. Die folgende Untersuchung wird zeigen, wie auch die lautlichen Verhältnisse nicht anders erwarten lassen, daß die altfranz. Zweikasusflexion im allgemeinen bei uns noch streng beobachtet ist, sich andererseits jedoch in allen Klassen schon eine bestimmte Analogiewirkung bemerkbar gemacht hat. — Ich halte es nicht für ratsam, in diesem Abschnitte Reim und Versinneres gesondert zu behandeln, da es nicht möglich ist, in jedem Falle festzustellen, in welchen Punkten die Sprache des Dichters sich von der überlieferten Form unterscheidet. Was sich als charakterische Eigenart dieser oder jener mit Bestimmtheit ergibt,

wird besonders hervorgehoben; ohne besondere Bemerkung ist stets der Kopist gemeint:

a. Das Nomen.

1. Maskulina.

α. I a.

Substantiv und Adjektiv.

sing. nom s   plur. nom. —
    obl. —   obl. -s.

Im allgemeinen ist dieses Schema vom Autor und Kopisten noch streng eingehalten (über den Flexions-Buch-
staben cf. s p. 41, 42).

a. Nominativ.

Für den Dichter mit -s, durch die Silbenzählung be-
wiesen, sind 25 Fälle: riches | et 902 (902), deables | aduer-
siers 4090 (4113), larges | hom 16 609 (16 828), riches | hom
16 630 (16 850), nombres | acontés 18 204 (18 793), nicht be-
weisend, also dem Kopisten gehörend: afaires 506 (505),
damoisiaux 5448 (5580), blez 11 936 (12 038), stets auch im
subst. Inf. auoirs 8274 (8330), soupers 783 (783) etc.; mit
Verlust des Kons.: jors 3871 (3897), cans (campum + s)
16 801 (17 034) etc. Gegenüber einer Fülle von Belegen
mit archaischem -s begegnen einige Fälle mit Verlust desselben; für den Dichter beweisend 4 Fälle: li cercle est
2909 (2929), damage et 9371 (9437), li service est 16 831
(17 069), riche et 17 132 (17 451), (* riccam > riche als masc.
begegnet bei uns stets im nom. mit -s), für den Kopisten
sind belegt: li paumier 5333 (5362), mul 4563 (4586), l'estor
5115 (5143), li vereil 14 038 (14 141), deable u 12 235 (—),
li fer 15 517 (15 633), millor cheval 15 867 (16 000), oste
12 932 (13 015), l'archeuesque 7016 (7054), 7479 (7529) u. ö.
des häufigen Vorkommens wegen nur selten noch mit -s
erscheinend, z. B. (6627 6669), m al lechieres (RW maus —)
4940 (4963); sire, plain de bontés (RW plains), 3481
(3504), häufiger schon bei invertiertem Subjekt: estes mes-

sage 8383 (8436), . . . u fu l'or 3830 (3556), reluist li or 17101 (17410) etc., wo bekanntlich schon in guten Denkmälern des 12ˢ die oblique Form geläufig ist.

Einmal ist vom Kopisten eine Stelle falsch aufgefaßt worden: La dame apele B u e v o n, le f r a n c g e n t i s: -is | Dame, dist il . . . 13121 (13202); hier ist *Buevon* Subjekt und *dame* Objekt, wie der Zusammenhang und auch das folgende il deutlich erkennen lassen, die Stelle lautete also beim Dichter: La dame apele B u e v e s, li f r a n s g e n t i s, Dame dist il . . . ., wie auch RW geändert haben. Der Kopist hat nun, entweder durch die Wortstellung verleitet den ganzen Vers mißverstanden, also *dame* als Subjekt und *Buevon* als Objekt aufgefaßt, oder aber *Buevon* statt *Bueves* als Nom. gebraucht und dementsprechend die Apposition im Acc. folgen lassen. Letzteres wäre für unser Denkmal etwas Ungewöhnliches es handelt sich offenbar um einen Irrtum seitens des Kopisten.

Ein Adjektiv bleibt flexionslos, wenn zu einem Neutralen Subjekt Prädikat ist, so auch bei uns; in Formen wie c'est voirs 671 (670), est ce dont voirs 11 665 (11763), uoirs est 870 (870) etc. ist uoirs Substantiv, nicht Adjektiv.

Vom Versinnern zu trennen ist die Flexion im Reime, hier haben nicht nur die besser in den Reim passenden sekundären Formen gewöhnlich die primären verdrängt, sondern es sind durch den Reimzwang eine Menge unorganischer Flexionsformen entstanden. So findet sich, je nachdem es der Reim erfordert, der Nom. sg. und Acc. pl. ohne s und der Acc. sg. und Nom. pl. mit unorganischem -s. Diese Verschiebungen sind, wie ein Vergleich mit T zeigt, sämtlich auf Rechnung des Kopisten zu setzen und nicht dem Dichter zuzuschreiben, wie Oeckel p. 40 es wahrscheinlich machen will. Bemerkenswert ist, daß RW in den meisten Fällen getreu ihrer Vorlage folgen.

Einige Belege für den Nom. sg.:

li chevalier vaillant: -ant P (RW), T -ans 14449 (14567),

ses anemis morté: é P (RW), T -és 14688 (14802); alé: é P (RW), T -és 15218 (15321), privé: é P (RW), T -és 15224 (15339).

Auch ein vorhergehendes Nomen erfährt in diesem Falle dasselbe Schicksal:

uns fort sommier: -ier (T fors-) 1086 (1087), Soibaus, li bon guerrier: -ier 6191 (6149), 6295 (6336), weitere Beisp. im Anschluß an die Untersuchung der Versausgänge.

b. Vokativ:

Persönliche Begriffe sind ebenso häufig schon ohne -s, als mit -s anzutreffen, die sekundären Formen dürften zum kleinen Teil auch schon vom Dichter gebraucht sein:

Neben alten Vokativen, wie: cuiuers 14338 [14454], paiiens 14327 (14443), frans chevaliers 7725 (7776), 12967 [13050], oncles 4715 (4738) erscheinen oblique Formen: vassal [1]) 4681 (—), 3181 (3202), 3747 (3772) u. ö., nobile chevalier 13476 (13558), 13030 (13111), pelerin 6713 (6754), 12628 (12705) u. ö., franc chevalier 963 (963), 5009 (5034) u. ö., typisch für unseren Kopisten ist, daß er nicht selten alte und neue Formen nebeneinander gebraucht: franc chevaliers membré 10725 (10819), frans chevalier membré 7703 (7754), 12967 (13050), franc cheualiers vaillant 4826 (4849), was RW meist getreu mit übernommen haben; vgl. hierzu die Bemerkg. Foersters zu Aiol 562.

c. Genitiv:

Es begnen die bekannten Reste:

missaudour 60 (60), 309 (307), vauassour(s) 61 (61), 306 (304), ancienour 46 (46), 291 (290).

d. Acc. sg.

Der Acc. sg. ist flexionslos. Neben den primären Formen begegnen häufig die aus dem Nom. neugebil-

---

1) Bei diesem Wort ist schon sehr früh der Acc. statt des Nom. eingetreten. Vgl. zu der ganzen Erscheinung: A. Beyer Flexion des Voc. Zs. f. r. Ph. VII p. 32.

deten, besonders am Versende, da sie dem Reime gün-
stiger sind:

> fief. 17916 (18429), -fié: ié 2569 (2588), 15207
> [15372), espiel (cf. p. 35) 2830 (2850): -ié 16870
> [17108) — espié 2716 (2735): -ié 15731 (15847);
> mortel 95 (95), 634 (633): -é 10637 (10711),
> campé: -é 15888 (16033), vgl. hierzu 1 p. 55. Die
> sek. Formen erscheinen stets bei den Subst. auf
> -rn: ior 3692 (3707), 2957 (2977), seior: -or 3674
> (3699), yver 1881 (1901) etc. Zweimal setzt der
> Kopist im Versinnern im acc. sg. ein unorga-
> nisches -s: mal *gré(s)* en ait .... PR! 10835
> (10920), il n'a chaiens *chevalier(s)* si osé, se il
> s'en melle, qui n'ait ... 8920 (8974), hier wohl
> ursprünglich der Plural gemeint gewesen, dann
> aber das Verbum auf den Singular bezogen
> worden.

Nicht gehört hierher das Beispiel: Perdu ont lor millor
garant, *rois* Atenas 15946 (16108) PRTW. Man erwartet
roi, doch ist dies einer jener interessanten Fälle der alten
Sprache, wo die Apposition nicht mit dem Beziehungswort kongruiert, vgl. solche Beispiele bei: v. Lebinski:
Die Deklination der Substantive in der öil-Sprache. Posen
1878 p. 47, ferner Suchier: Aucassin et Nicolete Anm. 1
p. 49.

Sehr häufig setzt der Kopist dieses -s im Reim:
amirés: -és (P (RW), T amiré) 17839 (18299), el palais
signoris: -is P (RW), T -i) 12454 (12531), weitere Beispiele s. u.

e. Nominativ plur.:

Neben den archaischen -s-losen Formen finden sich
manchmal schon die jüngeren mit -s:

> si cors (cornu + s) 15010 (15124), cheuaus ne
> bestes ne sont .... 11074 (11159), Rohars et
> Amaurris, li cuiuers pariuré: é 18180 (18833)
> das Attribut könnte sich hier nur auf *Amaurris*
> beziehen, dann läge also der nom. sg. vor;

Dont s'assemblerent ..... cousins et oncles et
autres proçains amis: -is (P, W) 10473 (10550);
cheualiers 13866 (13962); ... doi baron, cargiez
d'auoir 13403 (13486); cheuaus qui furent ...
bauchans (-antem + s) et pumelé: é 10612
(10684); et des autres tels çant 7495 (7545),
7876 (7928), der korrekte Nom. findet sich dagegen in dieser Redensart: 9775 (9850).

Sekundäre Nom, pl. sind:
jor 317 (315), colon (columbi = Feldtauben) 808
(808), naturé 11047 (12149), 10571 (10647),
16502 (16706 P (RW) T -él.

Reimzwang liegt vor:
assamblés: -és P (RW) T -é 15782 (15910),
acesmes: -és P (RW) T -é 16029 (16331) etc.

f. Vokativ plur:
Neben archaischen Formen:
franc chevalier 5009 (5035), fil a putain 1133 (1141),
kommen auch die jüngeren vor z. B.:
frans chevaliers 9367 (9434),

g. Akkusativ plur.:
Der Kopist läßt ausnahmsweise das -s weg:
car[s] et caretes 6456 (6496), de paiien[s] sont ...
1910 (1930) cf. s beim Kopisten.

Reimzwang:
esperon[s] doré[s]: é P (RW), T esperons dorés:
-é 14991 (15104), afolé: é f. RW T afolés: é
1467 (14785) etc., corduan: -ant 919 (919).

h. In verschiedener Gestalt begegnen im Vers-Innern
und im Reim die Entsprechungen von lat.: deus,
filius, gentilis, antiquus. Auch hierbei spielt wieder
der Reimzwang die entscheidende Rolle:
Reim: Nom. sg.: des, fis, gentis, —
    Acc. „ : de, fis, genti(l); anti, antie bezw.
        antié.

4

Nom. pl.: de, fis, genti(l), anti
Acc. „ : des, fis, gentis. —

Vers: Nom. sg.: diex, fiex, gentiex, —
      Acc. „ : dieu, fil; gentil, antiu, 1 mal
          antieu 6027 (6062), cf. Suchier
          Z, f. r. Ph. II 297 und Fr. Neu-
          mann ibid. VIII 398.
      Nom. pl.: dieu, fil, gentil, —
      Acc. „ : diex, fiex, gentiex. —

i. Sehr häufig ist die Acc. Form für den Nom. eingetreten bei den zu dieser Klasse gehörenden Eigennamen, die ja infolge ihres häufigen Vorkommens
allgemein früher von der Norm abgewichen sind.

Erwähnt seien:

Soibauz-Soibaut:

Nom. Soibaus 847 (847) u. ö., doch sehr häufig:
Soibaut 5626 (5659), 5398 (5428), 6011 (6046)
u. ö. Voc.: Soibaus 7704 (7756) meist aber Soibaut 789 (789), 824 (824), 765 (764) u. ö.

Acc. Soibaut 61 (61), einmal Soibaus 1740 (1757):
Soibaus (Obj.) en a sa moullier (Subj.) apelé,
sire dist ele ... also der Kopist läßt sich
wiederum durch die Wortstellung irreführen.

Tierris — Tierri:

Nom. Tierris 6223 (6260): -is 4994 (5019). Voc.:
meist Tierri 12083 (12185), 12102 (12203), 12113
(12214) u. ö.

Acc. Tierri 6219 (6256), einmal fälschlich Tieris
12071 (12173).

Maxins — Maxin:

Nom. Maxins 11238 (11325), sonst stets dafür der
Acc.: Maxin: 11262 (11350), 11344 (11433), 11262
(11350).

Dasselbe zeigt sich bei den übrigen Eigennamen des
Textes.

β) I b.

Sing. nom. —   Plur. nom. —

    obl. —   obl. s.

Dieses Schema ist stark durch Analogiewirkung durchbrochen:

a. Nominativ und Vocativ sing.:

> Die Silbenzählung ergibt für den Dichter 9 archaische
> Formen:

> sire est 7555 (7605), pere ot 9908 (9983), sire öil
> 17284 (17663), sire or 17920 (18434), vostre hom
> 11936 (12038), nicht beweisend, somit dem Kopisten zuzuschreiben sind: frere 5053 (5079), 7953
> (8006), pere 302 (300), 2156 (2175), maistre 13488
> (13570), parrastre 6952 (9724), sire 811 (811) etc.

Analogische Formen mit -s sind für den Dichter 10 mal
belegt:

> poures | estes 1806 (1824), peres | omnipotans 7505
> (7575), poures | hom 12583 (12755), freres | est
> 16684 (16916); der Kopist gebraucht sie weit
> häufiger als die archaischen, z. B.: parrastres 8605
> (8658), 10816 (10901), uespres 9460 (9532), sepul-
> cres 9105 (9165), nostres sires 15520 (15650) etc.
> Einmal ist schon der acc. eingetreten: que n'i
> remaigne . . . ne autre 6019 (6054).

b. Nominativ plur.:

Es findet sich schon zweimal dafür der oblique casus:

> autres . . . amis 10473 (10550); et uns et autres
> 10612 (10684).

2. Imparisyllabische Maskulina.

α. II a.

Auch hier sind din lautgesetlich-korrekten Formen die
gewöhnlichen; daneben erscheinen aber schon die unorganischen Bildungen der jüngeren Periode. Diese erklären

4*

sich zumeist aus dem Zwange des Metrums. Übrigens ist gerade in dieser Klasse die Auflösung des alten Deklinations-Systems ein Prozeß von langer Dauer gewesen, cf. Schönenberger a. a. O. p. 69.

enfes — enfant:

enfes n. sg. 588 (587), 1042 (1043) u. ö., einmal dafür der acc.: enfant: ant 951 (951), sonst regelmäßig.

garz — garçon:

gars n. sg. 1427 (1439), als Voc. einmal garçon 3385 (3408), acc. sg.: garçon 1513 (1527), u. ö. daneben einmal die sek. Form: gart 7276 (7323).

niés — neveu:

niés n. sg. 6513 (6553) u. ö., neveu acc. sg. 4936 (4959) u. ö., einmal niés 6605 (6647).

cuens — conte:

cuens n. sg. 9071 (9197) u. ö., conte acc. sg. 78 (78) u. ö. Unregelmäßig ist nur der n. sg. contes 1868 (1885), worin eine Neubildung des acc sg. conte + s zu sehen ist.

abes — abé:

Es kommen nur die archaischen, regelmäßigen Formen vor. n. sg. abes 1457 (1468), 1467 (1478) u. ö., die Betonung auf der ersten Silbe ist durch die Stellung in der Zäsur erwiesen. a. sg. abé 16472 (16674); abbés a. pl. stehen nicht in der Zäsur.

β. II b.

1) Wörter auf -tor, -toris, die aus verschiedenen Konjugationen gebildet sind. Im n. sg. begegnet gewöhnlich ein analoges -s:

ancestres 4881 (4904), pechieres 9784 (9859), lechieres 4385 (4468), 14200 (14308) u. ö., als Voc.: lechieres pariurés 2088 (2117), 6220 (6257), neben lechiere pariurés 3054 (3073), ohne -s im nom. findet sich vantere: ee 4862 (4904). Über korrekte Acc. cf. ǫ p. 37.

Unregelmäßigkeiten begegnen bei:

träitre — träitour:

> n. sg. meist träitres 352 (350), 6915 (6957) u. ö.,
> im Reime nur archaische Formen träitre: ie 4110
> (4133), 5402 (5433) u. ö.; als Voc.: träitres losen-
> gier 6175 (6211) u. ö., neben träitre losengier
> 6117 (6153) u. ö., a. sg. träitour 7209 (7256) u. ö.,
> doch zweimal träitre 2206 (2225), 10958 (11043);
> n. plur. träitour 686 (683): -or 305 (303) u. ö.,
> daneben häufig träitre 861 (861), besonders in
> der Assonanz -i: 1541 (1552), 5273 (5301), 685
> (684) u. ö.; Voc. pl. einmal träitres 8023 (8076);
> a. pl. träitours 2021 (2023) u. ö., vgl. zu diesem
> Wort Schönenberger p. 33.

2) Substantive auf -o, -onis:

ber — baron:

> n. sg. sehr häufig mit -s: li bers 2821 (2841), 7226
> (7273) u. ö., ohne s stets, wenn es Apposition:
> Soibaus, li ber 966 (966) u. ö., oder Praedikats-
> nomen ist, besonders im Reim in der Wendung:
> moult est ber: é 3031 (3050), 3323 (3335) u. ö.;
> einmal gebraucht der Kopist den acc. moult estes
> baron: -on 17164 (—), fehlt auch RW; als Voc.
> begegnet: ber 8828 (8882) u. ö., einmal bers 977
> (978), im Reime häufig baron: -on 4824 (4847),
> 13369 (13451) u. ö.; a. sgl.: gewöhnlich baron
> 1063 (1064): -on 281 (281), einmal ber: Soibaut
> le gentil et le ber: -er 15357 (15472). In der
> Wendung n'a tel baron .... meillor ne
> furent .... 10044 (12146), erwartet man den
> plur., hier wäre also baron als kollektiver Sin-
> gular aufzufassen, cf. Raguidel a. a. O. Anm. 10.
> Zu den übrigen Fällen ist nichts zu bemerken.

lere — larron:

> Im n. sg. stets analoges -s: lerres, leres: 1162
> (1170), 4916 (4939) u. ö., ebenso im voc.: 6286
> (6327), 6885 (6908) u. a. Im voc. plur. erscheint

einmal im Reim: Fromons et Hates mal lere:
mere 4887 (4910), wir haben hierin eine Analogie
nach dem voc. sg. zu sehen, die im Altfrz. relativ
selten ist.

compaing — compaignon:

> n. voc. sg. compains 1571 (1582), 2327 (2346) u. ö.,
> a. sg. compaignon 4566 (4589) u. ö., einmal com-
> paing 10967 (11052), sonst regelmäßig.

fel — felon:

> nom. voc. sg.: fel 3385 (3408), 7062 (7108) u. ö., doch
> je einmal felon: -on 13369 (13479) und felons
> 5791 (5825), in diesem Wort liegt also eine dop-
> pelte Analogiewirkung vor. Im voc. pl.: fel 5791
> (5825), ebenfalls als Adjektiv: fel träitour 4887
> (4910), sonst sind die Formen regelmäßig.

glout — glouton:

> n. u. voc. sg. glous 4025 (4048), 4531 (4554) u. ö.
> Im Reime: glouton: -on 1109 (1117), 13383
> (13472) u. ö., im Vers: gloutons 3399 (3422),
> 4592 (4615), 4870 (4883) u. ö., als n. plur. einmal
> gloutons 2011 (2031), als a. pl. einmal glous 4025
> (4048), dennoch überwiegen die archäischen Bil-
> dungen.

Zu dieser Gruppe rechnet man gewöhnlich auch:

uem — ome:

> n. sg. hom 915 (915), 725 (724): -on 1603 (1614).
> Einmal home 5119 (5147). Lautgesetzlich ist preu-
> dome 3748 (3772): -ome auch als Praedicativum:
> qui forment est preudome 987 (988), ebenso 930
> (931), denn es liegt prodem + de + homine
> (Tobler) zugrunde. Meist begegnet aber statt
> dieser Form als Nom. preudom (nach hom) 710
> (709), 1603 (1614): -on 10803 (10888), 12791
> (12872) u. ö. Im n. pl. ist regelwidrig: li hom: õ
> 13356 (13438).

sire — seignour:

> n. sg. meist -s: sires 259 (258), 1592 (1603), 5034

Go gle

(5062), ohne -s, also die lautges. Form sire 1528
(1548), stets noch im Reime 1547 (1558), 1928
(1948) u. ö.; voc. sg. gewöhnlich sire 2147 (2166),
4225 (4248): ie 5284 (5312) u. ö., einmal sires
9150 (9210), dreimal signo(u)r: 8518 (8571), 13390
(13472), 16010 (—); n. pl. gewöhnlich signour,
signeur: 712 (711), 4427 (4450) u. ö.; zweimal
sire 10856 (—), 17786 (18244) und einmal seigneurs 31 (—).

prestre — preveire (prou —):

    n. sg. prestres 12087 (12188), a. sgl. prouuoire 7380
(7430), einmal prestre 7436 (7485); n. und voc.
pl. prouuoire 1059 (1060), 8531 (8584), a. pl.
prestres 806 (806).

Der Analogie dieser Gruppe folgen mehrere Eigennamen; in diesen sind sekundäre und analoge Formen
schon ganz geläufig neben den primären:

Bueve — Bovon:

    n. sg.: sehr oft erscheint die Kürzung b. auch bue.,
ausgeschrieben begegnet der Name am häufigsten
als Bueves | est 1685 (1702), Bueves | ot 29 (29),
80 (80), einmal Bues 1065 (1066), sodann als
Bueve_ot 5127 (5156), Bueue_est 6938 (6982), der
Acc. ist eingetreten: Buevon 8313 (8366): -on
1097 (1105). Der Voc. ist immer Bueue 2186
(2205) u. ö. Im a. sg. ist neben Bueuon 751 (750),
sehr häufig die sec. Form Bueue 57 (57), 550
(549), 8204 (8257) u. ö.

Do-Doon:

    nom. Do 276 (274), 301 (299) u. ö.; Doo 6729 (6771)
ist nur graphisch, nicht etwa = Doon, da es
sonst + 1 im Verse ergäbe; acc. neben Doon
470 (470), der sec. acc. Do 160 (160), 280
(280) u. ö.

Hate — Haton:

    nom. u. voc. Hate 6202 (6240) u. ö. und Hates

492 (492), 6176 (6212) u. ö.; acc. Haton 536
(537) und sec. Hate 6353 (6393), 8022 (8075).

Guis — Guion:
  nom. Guis 71 (71), 123 (123), acc. Guion 29 (29),
  55 (55), sec. Gui 286 (286), 1017 (1017).

Oede — Oedon:
  nom. Oedes 7647 (7696), 7592 (7640) u. ö.; voc.
  Oede 7816 (7868), acc. Oedon 7636 (7885).

Die Übersicht ergibt in der Tat, daß die Verwirrung
hier bei einzelnen Wörtern schon eingetreten ist; dieselbe
ist typisch für das Ende des 13ᵉ, allgemein stärker wird
sie in der ersten Hälfte des 14ᵉ (Schönenbg. p. 69).
Natürlich ist für viele Fälle nur der Kopist verantwortlich.

2. Feminina.

Substantiv und Adjektiv.

α. I a.

Sing. nom. —   Plur. nom. -s.
      obl. —   obl. -s.

Die zu dieser Klasse gehörenden Nomina sind in der
späteren Periode keinen Analogiewirkungen ausgesetzt, da
schon von Anfang an der heutige Standpunkt erreicht ist;
daher ist nur wenig zu bemerken:

Der nom. sg. zeigt -s: li estores (historiam + s) 15568
(15 684) wohl wegen des analogischen Artikels li für la;

In: il sera hontes 1588 (1599) ist hontes masc., was
im afrz. häufig neben dem gewöhnlichen fem. begegnet[1]).

Zweimal bezieht der Kopist das Adj. fem. versehent-
lich auf ein masc.:

      Et Josiane . . . . as grans fenestres est alés
      (statt alée) 10068 (10143).

---

1) cf. Friedewagner: Raguidel a. a. O. Anm. Vers 5644. Foerster:
Aiol 3128: hontes „nördlich und nord-östl. auch masc.“

[Josiane]: Lors fu plus noirs que ... 12526 (12603), in diesem Fall erklärt sich das masc. vielleicht aus der Situation, Josiane ist nämlich als Mann verkleidet.

Im Reime wird beim Zusammentreffen von 3 e das Flexions-e (? cf. p. 23) vom Kopisten ausgelassen: La vile esfreé: ée 7853 (8006), weitere Beispiele cf. unter Metrik, einmal findet sich dies auch im Versinnern: forment a hui esfreé[e] ma gent 13788 (14902), was aber im Verse (− 1) ergibt. Nach dem masc. di und fem. die (prov. dia) erklärt sich durch Kreuzung: mie dis 1407 (1418), mie di 11382 (11475) und nach [tote di] dann analog tres toute ior 7310 (7360).

Die Adj. -isca behalten noch die alte Form: fresche, fresce 288 (286), 6969 (7014), 13601 (13691), bretesces 4397 (4470); daneben einmal analogisches -oise: a la françoise guise 1915 (1936). longa begegnet in der jüngeren Form, longue 2637 (2656), 4002 (4024), 4146 (4269) u. ö., longues 1500 (1511), longuement 8205 (8258), 597 (596), doch einmal erhält sich archaisches longe in longement 14428 (14547).

Im acc. plur. fehlt das -s ausnahmsweise: de ses prouece[s] 12062 (12164), ... braies si blance[s] 1860 (1888) und infolge Reimzwanges les sentes segree[s]: ée 4851 (4874), W hat dafür den acc.: sg. Die lat. Masculina -a dieser Klasse zeigen im nom. sg. ein analoges -s nach I a: hermites 4158 (4181), 18324 (19003), prophetes 34 (34), patriarches 3463 (3486).

β. I b.

Sing. nom. −   Plur. nom. -s.
   obl. −   obl. -s.

In dieser Klasse zeigt sich wieder starke Analogiewirkung:

a) Nom. sg., er hat ein analoges -s[1]) angenommen: canchons 21 (21), tours 4778 (4801), vertuz 1989 (2009), mors 10759 (10844), bontés 11799 (11879),

---

1) Das analoge -s nach Masc. I a zeigt sich bei den Substantiven

auch im Adj.: als Attribut zum Subst.: granz pitiés
4201 (4241), tels parole 14267 (14375), la gentiex
feme 13463 (13545), wenn das Adj. voransteht:
tels est ma volentés 16309 (16498), fors est la
tours 6440 (6480), bes. in der Wendung: grans fu
la noise 1025 (1026) u. ö., als Praedicativum bei
estre: ainsi ioians ne fu 11772 (11874), als Subst.:
la ... desloiaus 130 (130), 163 (163) u. ö.

Im Versinnern wird also mit großer Regelmäßigkeit
das -s gesetzt, daher ist auch für: grant vilonie seroit
10788 (10873) und grant fu la ioie 17747 (18202) eher der
Obliquus als der alte Nom. anzusetzen; im Reime schwankt
der Gebrauch des -s, es wird je nach Bedarf gesetzt:

> canchon: -on 12809 (12890), moullier: -ier 12501
> (12578), pité 6769 (6811), vigour: -our 3675 (3700)
> u. ö., vertus: -us 17145 (17472); bontés: -és 9691
> (9766), gentis: -is 13069 (13180), cités: é 1290
> (1300), fins: -i 2754 (2774); der Zwang des Me-
> trums zeigt sich wieder deutlich in dem Beispiel:
> la mortels traison: -on 274 (273).

b) Acc. sg.

Im Versinnern begegnen nur regelmäßige Formen;
nur der sec. Acc. ist belegt von: char, car (carnen) 4988
(5015), 10163 (10237): -a 4092 (4105), wenn es der Reim
erfordert, tritt mit großer Consequenz wieder ein unorganisches -s ein:

> biautés: és 14095 (14200), veritez: és 15108 (15222),
> pöestés: és 14105 (14209), crestïentés: és 15770
> (15892), fermetés: és 14113 (14217). RW zeigen
> hier dagegen meist organische Formen, cf. die
> Bemerkg. hierzu im Anschluß an die Assonanzen.

c) Plural:

Es sind nur die unregelmäßigen Formen im Reime zu
erwähnen: Acc. pl.: quatre roiauté: é 16919 (17186), in

---

seit der Mitte des 12[s], bei den Adjektiven seit Anfang des 13[s];
da beide bei uns dieselben Verhältnisse zeigen, ist es nicht nötig,
die Untersuchung getrennt durchzuführen.

derselben Laisse (mit bloßer Assonanz), gebraucht der Kopist sogar nebeneinander: salus et amisté: é 6852 (6894) und salus et amistés: -és 6818 (6860).

Einzelne Substantive und Abjektive dieser Gruppe:
a) Substantive:

> rem begegnet im Nom. sg. als rien 6917 (6961), Acc. sg.: riens 153 (153), 3926 (3953), 3336 (3358) u. ö., nule riens 5820 (5854), 9273 (9341) u. ö., auch de riens 6657 (6698), also gewöhnlich mit festem s; korrekte Formen im Acc: sg. sind nur: de nule rien 12477 (12591) und de rien 9917 (9992).

gentem:

In der allgemeinen Bedeutung „Volk" gebraucht, steht es im Nom. sg. gewöhnlich als gent 234 (234), 1936 (1956), 10463 (10540) u. ö., im Reime gant: -ant 11026 (11112), 11518 (11612) u. ö., meist mit einem Pronomen wie: ma, ta, sa, tote, cele etc. verbunden; nicht so häufig erscheint gens 1654 (1669), 13218 (13263) u. ö.

In der Bedeutung „Leute" ist auch der Plural gebraucht: dist a ses gens 6879 (6918), quels gens sont ce 13358 (13440). Des gens Doon 6094 (6129) etc. Über das Prädikativum sei kurz bemerkt, daß es häufiger im Singular als Plural, in dem auf gent bezügl. Relativsatz jedoch häufiger im Plural als im Sing. steht.

> b) Adjektiva:
> -esem: ist natürlich schon stets analogisch >
> -oise geworden: cortoise 6016 (6051), 3885 (3511) u. ö., bourjoises 11213 (11301).
> -alis: bleibt stets noch -el; -al: ma loial espousee 14292 (14400), de cruel mort 10144 (10218), cele loi infernal: -al 18804 (18263), daher auch: communalment 10705 (10794) u. ö.
> -ilis > il:
> Im Adverb vilment 7046 (7092).
> -antem > ant:
> gaiande 3193 (3214) ist wohl eine Analogieform nach dem frühen grande.

Einzelne Adjektive:

a) talis:

Es erscheint das archaische Femininum tel: tel chose 52 (52), 6283 (6324), tel terre 5386 (5417), tel pucele 7151 (7197), autel painne 10166 (10240) etc.

Daneben aber sehr häufig tele: de tele mort | 13795 (13889) auch TRW., onques mais tele | 13650 (13740) auch TRW., tele li donne | 15493 (15609) auch TRW., tele comme doit estre | 12434 (12511) auch TRW. Die Beispiele lassen sich noch bedeutend vermehren; die Übereinstimmung mit T zeigt, daß diese, seit Anfang des 13ᵃ begegnenden jüngeren Formen auch schon in der Vorlage gestanden haben und somit von dem Dichter schon zahlreich verwandt worden sind. Die Vermutung liegt nahe, daß der Gebrauch von tele von dem später lebenden Kopisten ausgedehnt wurde; daß dem so ist, darf man aus folgenden Beispielen schließen:

| maine tel fierté 16477 (16679) T si grant . . .

| de lui tele colee 1000 (1002) CT andere Lesart.

| itele est lor pensee 16040 (16206), T andere Lesart.

| ne fu mais tele 14957 (15070) fehlt T, wo P also von der Vorlage abweicht.

Endlich seien einige Fälle erwähnt, in denen RW nicht mit P übereinstimmen, was natürlich ohne Bedeutung ist, da alte und neue Formen lange nebeneinander bestanden haben:

ne fu mais tele | 14957 (15070) RW si grant

s'estiiés tele | 3794 (3820) RW si bone

n'orrés tele chanter | 12228 (12382) RW meillor

en itele ille 1617 (1628) | RW en cele terre.

b) Dasselbe gilt von qualis:

Neben: quel noise 5130 (5158), quel maniere 11507 (11601), quels terres 7583 (7632) etc. finden sich schon jüngere Formen: quele terre 7583 (7632), quele fermeté 12132 (12233), quele amour 15393 (12470), quele mort 5167 (5195), queles nouueles 9946 (10021) etc.

c) grandis:

erscheint gewöhnlich noch in der lautgesetzlichen Form
grant: folie grant: -ant 13241 (13322), ebenso 14790
(14904) u. ö., grant pitié 53 (53), grant fiance 320 (318),
ebenso 9828 (9903), 7334 (7381), 14021 (14124), 8514
(8567) u. ö., vor folgendem Vokal‖ de grant antiquité
9828 (9903); ferner granment 12749 (12823).

Analog gebildetes grande erscheint nur selten im
Texte, in der Assonanz: grande: famme 13201 (13303).
In den übrigen Fällen lassen sich keine Schlüsse auf den
Dichter ziehen, da ein Vergleich mit T nicht möglich ist:

‖ a grande volenté 11167 (11255) f. RW.
‖ et de grande biauté 10008 (10083).
‖ moult grande enfermeté 12023 (12125).
‖ grande paine endurer 8493 (8546).

RW haben im letzten Falle den plur. grans paines,
sonst stets: moult grant für grande. Auch dies ist nichts
Auffälliges, denn der Wechsel zwischen grant und grande
hat bekanntlich von frühester Zeit (Alexius) bis zum 17 ˢ
fortbestanden.

fortis:

Die gewöhnliche Form ist die alte fort:

la fort vile 3875 (3901); la fort cit 2426 (2445), fort
corde 14213 (14321), en cele tour, qui si est *fort*
et grant 11480 (14504); formant 200 (200) u. ö.

Nur einmal gebraucht der Kopist analogisches forte:

‖ de forte heure fu nee 12401 (12478) RW,
wofür ebensogut fort heure stehen könnte, wie es RT
aufweisen.

vetus: bildet keine besondere fem. Form:

‖ une vies sente 11572 (11666).

viridis: begegnet ebenfalls nur in der alten fem. Form
vert:

l'erbe vert 143 (143); d'erbe vert 1006 (1008).

γ) II.

Feminina mit wechselndem Accent. Voc. suer 3847
(3873), 3903 (3923) u. ö. Acc. seror 876 (876): -or 304
(302), daneben einmal suer 4914 (4937). Von den hierher
gehörenden analog. (rom.) Bildungen begegnen außer
nom. sg. nonne 8477 (8530) pute — putain.

Nom. sg. pute 590 (590).

Acc. sg.: putain 1109 (1117), 6222 (6257) u. ö.

Das Ergebnis unserer Untersuchung ist: Die altfrz.
Nominalflexion ist im allgemeinen noch bewahrt, doch
zeigen zahlreiche Beispiele — für den Dichter weniger, für
den Kopisten schon mehr — daß zur Zeit der Abfassung
und Wiedergabe unserer Dichtung die Zerrüttung der Declination schon angebahnt ist.

Bei dieser Betrachtung der Deklinationsverhältnisse
wurde eine große Anzahl von Beispielen nicht berücksichtigt,
in denen nach gewissen Wörtern unter gleichen Verhält-
nissen einmal der Nom. und ein ander Mal der Acc. stand.

Es sind dies folgende Fälle:

a) nach com, come.

Nom.: il se desfent com preus et senés 453 (452).
..... com chevaliers adrois 3924 (3950).
..... comme faucons ramus 17810 (18269).
..... com chevaliers gentis 4417 (4440) etc.

Acc.: ainsi noir furent com plon et airement 11607
(11701).
..... com gentil home 966 (966).
..... com bel enfant 10322 (10339).
..... comme larron fossier 10678 (10791).

b) nach que in demselben Sinne kann ich nur den
Acc. belegen:
moult a fait que felon 18828 (10913).
..... plus que rasoir aguisié 3260 (3281).
..... que n'est acier ne fer 1883 (1903).

c) nach o, avec lui:

Nom.: li fiex Buevon, o lui ses frere 17312 (17692).

> Tieris descent o lui si compaignon 16642
> (16862).

Acc.: Bueves i entre avec li un Persant 15299
> (15415).

> Buenes cheuanche o lui son barné 13252
> (13335).

Der Acc. steht ferner noch: 7769 (7821), 11412
(11506), 10175 (10249), 17754 (18253), 17794 (18253)
u. ö., hier erklärt sich der Acc. als Acc. modi (begleitender
Umstand).

d) nach sambler, resambler:

> Nom. Bien resamble preudon 5364 (5403), gentiex
> hom samble 10324 (10401), trop resambler
> preudons 16647 (16867).

> Acc.: ton pere samble 12611 (12688), moult samble
> home 14686 (14800), Bueuon resamble 16299
> (16481). In preudome samble 14471 (14590)
> kann auch der Nom. vorliegen.

Diese Doppelerscheinungen sind in vielen, ja fast in
allen größeren Werken anzutreffen; cf. Suchier: La chanson de Guilelme, Halle 1911, p. XXVII und Romania VII p. 25.

Nach Ebeling: Probleme der Syntax p. 162 sq. gehört
hierher noch ein besonderer Fall des Personal-Pronomens,
der gleich mit behandelt sei:

e) nach entre -et:

> entre lui et Haton 5350 (5379), während die
> absolute Form hier nach der Präposition berechtigt,
> ja obligatorisch ist, ist das nicht der Fall in den
> zahlreichen Beispielen: moi et Soibaus 14015
> (14118), 14053 (14158); moi et Bueues 2634
> (2653), que nos soions moi et toi acordé 9351
> (9418), moi et mon frere 5740 (5774), 5868 (5901),
> moi (Josiane) et Bueve 2222 (2241) etc. Diese
> Formen sind nicht erst am Ende des 12[s] aus
> dem Obliquus eingedrungen, wie in den Gram-
> matiken angeben ist, sondern sind schon in
> früheren Texten anzutreffen. Sie erklären sich

analogisch nach den korrekten Formen bei entre
-et, cf. Ebeling p. 172.

b. Artikel.

α) Der bestimmte.

1) Maskulinum:

Sing. Nom.: li 34 (34), 112 (112), lj am Anfang
einer Laisse 235 (284) u. ö., l' 724 (723) cf.
Elision. Der Obliquus le ist dafür im Allgemeinen noch nicht eingetreten: in Bueues le
souduiant: -ant hat sich der Artikel nach dem
Reimwort gerichtet 13 991 (14 021), le statt li
13 121 (13 202) ist Irrtum des Kopisten cf. Bemerkung p. 46. Acc. lautet regelmäßig le 80 (80),
85 (85).

In Verbindung mit Präpositionen:

de + l > del 189 (189), 184 (184), 429 (429), 435 (435)
u. ö., vor Vokal de l' 6284 (6325) doch nur selten
so, meist schreibt der Kopist auch hier del: del
enfant 213 (213), del auoir 189 (189), del armer
7719 (7770) etc.

> dou: 364 (362), 808 (808), 990 (991), 6569
(6610) u. ö.

> du: 100 (100), 362 (361), 469 (468), 664 (663)
u. ö.

a + le > al: 3843 (3869), 5837 (5871), vor Vokal stets
a l' 12 531 (12 608), 11 992 (12 094).

> au: 445 (444), 534 (533), 660 (659), 665 (664)
u. ö.

> ou: 6118 (6154) RW dafür au.

en + le > el: 348 (346), 382 (380), 511 (510) u. ö. einmal
steht dafür es: es (= el) destrier d'arragone 980
(981) (fehlt T, C : ou).

> ou: 5810 (5844), 6690 (6731), 4645 (4668) u. ö.

> u: 2726 (2745) u. ö. meist graph. v: 4603
(4626), 6276 (6317), 12 882 (12 968) u. ö.

Plural. Nom.: gewöhnlich li: 43 (43), 554 (553);
einmal dafür schon les 10451 (10528); Acc.: les
949 (949), 2504 (2523), einmal ist s gefallen
sor les membres et sor le[s]¹) chiés colper 5076
(5104).

de + les > des: 465 (464), 616 (615) u. ö.

a + les > as: 403 (402), 1045 (1046) u. ö.

en + les > es: 258 (258), 384 (383) 643 (642) u. ö.

2) Femininum:

Sing. Nom.: gewöhnlich la, l' 30 (30), 88 (88), 603
(602), 604 (603) etc., daneben findet sich sehr
häufig das dialektische li, über die Verbreitung
und Grenzen dieser Erscheinung vgl. Nebh. a. a. O.
p. 55.

li bataille 9241 (9304), li mers (mare + s) 15697
(15812), li estore[s] 15568 (15684), cf. 3193
(3214), 5564 (5597); daß unser Kopist diese dial.
Artikel-Formen ganz gewöhnlich neben den gemeinfrz. verwandte, zeigen die Beispiele:

l'aube 4875 (4898) — li aube 3871 (3897).
la noise 15821 (15950) — li noise 11924 (12026).
la chose 14979 (15092) — li chose 14953
(15066).
la feste 16149 (16324) — li feste 16152
(16327) etc.

Obl.: la, l' 143 (143), 603 (602), 709 (708), 1130
(1138) u. ö., daneben sind ganz geläufig die dial.
Formen le: 886 (886), 3749 (3774), 6457 (6497),
6367 (6407), 6541 (6582), 3304 (3326), 7414 (7463),
16975 (17252) u. ö.

mit Präpositionen:

de + la > de la 201 (201), 485 (484), 1299 (1310)
u. ö.

> de le nur: de le char (carnem) 4988 (5015), de le

1) Über s lose Formen des Art. plur. vgl. Nebh p. 53.

5

nostre couuine (also nicht als masc. aufzufassen). Inclinierte Formen weist der Text nicht auf.

a + la > a la, a l': 58 (58), 288 (286), 1066 (1067).

en + la > en la 536 (535), 773 (775).

Der Plural ist regelmäßig im nom. und acc. les, in Verbindung mit Präpositionen: des, as, es.

β) Der unbestimmte.

1. Maskulinum:

Sing. nom.: uns, vns 865 (865), 3875 (3903). Dafür erscheint schon der Obliquus in der Wendung: ne *un* ne autre 6019 (6054). Der Acc. infolge Einfluß des Reimwortes liegt vor in: *un* chevalier: ier 15993 (16156), 17290 (—), *vn* sien dru: u 11013 (11098).

acc.: un, vn: 552 (551), 683 (682), 2939 (2958), einmal steht fälschlich d. Femin.: *une* (sc. le branc) autre en pendent 9249 (9312).

Plur. nom.: Es ist einmal der Obliquus schon eingetreten in der Wendung: *uns* et autres 10612 (10688).

acc.: bei paarweis vork. Subst.: uns esperons 16848 (17085) etc.

2. Femininum:

Sing. nom.: une, vne: 972 (973), 9249 (9312).

Einmal steht dafür das Maskul.: Dist l'*uns* (sc. dames) a l'autre .. 16446 (16648) PW; RT l'une a l'autre. Das Mask. unseres Textes ist berechtigt, wenn die vorangehenden Substantive bourgois und dansel mit auf „uns" bezogen werden.

acc.: une, vne: 9 (9), 694 (693), 573 (572).

Plur.: regelmäßig unes, vnes: unes buies 2614 (2633), vnes cauches 12521 (—); unes letres 6778 (6819), 7274 (7325) etc.

Diese Übersicht ergibt folgendes: Die Flexion des Artikels ist mit noch größerer Strenge durchgeführt als die Nomens. Neben den gemeinfrz. sind dialekt. Artikelformen ganz gebräuchlich in der Sprache des Kopisten; welche Formen der Dichter gebraucht hat, läßt sich nicht feststellen.

c. Zahlwörter.

Sie sind gewöhnlich in Ziffern geschrieben; sonst begegnen:

Nom.: doi 494 (493), 471 (470), 3934 (3960) u. ö. und dui 9427 (9495), welche Form Burguy I p. 109 als speziell normannisch bezeichnet; andoi 554 (553), 3977 (3999), 6085 (6120), ambedoi 787 (787), 1570 (1581), 9419 (9486): oi 3856 (3882), auch andui 7448 (7498). Einmal begegnet schon der Obl.: *deus* glontons 2011 (2031), was nach dem 12^s vorkommt.

Acc. (masc. u. fem.): deus 7993 (8046), 17191 (17523); andeus, ans II 7413 (7462), 7322 (7369), 13012 (13093) u. ö., seltener andeus 1597 (1608), 16073 (—), cf. s beim Kopisten; ambedeus 6171 (6207), 12406 (12483) u. ö.

troi:

Nom. (masc.): troi 3422 (3446), 5352 (5385), 11351 (11440) u. ö., also stets ohne -s.

Acc.: trois 305 (303), 794 (794), fem.: 1300 (1321).

Von den übrigen Zahlen seien erwähnt:

vint: in der Multiplikation: quatre vins furent 6063 (6098), es ist also schon der Obl. für den Nom. eingetreten.

cent: Nom. li cent deable 1609 (1620); in der häufigen Wendung cinc cens mercis ist ein Verb wie: receuez, aiiez zu ergänzen.

mil-mile:

Sing.: mil 1525 (1536), 1531 (1542) u. ö.

Plur.: doi mile 11639 (11737), trente mile 15799 (15928) u. ö., d. h. sie haben ihre ursprüngl. Funktion bewahrt. Unter den zahlreichen Belegen finde ich nur einmal die seit dem 12^s begegnende

5 *

Vertauschung von Plural- mit Singularform:
... de Sarrasins troi mil: occis 4508 (4531).

Ordinalia: primus erhält sich in dem Subst. prin-
somme 967 (969); prima = prime (Subst.) 754
(753), 761 (760) u. ö.

Adv. primes 495 (494); über Ableitg. cf. Adverb.

tertius erscheint in der bekannten Verwendung: ia
ne verra tierç ior 1428 (1439); dedens tiers ior
13812 (13468) etc. Fem. ist tierce 13804 (13898).

d. Pronomina.

1. Pronomen Personale.

α. Betont.

Singular: Der nom. sg. ist noch erhalten in folgenden Beispielen: 1. p. et ie por lui 7120 (7166),
15681 (15796); et je meismes 16919 (17186), je
non ... 16102 (16278), einmal auch iou: et iou
et autres 4732 (4759). 3. p.: il et ses frere 7953
(8006), ele et Do 1385 (1396) u. ö., sehr häufig
ist aber schon die oblique Form durchgedrungen
cf. Deklination.

Als Acc. dazu begegnen:

Für die 1 p. im Innern gewöhnlich moi: 151 (151),
153 (153), 817 (817), 4075 (4098) u. ö., einmal mi:
por mi priiés 18444 (19127), dieser Vers
stammt vom Kopisten. Im Reime finden
wir umgekehrt häufig mi: i 2527 (2546), 4578
(4601), 5843 (5877), 5813 (5847) u. ö., und selten
moi: oi 3854 (3880), 12896 (12979). Dasselbe
gilt von der 2. p.: Im Innern toi 180 (180), 200
(200), 694 (693), 2295 (2414) u. ö. Im Reime ti: i
622 (621), 2447 (2466), 2515 (2534), 4480 (4503)
u. ö.

Hiezu sagt Andresen a. a. O. p. 41: „Namentlich in
der Volksdichtung trifft man in der Assonanz oder im

Reime sehr oft die burgundischen (besonders pikardischen!)
Formen mi, ti. Dieser Gebrauch ist eine echte poetische
Licenz, denn im Innern findet man nur (besser fast nur!)
moi, toi."

Für die 3. person. masc. erscheint neben der älteren
Form lui 162 (162), 394 (393), 5891 (5925) in der Assonanz:
628 (627), 4516 (4539), 4988 (5015) auch schon li und zwar
im Versinnern selten, in absoluter Stellung: li et Herart
6430 (6470), nach Präpositionen: sus li 11266 (11354),
15299 (15415), im Reime dagegen ganz gewöhnlich: avec
li 11404 (11498), 11352 (11441); 1433 (1441), 4973 (4996)
u. ö., vgl. hierzu die Bemerkungen auf p. 20. Unter diesen
Umständen ist es auch erklärlich, daß für das Fem. obl. li
zweimal lui erscheint: [la dame]: o *lui* Guillaume 960
(960), CT. dafür o li; [Josiane]: contre lui cheuauchent ....
13229 (13310) PW.; RT. dafür *li*.

Plural:
Der Obl. Masc. erscheint in verschiedener Gestalt.
Neben els 1391 (1402), 1580 (1591), 8997 (9056)
u. ö. und eus 4343 (4366) findet sich gleich häufig
als 8773 (8827), 5943 (5977), 17820 (18279) u. ö. und aus
1497 (1507), 4539 (4562), 5931 (5965) u. ö., einmal iaus
801 (801).

In Bezug auf den Gebrauch des Reflexivpronomens
herrscht noch großes Schwanken, vergleiche hierüber:
R. Warnecke: Die Syntax des bet. Reflexivpron. im Frz.
Diss. Gött. 1908.

> Bonnefois, k'ele amena de Mombranc avec soi
> 3928 (3954), a vn mestier l'en mena avoec soi
> 1866 (1885); son damoisel en mena o li 1433
> (1444), o li apele les poures 10069 (10134)
> u. ö.

Beim präpositionalen Infinitiv dagegen finden sich im
reflexiven Sinne nur die Formen lui, els etc. angewandt:

> de lui vengier 9841 (9816), de lui deffendre 9774
> (9849), pour els deduire 11491 (11585), pour als
> asbanoier 6510 (6550) u. ö.

β. Unbetont.

Die Form der ersten Person erscheint am häufigsten als:

> ie, je, i': ie vos ai ... 497 (496), ie aurai 1120
> (1121), je nel ... 615 (616), sai ie 6945 (6988),
> porterai ie 2412 (2431), i'ai 4474 (4497), cf. Inclination,

daneben auch sehr zahlreich als:

> iou, jou: iou aie 825 (825), jou en main 4440
> (4463), porterai iou 2420 (2439), ferner 4719 (4742),
> 5789 (5823), 5229 (5257) u. ö.,

selten erscheint ge, g' das nur graphisch für je steht, aber sich häufig in Texten des N.O. findet;

> g'i 5569 (5602), 6728 (6770).
> g'irai 2925 (2945), 3034 (3053).

Für tu 188 (188), 419 (419): u 1030 (1031) erscheint einmal die pik. Form te vor en: t'en aras 6222 (6259).

Der Nom. sg. der 3. pers. ist für das Mask. il, jl 443 (442), 526 (525), für das Fem. elle 38 (38), 511 (510) u. ö.; daneben erscheint el aber sehr selten: quant el sera 11375 (11469), quant el vit 12369 (—).

Fälschlich gebraucht der Kopist für das Mask. einmal *ele*: k'ele (= Bueves) amena auoec soi 3928 (3955) und für das Fem. einmal *il*: Sire dist ist (= Josiane) ... 12808 (12889).

Der Obl. masc. erscheint gewöhnlich als le 88 (88), 620 (619), inkliniert: iel 355 (353), sel 1128 (1136), nel 15281 (15396) cf. Inklination.

Zweimal begegnet *les* für *le*, beide Fälle erklären sich aus dem Zusammenhang als Versehen des Kopisten, der das Pronomen anstatt auf *eine* Person — beide Male auf mehrere bezog.

> Guios cheuauche .... moult les (= le) regardent et bouriois et iouuencel 16443 (16645) RT.
> korrekt le.

Do de Maience les (= le sc. le gloton) a mis a

raison, Amis dist Do, que Jhesus bien te dont 5354 (5383), RW. haben korrekt le.

Für d. fem. Obl. kommen 2 Formen neben einander vor: das gemeinfrz. la 4758 (4781), 11440 (11534), viel häufiger aber das pik. le: diex le (= Bueves Mutter) maudie 569 (568), ebenso 2695 (2714), 8488 (8551), 14918 (15032) u. ö.

Im Plural erscheinen lautgesetzliche Formen; wie sich jedoch für le unorganisch im acc. sg. les findet, zeigt sich hier im acc. pl. dreimal le für zu erwartendes les, es mag sich in der Tat nur um Abfallen des -s handeln, wie das in einsilbigen Wörtern bei uns häufiger geschehen ist, cf. s beim Kopisten.

[Soibaut et sa feme]
que damediex le (= les) me laist revëir 4615 (4638), RW.: les, oder soll sich le nur auf eins von beiden beziehen?

[eschieles prendent]
au mur le (= les) drecent 10449 (10526), Bueves commande que tout voisent monter, contre son fil le (= les) couuenrra aler 17447 (17837).

Als dat. plur. zeigt sich lor, lour 233 (233), 843 (843), 951 (951) u. ö.

In einer großen Anzahl von Fällen findet sich die schwere Form statt der leichten [1]:

a) Vor dem Verb: se toi plaist 8476 (8525), 4094 (4117) und so immer in dieser formelhaften Wendung,

b) wenn das Pronomen stark betont ist: et moi ont fait .... cachier 2247 (2266), et toi fist vendre 8489 (8542), qui toi a engenrré 9333 (9396). Stets wenn es an der Spitze des Satzes steht: Moi ne causist 637 (636), Moi a cachié 1837 (1855), Lui ne chaurroit 7741 (7792). Einmal mi für moi: qui mi a ostelé nur P 13270 (13351).

---

[1] Man beachte auch hier den Einfluß des Metrums, das in vielen Beispielen die leichte Form nicht zuläßt.

c) wenn das Pronomen nach dem Verbum finitum
steht: chainst lui le branc 1879 (1899), cauchent
lui heuses 5499 (5531), fiert soi en . . . 3145 (3165),
porta moi en ses les 8447 (8550), cf. 456 (455),
5587 (5620) etc.

In diesem Falle ist die schwere Form für unsern
Autor obligatorisch; ebenfalls nach dem nichtverneinten
Imperativ, 2. und 3. Person:

donnés moi le congié 2156 (2175), secourés moi
2853 (2873), garde toi bien 3060 (3079), cf. 6883
(6926), 10349 (10426) u. ö.,

es finden sich nur 4 leichte Formen cf. Deklination, dagegen
begegnet nur in der leichten Form das Pronomen der
3. Person:

enuoiiés le el regne . . . 473 (472), liurés le nos
2375 (2394), alés le quere 2864 (2884), weitere
Beispiele cf. unter Inklination.

2. Possessivum.

a. betonte Form:

in Verbindung mit Artikel, Zahlw. etc.

1) Masculinum:

Sing. nom.: miens 259 (258), 5034 (5062), analogisch
danach: tiens 2519 (2538), 2978 (2997), siens 1209
(1218), 11223 (11311). Der Acc. wegen Einflusses des
Reimworts liegt vor in: un *sien* dru: -u 11013 (11098).

acc.: mien 609 (608) und tien 3229 (3260), sien 2939
(2598).

Plur. acc.: siens 1183 (1293).

2) Femininum:

Sing. nom.: moie 12130 (12231) analogisch: soie
5634 (5667), doch daneben auch soe: la soe bontés
4147 (4170).

acc. gewöhnlich: moie 253 (253), 9333 (9399) u. ö.,
toie 7372 (7422), soie 639 (638), daneben erscheinen
dial. siue: la siue bonté 2998 (3017), 7520 (7570)

Go gle

und selbst die nach Schwan-Behrens Gr. p. 181
Anm. „zufällig" nicht (?) belegte Form tiue: la
tiue volenté 9807 (9882).

Plur. acc.: moies 16572 (16783), soies 16291 (16472),
und einmal siues: par les siues bontés 16882
(17099).

In geringer Zahl finden sich betonte Formen ohne
Artikel, was ursprünglich ganz gebräuchlich ist, im 13 ˢ
aber immer seltener wird, cf. Kramer a. a. O. p. 7. Unser
Text weist auf:

moie part 253 (253), soie amour 1956 (1976),
9166 (9229), pour suie amour 59 (59), und sehr
häufig, wie auch anderswo; mien escïent 10682
(10758), 12755 (12732), cf. Aiol 331.

Vom Poss. der Mehrheit begegnet:

Sg. Nom. masc.: vostres 10807 (10892), 13124
(13205).

acc.: nostre 3389 (3412).

Plur. acc. masc.: die gekürzte satzunbetonte Form:
des nos 10440 (10517), bekanntlich so schon im
Roland.

β. Unbetonte Form.

ohne den best. Artikel:

1) Masculinum:

Sing. nom.: mes 177 (177) u. tes 626 (625), 978
(978), ses 987 (987), 15755 (15870).

Die obl. Form zeigt sich: moi et mon frere 5740
(5774), 5868 (5901) und wegen des Reimwortes in: son
confort: ort 11635 (11732).

acc.: mon 316 (318), 315 (313), 830 (830) u. ö., ton
3056 (3075), son 75 (75), 2255 (2274) u. ö.;

daneben erscheinen nicht selten die dial., abgeschwächten
Formen:

men 7863 (7917), 3566 (3591), ten 6222 (6259),
12228 (—), sen 838 (838), 2146 (2165) u. ö.

Plur. nom.: mi 319 (317), ti 10089 (10164), si 1508 (1519).

acc.: tes 2730 (2750), ses 770 (770), 739 (738).

2) Feminium:

Sing. nom.: ma, m': 696 (695), 1223 (1232), ta 814 (814), sa, s' 486 (485), 1287 (1297).

acc.: ma, m' 244 (245), 620 (619), ta, t' 1982 (2002), 10181 (10258), sa, s' 41 (41), 30 (30), 75 (75).

Sehr häufig begegnen daneben die dial., abgeschwächten Formen:

me 13983 (14084) und besonders se 1008 (1010), 3879 (3905), 12082 (12183), 12403 (12480) u. ö. te ist nicht belegt. Vor folgendem Vokal steht schon die Masc. Form: a Aubefort a *son* ost aioustee, also deutlich als Fem. erkennbar 13194 (13275), ebenso 14885 (15068), 14832 (14946).

Plur. nom. und acc.: mes 12270 (12370), ses 8076 (2129).

Possessivum der Mehrheit: .

Die gewöhnlichen Formen unseres Textes sind die in Anlehnung an die Nominalflexion gebildeten, also die des NO. und O.:

Sing. nom. masc.: nos, vos 2148 (2169), 6824 (6866).

acc.: no, vo 5716 (5750), 6890 (6933).

Plur. nom.: nos 856 (856), 13578 (13666) u. ö.

Fem. sing. nom.: no, vo 11314 (11403), 14261 (14369).

acc.: no, vo 817 (817), 5716 (5750).

plur. nom.: nos 11938 (12040).

acc.: nos, vos 869 (869), 8437 (8490).

Die sonst belegten Fem. Formen noe, noes sind nicht im Texte vorhanden. Wie schon bemerkt, schwindet auslautendes -s bisweilen in Kleinwörtern, so zeigt sich auch hier, im acc. pl.:

no[s] françois 17251 (17584), a vo[s] coupes 4854 (4877).

Daneben begegnen, im allgemeinen aber seltener, die

absoluten Formen in unbetonter Verwendung, wie im Franzischen:

> Nom. sg.: vostre parrastre 5993 (6028), vostre peres 2226 (2245), auch mit -s: vostres peres 1838 (1856), vostres fiex 55€7 (5600); vostre chars (carnem + s) 11936 (12038).
>
> Nom. pl.: nostre baron 8809 (8863); vostre ami 8751 (8805) etc.
>
> lor: sg. lor 5462 (5428), lour 4508 (4531), im pl. ist es noch flexionslos:
>
> acc.: lor mas 16024 (16189), lor cols 5492 (5524), 6060 (6095) etc.

3. Demonstrativum.

Die ursprüngliche Scheidung zwischen substantivisch gebrauchtem satzbetonten — und adjektivisch satzunbetont verwendetem Dem.-Pron. findet bei uns natürlich nicht mehr statt. Die Formen mit erhaltener erster Silbe sind recht häufig, im Vergleich zu den anderen aber in der Minderzahl.

1) ecce iste:

> Substantiv:
>
> a) Masc. sg. nom.: cist 9600 (9673) nur einmal; gewöhnlich erscheint cis 1190 (1199), 1279 (1289), 4928 (4951) u. ö., welche Form in pik. sehr gebräuchlich ist.
>
> acc.: cestui 11919 (12021), 12416 (12493) u. ö. einmal das (nach Lemme a. a. O. p. 10) seltene icestui 13277 (13359).
>
> pl. nom. cist 1583 (1594), icist 4813 (4836).
>
> acc.: --.
>
> b) Fem. sg. nom.: ceste.
>
> Adjektiv:
>
> a) Masc. sg. nom.: cist 4930 (4953), 1427 (1438). doch meist: cis 624 (623), 2747 (2767) u. ö und icis

4492 (4515), 16203 (16380) u. ö. einmal dafür d.
acc.: jcest afaire li sera . . .

acc.: cest 534 (533), 607 (606), 1121 (1129), icest
13580 (13668), besonders in der Wendung: a
icest mot 13529 (13611), 14352 (14468) u. ö.
einmal cestui regné 13260 (13341) cf. Lemme
p. 13.

pl. nom.: cist 17371 (17758), einmal steht der Obl.:
ces 2011 (2031).

acc.: ces 611 (—), 1912 (1932), 3968 (3990) u. ö.

b) Fem. sg. nom.: ceste 21 (21), 11263 (11361),
iceste 1230 (1240), 4471 (4494).

acc.: iceste 1251 (1261), 5288 (5316), 16382 (16575),
ceste 530 (529).

pl. acc.: ces 775 (775), 1912 (1932).

ecce hoc.: çou 988 (989), 4015 (4038), 5222 (5250)
ce ist die häufigste Form 26 (26), 359 (357) u. ö.,
c', ch' 1305 (1316), 5290 (5318), ice 9495 (9567),
10935 (11020). Die Form Ee 9900 (9975) zu
Anfang einer Laisse ist verschrieben für Ce.

Ein anderes ce dient nicht selten auch zur Bezeichnung
von Personen (cf. Lemme p. 63), es geht dies aber nicht
auf das neutrale ce zurück, sondern auf cest (oder cel)
durch Abfall der Endkonsonannten:

ce Bueues qui 2519 (2538), qui est ce la qui
4175 (4198), en ce (sc. baron) n'a coupes 11266
(11354) cf. 8824 (8878), 13358 (13440).

2) ecce ille.

Substantiv:

a) Masc. sg. nom. cil 505 (504), 1188 (1197) u. ö.;
icil 189 (189), ciex 38 (38), diese Form ist wohl
erst durch den Kopisten in den Text gekommen,
nach Meyer-Lübhe: Historische Gr. II p. 120 begegnet sie in der zweiten Hälfte des 13ˢ im
Pik.-Wall.

acc.: cel 56 (56), 289 (287), 596 (595), 609 (608)
u. ö., celui 238 (238), 421 (421), 595 (694) u. ö.

pl. nom.: cil 948 (948), 2021 (2040), icil 3671 (3696), 9300 (9368).

acc.: cels 4729 (4750), 10399 (10476), ceus 1019 (1018), ciaus 450 (449), 10432 (10509), 14587 (14703).

b) Fem. sig. nom.: celi 78 (78), 1285 (1295).

acc.: celi 12210 (12312), 12165 (12267), einmal çele 12307 (12401).

Adjektiv:

Masc. sg. nom.: cil 3802 (3828), 4782 (4805), icil 1207 (1216), 11835 (11937) u. ö.

acc.: cel 493 (492), 86 (86), 10673 (10749), icel 1763 (1781), 11209 (11297) u. ö., dreimal celui in der Wendung par celui dieu, qui 1033 (1034), 5874 (5908), 11154 (11242) und einmal en icelui regné 13277 (13359), eine Form, die nach Lemme p. 35 nicht vor dem 13ˢ und auch dann noch vorläufig sehr selten vorkommt.

plur. nom.: cil 1183 (1192), 1692 (1709) u. ö.

acc.: ces 6370 (6410), 6562 (6603) u. ö. ist von ecce istos abzuleiten, da l nach e im Versinnern geblieben ist cf. unter Konsonantismus des Kopisten. Die Formen ces, cels sind belegt bei Villeh. p. 29, 189.

b) Fem. sg. nom.: cele 1281 (1291), icele 11517 (11611).

acc.: cele 854 (854), 4861 (4884), icele 5310 (5338), 13151 (13232) u. ö.

Ganz außerordentlich häufig sind bei uns die Fälle, wo das Demonstrativ-Pronomen im Sinne des Artikels oder der 3. pers. des pers. pron. gebraucht ist. Der Verfasser, oder wie ein Vergleich mit T wahrscheinlich macht, der Kopist unserer Handschrift, muß hierfür eine besondere Vorliebe gehabt haben. In der älteren Sprache ist diese Erscheinung seltener, im Neufrz. wird sie mit besonderer Häufigkeit bei Zola angetroffen cf. Lemme p. 85. Aus der Fülle von Belegen seien nur einige herausgegriffen:

a) für die 3. pers. d. pers. pron.:

vint homes ... par ciaus n'ert ca garandis ...
(CT aus) 450 (449).

Cele fu fille au preu duc ... CT ele 78 (78).

et cil i vont CT il 948 (948).

cil les aporte T il 15,471 (15 587).

sire dist cil T il 17 297 (17 667).

cil s'en torne T il 267 (266) etc.

Die Hss. RW gehen meist mit P.:

et cil respondent 3385 (3408), 3037 (3056) u. ö.

in anderen Fällen zeigen sie

il 4340 (4363), 4402 (4435) u. ö.

b) für den bestimmten Artikel in besonders lebhafter
Erzählung:

cil iougleour n'ont pas cel ior ... (auch T) 1022
(1023), ebenso 1047 (1048).

cil escuier ont ... 1183 (1192) (auch T).

Für die übrigen Beispiele ist ein Vergleich mit T
nicht möglich:

Rompent ces cordes, ces peus font esmiier, flotent
cil auferrant ... 6562 (6603) P(RW).

Qui vous donna cel fort escu bendé Et cel hauberc
et cel elme gesmé Et cel cheval ... 3216 (3237)
P(RW).

... ces elmes fremer et ces escus et ces lances
coubrer 17 449 (17 839) P(RW) etc.

4. Relativum:

Masc. u. Fem.:

Sing nom. qui 28 (28), 46 (46), 86 (86) u. ö., ki
2460 (2479), 2625 (2644) u. ö., beziehungslos: qui
1484 (1495), 7115 (7161), 10 247 (10 320) u. ö.

Neben qui steht im Nom. nicht selten que, k': Doon,
que mon signour occist 9053 (9113), une pucele que buer
fust nee 1954 (1974), tex en morra qu'encor est en santé
8997 (9051), weitere Beispiele cf. unter Elision.

acc.: que 928 (928), 7901 (7953), qu' 9230 (9293),
k' 4025 (4048), c' 1766 (1784).

cui 17114 (17433), qui 461 (460), 973 (974) u. ö.,
beziehungslos cui 15841 (15983), 15 856 (15 989).

Dativ: cui 814 (814), 6696 (6737), qui (s. u.), zweimal steht dafür que: son pere ... que Guis
trencha le chief (C: cui) 260 (261) und 14242
(14350).

Nach Präpositionen:

de qui 2569 (2588), 5930 (5964); a cui 41 (41),
es finden sich nebeneinander: ... le roi *qui*
France apant 8120 (8173), 18048 (18679) und
perre *a cui* li mons apant 9780 (9855), 14342
(14458).

Plur. nom.: qui 305 (303), 452 (451), ki 1240 (1250),
dafür steht que 8981 (9035), k'a 12874 (12957).

acc.: que 8689 (8742) u. ö., ke, k' 4951 (4974),
12199 (12301), c' 5438 (5469).

Dativ: qui 5640 (5673), cui 10087 (10162), einmal
steht dafür wie in Sing. que: neueus et freres
que (PW; R *cui*) doné aués tant 5545 (5578).

Nach Präpositionen:

a cui 9320 (9388).

Neutrum:

Nom. erscheint zweimal qui:

qui ne seroit mestier 359 (457) ebenso 2438
(2457).

Acc. que 689 (688), 2409 (2428), beziehungslos: que
16799 (17002), 12568 (12655).

Nach Präpositionen steht coi, sich beziehend auf
Sachen: de coi 4540 (4563) und einmal auch auf eine Per-
son: tel mari, de *coi* cis regnes ... 624 (623) CT qui.
Häufig findet sich Ellipse des Relativpronomens;

a) in negativen Nebensätzen nach negativen Haupt-
sätzen:

il n'i a cambre ne soit encourtinée 1008 (1010),
n'i a celui n'ait ventaille lacie 1238 (1248) ferner
5042 (5067), 3183 (3204), 6499 (6539), 7948
(8001) u. ö.

b) sonst nur: vous estes cil ... [qui] la dame en maine 4051 (4074) cf. Diez III 381.

Die Relativ-Adverbia werden oft gebraucht: dont wechselt mit de cui, sich beziehend auf Sachen: 53 (53), 4810 (4833) u. ö., auf Personen: 2095 (2114), 17421 (17809) u. ö.

ou = a + Relativum: 9853 (9828), 13436 (13518) u. ö.

5. Interrogativum:

1) Das Fragepronomen qui hat dieselben Formen wie das Relativum qui: Sing. nom.: qui 653 (652), 17378 (17765).

> Dativ: cui chaut 12837 (12917), 12849 (12932).
>
> Plur. Nom. qui 17384 (17781).
>
> Sing. nom. que 213 (212).
>
> acc.: que 8386 (8439), 9090 (9150), qu' 11226 (11314), ke k' 210 (209), 1452 (1463), c' 13733 (13823), ferner auch quoi, nach Präpositionen: pour coi 499 (498), 623 (622), einmal auch auf eine Person sich beziehend: de coi fu la canchon 11989 (12890).

Das im Neufrz. so sehr gebräuchliche qu'est ce qui (que) begegnet bei uns 4 mal: 860 (860), 4175 (4198), 4962 (4985), 11229 (11314).

6. Indefinita.

1) chascuns: .

> Es erscheint regelmäßig nom. cascuns 708 (708), 1577 (1588). acc. cascun 5473 (5505).

2) el = *alum:

> je ne demant el: ę 5616 (5649).

3) auques = aliquid + s:

> se il vit auques 1573 (1584), 1874 (1894).

4) nul, autre:

> Neben Obl. nul 7948 (8001) auch nului 5317 (5345).
>
> Neben Obl. autre 1443 (1454) auch autrui 3559 (3584), 4836 (4859).

Nul ohne ne hat positive Bedeutung, so: 4213 (4236), 16 249 (16 428).

5) tel.

Im Reime erscheint als Nom. tes : es, im Innern tex cf. l beim Dichter und Kopisten.

Als Fem. begegnet tel und tele cf. Deklination. Je nach Bedarf werden daneben die Formen mit Vorschlag -i gebraucht:

itele 16 040 (16 206), itel 1224 (1233), 15 344 (15 458) u. ö. Außerdem finden sich mehrfach: autels 5093 (5121), autel 10 736 (10 821), autretel 10 752 (10 837) u. ö.

6) tout:

Im plur. erscheinen gleichhäufig:

centralfranz. tuit 1122 (1130), 1206 (1215), 1314 (1325), 4373 (4396) u. ö. und pik. tot, tout: 305 (303), 4792 (4815), 7777 (7829), 9321 (9389) u. ö., auch trestot 307 (305), trestout 2025 (2045), 3010 (3029) u. ö.

Im acc. ist zu merken: environ de tout les 9137 (9197) neben environ de tous les 9222 (9285), cf. Sander a. a. O. p. 30.

7) qui que:

Nom. sg. qui qu' 1908 (1928), Dat. qui que 5223 (5261), 7030 (7076), Nom. pl. qui que 13 360 (13 442).

8) Hier mag auch erwähnt sein das distributive que-que (engl. what-what):

acuellent ... que bues que vaches que roncis 4836 (4819); que bourgois que archier 6064 (6099) cf. 10 431 (10 508).

e. Komparation.

Neben der Steigerung der Adjektive und Adverbien durch plus, finden sich, der Zeit unseres Textes entsprechend, noch eine Anzahl organisch-flexivischer Komparationsformen:

6

a) li maires 8510 (8563), 8445 (8498); li menour (nom.
pl.) 43 (43). Neutrum: mains 13504 (13586);
pïeurs (acc. pl.) 13816 (13911). Neutrum: pis
2527 (2548); melior-orem zeigt in der Flexion
dieselbe Unregelmäßigkeit, wie die Gruppe IIb:
Sing. nom. masc.: mieudres 87 (87), 18434
(19117) und millor 15867 (16000).

    fem.: mieudre 13312 (13394), 14137 (14291)
und meillour 3 (3).

    acc. masc.: mieudre 85 (85).

    Neutrum.: miex 10 (10), 591 (590), mius 17356
(17843).

b) Sing. acc. masc.: greigneur 1118 (1126)

    fem.: grignour 301 (299).

    auçour 293 (291) mit der Aufgabe der ursprüngl.
Komparativbedeutung.

c) von den gelehrten lat. Superlativformen auf -issi-
mum begegnen:

    saintisme 552 (453), 16615 (16834) und das be-
kannte Subst. abisme 4251 (4284).

d) Sehr beliebt ist bei uns die superlativische Steigerung durch „maistre":

    el maistre etage 6969 (7013).

    la maistre fermeté 2124 (2145).

    el maistre autel 8733 (8786).

Es tritt noch plus hinzu:

    au plus maistre degré 10270 (10345).

    del plus maistre castel 1892 (1912).

Sehr selten sind dagegen die sonst so häufigen
Verstärkungen durch:

    tres: tressüés 7392 (7441), trestot 307 (305).

    par: que il par amoit 11385 (11479), par est lais
4375 (4398).

f. Adverbium:

Es begegnen eine Anzahl verschiedener Adverbial-
formen; am häufigsten sind:

1) die gewöhnlichen Bildungen auf -ment, sowohl bei den Adjektiven zweier Endung:

> richement 1005 (1007), durement 498 (497), 1975 (1995), abandonneemant 4312 (4335)

als einer Endung:

> loiaument 2732 (2752), communalment 4208 (4231) etc. stets noch ohne -e-.

2) Nicht selten erscheint dafür die neutrale Form des Adjektivs:

> a) menu 2686 (2704), 11053 (11109) u. ö., seri 3727 (3752), 3702 (3727), estroit 1246 (1256), 2959 (2979) etc.,

so auch Doppelformen, über deren jeweilige Verwendung der Metrum enstscheidet:

> isnel 4924 (4947) u. ö. — isnelement 4900 (4923) u. ö.; chier 10890 (10975) u. ö. — chierement 11246 (11333) u. ö.; bel 16301 (16490) u. ö. — belement 3078 (3199) u. ö.; mal 9306 (9374) u. ö. — malement 210 (209) u. ö.; bon[1]) (nur in P. W dafür ber = buer) 1954 (1974) — bonnemnnt 4844 (4867), bien 812 (812); voir 153 (153) u. ö. — voire 1037 (1038) u. ö. — voirement 5414 (5435) u. ö. auch de voir 3530 (3555) u. ö. — pour voir 5433 (5464) u. ö.; haut 9136 (9187) u. ö. — hautement 1335 (1356) u. ö. und en haut 416 (415) u. ö.

> b) mit adverbialem -s:

> longues 1500 (1511) — longuement 597 (596) u. ö.; merueilles 15263 (15378) — merueillement 17913 (—); mëismes 15441 (15558) — mëismement 495 (494), primes 495 (494) und premierement 7093 (2139) daneben in adverbialer Verwendung: premiers 5486 (5518), premerains 13732 (13822) u. ö. und au premier 3794 (3820).

> c) die neutrale Form ist durch et mit einem Adverb auf -ment verbunden:

---

1) Bon in adverbialer Verwendung ist im Altfranz. häufig belegt cf. Heise: Adverbial gebr. Adj. Diss. Göttingen 1911 p. 130.

6*

bel et certoisement 179 (179) u. ö.; souef et
belemant 8412 (8465) u. ö.; belement et soué : é
11846 (11948); doucement et souef 3622 (3647)
u. ö.

3) Adverbia, gebildet aus Präp. u. Subst., gleichfalls sehr
zahlreich vorkommend:

> de + Subst.: de rechief 12377 (12454), de verité
> 10753 (10838) u. ö. etc.
>
> a + Subst.: a esperon 560 (559), a force et a vertu
> 11769 (11871) etc.
>
> par + Subst.: par droit 1289 (1299), par verté 895
> (895) etc.

g. Negation:

1) Die allgemeine Negationspartikel ist ne vor Konsonant,
n' vor Vokal.

2) Zahlreich ist daneben der Gebrauch eines Füllwortes,
und zwar ist *mie* fast ebenso häufig wie *pas*, seltener
erscheint verstärkend : *point*.

3) Seltener gebrauchte Negationen sind:

> **a)** *non*: ist so erhalten, wenn ein starker Ton dar-
> auf lag :
>
>> Non dist li rois 9025 (9084); ne oi ne non 15654
>> (16884); non ferés 4920 (4943) n. ö.
>
> Anstelle des lat. privativen in-:
>
>> non sachant 13765 (13856) u. ö.; einmal: non
>> pas: une cote ... non pas chier 12520 (12597).
>
> **b)** *nen*: zur Uermeidung der Elision des e in ne vor
> dem vokalisch anlautendem Verbum:
>
>> nen aroit 1873 (1893), nen ert 12443 (12520),
>> nen estes 12818 (12912), 13817 (13912).
>
> **c)** *naie* und *nenil* in negativen Antworten:
>
>> naie, dist il 5360 (5390); naie, voir dame 12105
>> (12206); nenil dame 2285 (2304); nenil amis
>> 2413 (2432).
>
> **d)** nisi = se — non:
>
>> aves vous se bien non 652 (551), n'i oi se mal

non 5357 (5386), 10814 (10899) u. ö., n'orent alé
se moult poi non 11428 (11522)

4) Eine nachdrückliche Negation wird vermittelt durch eine
positive Wendung: *mar*: die ursprüngl. Bedeutung
„zum Unglück" wird = „durchaus nicht", wenn mar
ein Verbum begleitet, das im Futur steht (cf. Perle
a. a. O. p. 10).

> mar en estordra nus 5010 (5036), ia mar en
> douterés 9117 (9177), mar vous esmaierés 1376
> (1387) u. ö., ia mar m'espargnerez 9110 (9170) etc.

h. Konjugation:

1) Infinitiv: Der Infinitiv der 1. schw. Konj. ist regelmäßig
-er, in den Fällen des Bartsch'schen Ges. -ier.

Neben -oir bilden dialektische Infinitive auf -ir im
Reim sowohl wie im Innern:

> sëoir 890 (890) : -oi 12825 (12995) — sëir 2237
> (2256) : -ir 14192 (14296).
> vëoir 3525 (3548) : -oi 12890 (12973) — vëir 6073
> (6108) : -ir 2468 (2487)

auch schon als uir 16699 nur in P cf. Metrik (Hïatus) im
Innern 6330 (6374). Diese Infinitive begegnen auch außer-
halb der Pikardie, so im normannischen cf. E. Herzog:
Infinitivtypen Zs. f. r. Ph. 24 p. 93.

2) Praes.-Ind.

a) Die 1. pers. sg. der 1. schw. Konj. zeigt gewöhnlich
noch die alten endungslosen Formen: commant:
-ant 196 (196), demant: -ant 954 (954) aour 300
(302), gre 5168 (5196), lo 9907 (9982), claim 6009
(6044), bail 9009 (9068), esmerueil 11124 (11212).

Ein berechtigtes -e (Stütz-e) zeigt sich in samble
12473 (12956).

Selten begegnen schon Formen mit hiernach analogisch gebildetem -e:

> Durch das Versmaß gesichert, also dem Dichter ge-
> hörend: pleure 3693 (3718) und claimme 5680

(5713); für den Kopisten kommen hinzu: prise 3990 (6025), presente 12 227 (−); für aime 1727 (1744) und prise 4835 (4858) ist vielleicht aim ie und pris ie zu lesen.

2. swache: rant 17 406 (17 793), desfent 17 782 (18 240), pert 16 046 (16 213) und so gewöhnlich, zweimal finden sich daneben Formen mit pikardischem -c: perc 16 000 (16 163), 16 046 (16 213), und zwar im Versinnern. Nach den übrigen Lauterscheinungen zu urteilen, dürfen wir diese Formen sowohl dem Dichter als dem Kopisten zusprechen.

Die 1. pers. der übrigen Konj. ist noch frei von analogischen Beeinflussungen, es begegnet daher noch kein -s:

quier 9881 (9978) u. ö., di 10 697 (10 755) etc., außer in solchen Formen natürlich, wo s von Anfang an vorhanden war: quis, connois etc.

b) 3. pers. sg. der 1. sw. hat regelmäßig -e:

vole 3420 (3443), cuide 2496 (2515), passe 3183 (3204), nur einmal begegnet ohne -e: pri (statt prie) 6774 (6816),

Die 3. pers. Präs. Ind. von [*laire] erscheint bei uns niemals als lait sondern stets als laist, Belege cf. p. 93; man bezeichnet die Form gewöhnlich als pikardisch mit graphischem -s-, nach Friedwagner Raguid. a. a. O. Anm. 4820 liegt Einfluß von laissier vor.

Der starke Tempuswechsel erschwert die Unterscheidung zwischen der 1. und 3. sg. praes. und perf. von dire; bei uns erscheint für beide Tempus ausschließlich dist cf. dieses Verb p. 100; Foerster: Rich. l. B. Anm. 5199 erklärt die Praesensform ebenfalls als pikardisch, doch ist sehr zu beachten die Bemerkung Mussafia's (cit. Raguid. 4137), daß „dist" vielleicht im Sinne von mlt. dicit = dicitur gebraucht sei, zumal aus anderen roman. Sprachen Belege hierfür vorliegen.

c) 1. pers. plur. praes. u. fut.

Regelmäßig erscheint -ons im Innnern des Verses und -on im Reime:

alons 3804 (3830), sauons 12016 (12118), issons
14868 (14982); assaurons 14262 (14370).

haon : -on 10845 (10930), dison : -on 1114 (1122),
aurons -on 15174 (15288) etc., je einmal findet
sich im Innern des Verses devon 6405 (6445) und
in der Assonanz celerons: -on 4810 (4833).
Mehrere Male begegnet im Versinnern wie im
Reime -omes und -ommes, ob letzteres schon für
den Dichter angegommen werden darf, ist fraglich, da die Gemination nach Lorenz a. a. O. p. 35
erst seit der Mitte des 13ˢ erscheint: vaurommes
6497 (6539), iro(m)mes 11466 (11561), 11815
(11917), repairommes : -ome 4347 (4370) etc.

d) die 2. pers. plur. lautet für alle Konjugationen
-és (-éz), in den Fällen des B. Ges. -iés (-iéz) Belege cf. unter Vokalismus des Dichters.

Das organische -ẹtis hat sich in einigen Futurformen
erhalten:

Im Reim: porrois 3876 (3902), perdrois 3904
(3930).

Im Innern: orrois 1628 (1639).

2) Konj. Praes.:

a) Die 3. pers. sg. der 1. sw. erscheint fast durchweg
noch ohne -e: gart 570 (569), 13687 (13777),
conjurt 5267 (5295), otroit 10860 (10945), crauant
8389 (8442) etc. Analogisches e zeigt sich im
Reime in: sonne : -one 989 (989) und donne : -one
983 (983) (es ist also die Ind. Form eingedrungen);
im Innern e nur in sauue 2515 (2534), für den
Kopisten kommt hinzu sauue 12166 (—), das in
der Caesur steht.

b) 3. pers. sg. der übrigen Klassen hat regelmäßig
-e, auch sonst begegnen folgende Doppelformen:
mit e: voise 1052 (1053), puisse 13641 (13731) u. ö.,
truisse 16440 (16642).
ohne e: voist 4942 (4965) u. ö., puist 814 (814)
u . ö., soit 221 (221), ait 473 (472), truist 11684 (—).

c) Gelegentlich kommen -gam Formen vor:
confonge 10951 (11036), venge 10783 (10868).
renge 11599 (11663), prenge 90 (90).

3) Imperf. u. Cond.:

Die Endungen des sg. und der 3. pl. sind stets: -oie,
-oies, -oit, -oient cf. oi beim Dichter und Kopisten.

In der 1. pers. pl. zeigen sich:

-(i)iens: estiiens 7742 (7793), poiiens 7721 (7772),
ariens 6492 (6532), douteriens 4951 (4984).

-ion(s): amions 4589 (4612), sauions 5743 (5777),
auion : -on 10850 (10935), porrions 4959 (5082).

-iemes: seriemes 7146 (7192), estiemes 2634 (2653).

Nach Lorenz p. 40 ist dies eine speziell pik. Endung,
die nicht vor Mitte des 13* erscheint. In der 2. pers. pl.:
sauriés 1845 (1865), auiés 8325 (8378), sauriiés
10776 (10861) über Sibenwert dieser Endungen
cf. Metrik.

4) Perf. Ind.:

a) 1. sw.: Die Endungen des sing. sind:

-ai, -as, -a. Im plur. erscheint neben dem ursprüngl.
-ames : laissames 4271 (4294), passames 1115
(1123) das aus der 2. plur. analogisch eingetretene
s : -asmes: alasmes 1143 (1151), trouuasmes 971
(972), plegasmes 1715 (1732).

b) 2. und 3. sw.: die 3. pers. sg. ist für beide gewöhnlich -i, das organische -ié der 2. sw. findet sich
noch im Reime: respondié : -ié 2567 (2586), re-
spandié : -ié 8847 (8901).

1. pers. plur. hat stets analoges s: vendismes 5434
(5455), 1616 (1627), öismes 11623 (11721).

3. plur. in beiden -irent: sentirent 3936 (3961),
atendirent 4238 (4261).

c] Starke Konj.:

In der 1. pers. sg. erscheinen ganz vereinzelt
dialektische Ausgänge: vauc 17395 (17782), ferner: euch
8243 (8302), sonst aber dafür stets oi (vgl. hierzu Foerster:
Rich. 1. B. Anm. 927). Für vin < venī erscheint ving,

uing 5788 (5822), 5816 (5850), 16650 (—) u. ö., wo g
wohl erst durch Erweichung $<$ c hervorgangen ist (cf.
Suchier, Gröb. Grundr. 608—609).

Bei faire und den Verben der -si Klasse finden sich
neben Formen mit stammhaftem s solche nach vëis, vëistes
gebildete, also ohne s: fesis 418 (418), fëis 3809 (3835),
occëistes 8202 (8255) etc.

1. pers. plur. stets mit s: vëismes 1114 (1122),
ëusmes 1116 [1124].

In der 3. pers. plur. erscheinen stets: prisent 1535
(1546), 5518 (5558) u. ö., asisent 7749 (7801) etc. also niemals die Formen mit Gleitlaut (cf. Gleitlaut unter dem
Konsonantismus des Kopisten). Neben firent 11002 (11087)
begegnet öfter das analogische fisent 6092 (6127), 6094
(6129) u. ö.

In der ui-Klasse erscheinen gewöhnlich, wie im Franz.,
die Formen: iut, jut 124 (124), 15397 (15412), estut 9184
(9247), dut 2309 (2328), durent 10155 (10229) etc., doch
je einmal erscheinen die speziell wallon.[1]) Formen: liut
(*leguit) 278 (276) und liut (licuit) 2121 (2142), ferner begegnen schwache Formen: crëi: i 5309 (5337) und stets:
chäi 13201 (13282): i 3777 (3803), chäirent 2804 (2824).

5) Imperf. Conj. 1 sw.: dialektisch -aisse, -aissent, doch
stets -ast, -astes, Belege cf. unter „a" des Kopisten.

6) Futurum und Cond.:
a) Vba. der I sw.:
Mit erhaltenem -e- des Infinitivs:
porteras 253 (253), essaierai 1956 (1976), man-
derés 3741 (3766), salüerés 3725 (3650) etc.

Mit Synkope des -e-:
in der Lautgruppe: Vokal $+$ rer:
demourra 13222 (13303), comperrez 9723 (9798),
comparrés 3387 (3410), vgl. zu diesen beiden
Formen vorton. „a" beim Kopisten.

---

1) Diese Formen dringen vom Wallon. auch ins Pik. (und zwar
über Tournay hinaus) ein, cf. Suchier: Mundart des Leodegar-Liedes
Z. f. r. Ph. II p. 279.

in der Lautgruppe Vokal + ner:

> donrai 13737 (13827), donrroit 6942 (6986), menrrai
> 2411 (2430), menrrés 3386 (3409) etc.

Während die Synkope des -e- in diesen beiden Fällen in allen Dialekten stattfinden kann, so begegnet sie in cuidra 10880 (10965) also in der Gruppe Vokal + Dental — er nur im Anglo-Norm. und Pikardischen (cf. Bröhan a. a. O. p. 7).

Metathesis des r findet sich bei uns stets in den Verben der Gruppe -strer, -ntrer mousterrés 2425 (2444), enconterrai 7379 (7429) etc.

b) Verba auf -ir (sw. und st.).

Das -i- ist lautgesetzlich geschwunden:

> carra 205 (205), tenrrai 546 (545), venrrés 2426
> (2445), orrés 4001 (4023), gorrés 8944 (8998),
> tenrrons 16377 (16570), assaurrons 14262 (14370),
> siurras 6700 (6741), aferroit 2223 (2242), ferrons
> 16750 (16983) etc.

Das -i- ist nach dem Infinitiv erhalten:

> vestirai 881 (881), partira 865 (865), nourirai
> 14765 (14878), guerpiras 16875 (16999), auch
> Doppelformen ein und desselben Wortes kommen
> vor: garroit 6428 (6468) — gariront 15953
> (16115).

c) Verba auf -re und -oir:

-e- ist geschwunden:

> requerrai 2792 (2812), conquerron 4821 (4844),
> remanrrai 1522 (1533), remanroie 14062 (14168),
> estroit 4236 (4259), vaurroie 1352 (1363), viurai
> 14410 (14528) ete.

Sogenannte erweiterte Futurformen mit einem als Übergangslaut eiugeschobenen -e-[1]):

> esterés 423 (423), auera 2733 (2753), auerés

---

1) Dieses e ist bei uns stets silbenbildend und darin besteht das dialektische Moment. Graphisch findet sich e auch sonst zwischen u und r, um die konsonantische Geltung des u anzuzeigen. cf. Tobler Versbau p. 38.

12897 (12980), penderé 11156 (11245), deueriés 6824 (6866), responderés 9090 (9150) etc.

7) Imperativ:

Dafür ist einigemale der Conj. praes. eingetreten: metes 6683 (6724), saches 16992 (17275).

Häufiger haben andere Tempora des Verbs die Funktion des Imperativs übernommen:

a) Das Futurum:

arriere le metrés 9678 (9753), a Hanstone en irés 10206 (10280), le me salüerés 16561 (16769), avec nos en venrrés 12340 (13023) etc.

b) Der Infinitiv:

für den negierten Imperativ:

ne le touchier 4088 (4111), ne l'occire 4071 (4094), nel me celer 4040 (4063), nel vous or esmaiier 765 (764), ne l'en proiier 4095 (4118), ne t'esloignier 15685 (15800) etc.

mit vorausgehendem or de + Artikel in positiven auffordernden Ausrufen:

or de l'appareillier 6533 (6574), or de l'armer 7719 (7770), or du nagier 17697 (18146), or del bien faire 15038 (15153) etc.

8) Part. Perf.:

In -atum, -itum, -utum sind die Endkonsonanten selten noch dialektisch erhalten:

esclairiet: ié 2879 (2899), laidit 6376 (6416), courut 10455 (10532). Starke Part. der -i-Verba: sousfert 5631 (5664), ouuerte 12596 (12673).

toldre und chëoit bilden im Reime: toloit 3911 (3937), chëoit 12914 (12997) < *tollectum, *cadectum, vgl. hierzu W. Foerster: Z. f. r. Ph. III p. 105.

Über das -u in den Part. Perf. der Vrrba: issir, ferir etc. cf. „u" unter Vokalismus des Dichters p. 25, es erscheint auch im Verinnern: issu 13705 (13794) etc.

Go gle

I. Schwache Konjugation.

Der sogenannte „Stammausgleich" läßt sich für zahlreiche Verbformen belegen:

Es findet sich neben:

proiier 2118 (2137) u. ö. ein priier 9259 (9327)
u. ö., proisier 7889 (7951) ein prisier 3494 (3517),
graer 7028 (7074) ein greer 7126 (7172), anoiier
7064 (7110) ein anuier 7033 (7079), arraisnier
14905 (15019) ein arraisonner 12299 (12293);
otroiier 3402 (3426) bildet analogische Formen
nach precare, ebenso die Vba. auf -idiare cf.
p. 19.

Einzelne Verben:

1. **aidier** 358 (356).

Praes. Ind.	3.	aïe 14880 (14994): ie 716 (715).
„ Conj.	2.	aïs 1389 (1400).
	3.	aït 321 (319) u. ö.
	5.	aidiés 16711 (16944).
Fut.	4.	aiderons 13595 (13685), aideron: -on 4818 (4841) u. ö.
Cond.	3.	aideroit 367 (365).
Perf. Ind.	3.	aida 14497 (14615).
„ Conj.	1.	aidaisse 14156 (14260).
„ Imp.	5.	aidiés 3961 (3983).

Substantiv: aiue: ue 3860 (3886); aïde 174 (174).

2. **aler** 10398 (10475).

Praes. Ind.	1.	vois 1502 (1513) u. ö.
	2.	vas 2480 (2499).
	3.	vait 560 (559) u. ö., va 571 (571) u. ö., reva 5989 (6024).
	4.	alon: -on 13370 (—), alons 13272 (13353), alommes 17692 (—).
„ Conj.	1.	voise 3635 (3660) u. ö.
	3.	voise 1052 (1053), voist 4942 (4965), 5341 (5369) u. ö., einmal uoit 14446 (14564); aille 2692 (2712).

6. voisent 5922 (5956), 17446 (17836).

Perf.   4. alames 970 (971), alasmes 1143 (1151).

6. alerent 11045 (11130).

Conj.   1. alaisse 11419 (11513).

3. alast 1688 (1705).

Imp.   1. va 14700 (14814) u. ö.

Fut.   1. ira (= irai) 1822 (1840), sonst korrekt: 15648 (15762) u. ö.

4. iron: -on 4788 (4811), irons 15469 (15563), irom(m)es 11467 (11561), 11815 (11913).

Cond.   1. iroie 12831 (12914).

3. parler 11289 (11378).

Praes. Ind. 3. parole 1335 (1346) u. ö.

„   Conj. 3. paraut 16745 (16978).

Perf.   „   4. parlames 10887 (10970).

4. trouuer 17181 (17513).

Praes. Ind. 1. truis 5594 (5627).

4. trouon: -on 17661 (18096).

„   Conj. 3. truist 11684 (—), truisse 16440 (16642).

Fut.   5. trouverés 18415 (19096).

Perf.   4. trouuasmes 971 (971).

5. mengier 351 (349).

Praes. Ind. 3. maniue 3313 (3335).

6. meniuent 1117 (1125).

Perf.   1. mengai 3211 (3232).

6. mengierent 14097 (14201).

Conj. Prät. mengassent 3448 (3471).

Substantiv: mangier 2433 (2452).

6. laissier 11476 (12570).

Praes. Ind. `1. lais 3339 (3361).

2. laisse[s] 7729 (7780).

3. laisse 7630 (7679), 14086 (14191), laist 6227 (6264); 6115 (6151) u. ö.

6. laissent 9285 (9353), laient 1282 (1292).

Praes. Conj. 3. laist 6052 (6087) u. ö.
Perf.   4. laissames 4271 (4294).
Conj. Praet. 1. laissaisse 6006 (6041).
Fut.   1. laisserai 5847 (5881), 14704 (14818), lairai
                718 (717) u. ö.
             3. laissera 12191 (12297), laira 1576 (1587)
                u. ö.
             4. laisseron: -on 10836 (10921), laisserons
                10874 (10959), lairons 1676 (1693), lai-
                rommes: ommes 2628 (2647).
             5. laisserés 6914 (6957), lairés 7319 (7366).
Cond.   1. lairoie 843 (843) u. ö.
             3. laisseroit 12109 (12210).
             5. lairiiés 10653 (10729).
             6. lairoient 13659 (13749).
Imp.   1. lai 1124 (1132), 2560 (2579) u. ö., dafür in
                P ebenso häufig lais 4523 (4546), 8463
                (8516) u. ö., worin nach M.-L. Gr. § 37,
                eine tonschwache Verbalform zu sehen
                ist (lais statt laisse wie gart statt garde).
             2. laissiés 1271 (1281).

Anm.: Nahezu auffällig ist der häufige Gebrauch der
konkreten Futurformen vom Verbum laissier, die nach
Bröhan a. a. O. p. 26 in manchen Denkmälern überhaupt
nicht anzutreffen sind.

7. doner 8505 (8585).

Praes. Ind. 1. doins 162 (162), pardoins 8503 (8556), doing
                18192 (18849).
             3. don(n)e 4711 (4734), 4748 (4771).
    „ Conj. 3. doinst 68 (68) u. ö., pardoinst 11128 (11216),
                donne: -one 983 (983).
Conj. Praet. 1. donnaisse 1459 (1470).
             3. dounast 5345 (5374).
Fut.   1. donr(r)ai 508 (507), 532 (531).
             4. donrrons 18122 (18755).
             5. donr(r)es 8647 (8700), 9897 (9972).

Cond.   3. donrroit 6942 (6986).

              5. donrri(i)és 1515 (1526), 6640 (6681).

II. Schwache Konjugation.

1. luire.

Praes. Ind.   3. luist 17719 (18168), reluist 4309 (4323).

Part. Praes.: luisant 4326 (4349) u. ö.

2. siuir 5666 (5699).

Praes. Ind.   1. siu 3973 (3995).

              3. siut 3968 (3990), consiut 11911 (12013).

              6. siuent 1098 (1106), ensiuent 1088 (1095), consiuent 5123 (5151).

Praes. Conj. 3. siue 18289 (18956).

Perf.   3. siui 18289 (18956).

Fut.   2. siurras 6700 (6741)), vgl. hierzu Sander a. a. O. p. 35.

Part. Perf.: aconsëus 1228 (1238), sivi 388 (387), consiuis 15070 (15183): -is 15076 (15189).

3. cosdre.

Impf.   3. cousoit 3851 (3877).

Perf.   3. cousi 920 (920).

4. respondre.

Praes. Ind.   6. respondent 13745 (13835).

Fut.   5. responderés 9090 (9150).

Perf.   3. respondié: 13440 (13522), respondi: i 10590 (10666).

5. vaintre 8755 (8809).

Praes. Ind.   3. vaint 16885 (17135).

   „   Conj. 5. venquiés 9265 (9333).

Fut.   3. vaintra 10621 (10697).

              4. vaintron: -on 5058 (5087).

Part. perf. uencus 9600 (9673), vencue: -ue 16106 (16281), vaincu(s) 9911 (9970): -us 17822 (18281).

6. **rompre** 1374 (1385).

Praes. Ind. 3. ront 3371 (3393)

           6. rompent 2803 (2823).

Perf.   3. rompi 11913 (12015): -i 4982 (5005)

Part. Perf. rompu 434 (434), 1479 (1490), desrout 2996 (3016).

Gerund. desrompant 1798 (1816).

III. Schwache Konjugation.

1. falir 1421 (1432).

Praes. Ind. 3. faut 2899 (2919).

           5. falés 9080 (9140).

Perf.   3. fali 16085 (16260).

           6. faillirent 4897 (4920).

Fut.   1. faurrai 4512 (4535) u. ö., faudrai 4527 (4550).

           4. faurron: -on 549 (548) u. ö., faurrons 4451 (4474) u. ö., fauromes 4355 (4378) u. ö.

           6. faurront 4359 (4382).

Cond.   1. faurroie 12850 (12933).

Part. Perf. faille 2066 (2088), 5307 (5335) u. ö., fali(s) 8218 (8271), 10340 (10417).

2. saillir 4984 (5009).

assalir 4469 (4490), assallir 2493 (2512).

Praes. Ind. 1. sail 7003 (7049).

           3. saut 2807 (2827) u. ö., assaut 6294 (6335).

           6. assaillent 453 (452), salent 1561 (1590), poursaillent 217 (217).

Praes. Conj. 3. assaille 14833 (14947).

Perf.   3. sali: -i 11396 (11490), sailli 459 (458) u. ö., -i 5701 (5734).

           6. saillirent 6885 (6928).

Fut.   3. assaura 16702 (16935).

           4. assaurons: -on 15179 (15293), assaurons 14262 (14370).

           6. assaurront 8429 (8482).

Part. Perf. assali 10957 (11042), salie 4277 (4300), assailli
1080 (1083), [re]saillis 3415 (3438), 8840
(8894), salu: -u 2782 (2802).

Imp.   4. assalons 3403 (3425).

Gerund. poursaillant 217 (217).

3. bolir.

Part. praes. boullant 5528 (5560).

4. recoillir 4423 (4446).

Praes. Ind.   3. esquelt 4256 (4279), aqueut 7497 (7547),
7499 (7549).

            6. acuellent 1578 (1589) u. ö., acueillent 12543
(12620), [r]acoillent 9724 (9799), 12998
(13081).

Perf.   3. acoilli 5785 (5819) u. ö., cueilli 17490
(17880), acuelli 3452 (3475).

Part. perf.   [re[coilli 10499 (10576), 11141 (11279),
[re]cuelli 9804 (9879), 5759 (5793).

5. issir 4548 (4571).

Praes. Ind.   4. issons 14868 (14982).

            6. issent 386 (384).

    ,,   Conj. 6. issent 1861 (1880).

Perf.   3. issi 14298 (14402).

            6. issirent 5752 (5786).

Fut.   5. istrés 6992 (7037).

            6. istront 6581 (6622).

Cond.   1. istroie 2957 (2977).

            3. istroit 15728 (15844).

Part. Perf.   issu 13705 (13794), issus: -us 2814 (2834)
u. ö.

6. häir 2459 (2478).

Praes. Ind.   1. has 675 (674).

            3. het 8201 (8254) u. ö.

            4. haon: -on 10845 (10930), haons 13593 (—).

            6. heent 10818 (10903).

Impf.   3. haoit 1478 (1487).

             6. haoient 17580 (17 976).

Fut.   1. harré: é 12 115 (12216).

Part. Perf.: häis: -is 629 (628), häic 13892 (13992).

7. ôir 613 (612).

Praes. Ind.   1. oi 520 (519), 596 (595) u. ö.

             3. ot 603 (602) u. ö.

             5. öes, öez 2095 (2114), 13290 (13372).

             6. öent 408 (407) u. ö., oient 14978 (15091).

„   Conj. 1. oie 5162 (5190).

             3. öe 8702 (8755).

             6. öent 12881 (12964), oient 12818 (12901).

Perf.   1. ôy 8767 (8821).

             3. öi 13473 (13555).

             4. öismes 3619 (3644).

Conj. Praet. öist 1735 (1753).

Fut.   3. orra 12204 (12306).

             5. orrés 44 (44) u. ö., orrois 1628 (1639),

               -ois 3904 (3930).

Gerund.: oiant 9050 (9110).

Part. Perf. öie 695 (694), oiie 17978 (18535).

Imp. oiés 2315 (2334), oiiés 539 (538) u. ö.

8. jôir.

        esiöir 2437 (2456), coniöir 3574 (3599).

Praes. Ind. 6. iöissent 5706 (5773) u. ö.

Perf.   3. esiöi: i 3725 (3750).

Fut.   5. gorrés 8944 (8998).

Part. Perf.: resiöis: is 5719 (5752), esiöie 732 (731),

             (con)ioiie 17 (17), 121 (121).

Part. Praes.: joiant (Adj.) 166 (165) u. ö.

Gerund. esiöissant 168 (168).

9. ferir 10965 (11 050).

Praes. Ind. 6. refierent 15 955 (16 117).

„   Conj. 3. fiere 1271 (1281).

Perf.   3. feri 1158 (1166).

Fut.   3. ferra 6050 (6085).
             4. ferrons 16750 (16983).
Cond.   3. aferroit 2223 (2242).
Part. Perf. feru: u 2781 (2801), ferus 1499 (1510).

10. vestir 3712 (3737).

Praes. Ind. 6. vestent 2047 (2066).
Perf.   3. desuesti: i 1101 (1109).
Fut.   1. vestirai 881 (881).
Part. Perf.: uesti 10950 (11035), feruesti: i 10897 (10980).
              vestus 377 (376), reuestu 1872 (1892).

11. ovrir, covrir; sofrir.

Praes. Ind. 3. cuevre 679 (678).
Perf.   3. sousfri 1248 (1258), souffri 5295 (5323).
Conj. Praet. 3. couurist 2622 (2641), souffrist 3556 (3591).
Fut.   5. descouverrois: ois 12894 (12977).
Cond.   1. sousferroie 8942 (8996), 12510 (12587).
Part. Perf. souffert 8437 (8490), ouuerte 12596 (12596),
              (12673), descouurie: ie 703 (704).
Imp.   1. oevre 8791 (8845).
Subst. oevre 8791 (8845).

Starke Konjugation.

Das Hilfsverbum: estre.

Praes. Ind. 1. sui 509 (508).
            2. iés, jés 2519 (2538), 4021 (4044), es 177
              (177), 2688 (2707) u. ö.
            4. sommes 1126 (1134).
            5. estes 319 (317), 602 (601), iestes 593 (592),
              9324 (—).
„   Conj. 3. soit 221 (221).
            6. soient 220 (220).
Impf.   1. estoie 5886 (5910) u. ö., iere 8331 (8384),
              ere 503 (502), 4543 (4566).
            3. estoit 2644 (2663) u. ö., iert 3943 (—),

7*

15780 (15908), ert 984 (985), 3201 (3222) u. ö.

4. estiiens 7742 (7793), estions 9466 (9538), estiemes 2634 (2653).

5. estiés 3794 (3820), estiés 3899 (3925).

6. estoient 10815 (10900), erent 17063 (17362), u. ö.

Perf. 3. fu 6 (6), 11 (11): u 1214 (1223).

   4. fumes 1145 (1153).

Conj. Praet. 1. fuisse 152 (152), 995 (997).

   3. fust 153 (153).

   4. fuissiens 12047 (12149), 13258 (13339), fuissons 4234 (4257), 13866 (13962).

   5. fuissiés 844 (844).

Fut. 1. iere 5428 (5459) u. ö., estrai 14691 (14805).

   2. ieres 17841 (18301), seras 14346 (14462).

   3. iert 893 (893), 4395 (4418), ert 256 (255), 8578 (8631), sera 202 (202), 422 (422) u. ö.

   4. serons 15881 (16024).

   5. serés, seréz 597 (596), 12856 (12940), esterés 423 (423).

   6. erent 5665 (5698), seront 532 (531), 317 (315).

Cond. 1. seroie 5644 (5677).

   3. seroit 359 (357) u. ö., estroit 4236 (4259).

   4. seriiens 869 (869), serions 10924 (11009), seriemes 7145 (7192).

   5. seriés 8970 (9024) u. ö.

   6. seroient 8317 (8370).

Die eigentlichen starken Verben zerfallen in drei Klassen, je nachdem ihre Perfekta im Lateinischen auf -i, -si, oder -ui endigten:

1. Klasse.

1. faire 188 (188).

Praes. Ind. 1. fas 313 (311), 9011 (9070).

   2. fais 690 (689).

               3. fait 11960 (12062).

               4. faisons 11062 (11151), faisommes 13036 (13117).

               5. faites 9004 (9063).

               6. font 3750 (3775).

Praes. Conj. 1. face 5962 (5996).

               2. faces 2533 (2552).

               3. face 342 (340).

               4. façon: -on 12872 (12955), façons 5870 (5904).

Perf.   2. fesis 418 (418), fëis 3809 (3835).

               3. fist 395 (394).

               5. fesistes 666 (665) u. ö., fëistes 5421 (5452),

               6. firent 11002 (11087) u. ö., fisent 6092 (6127), 6094 (6129) u. ö.

Conj. Praet. 1. fesisse 515 (514) u. ö., fëisse 521 (520).

               2 fëisses 2527 (2546).

               3. fesist 2749 (2769) u. ö.

               5. fëissiés 1373 (1384), 6775 (6871).

               6. fëissent 7763 (7815), 14182 (14286).

Fut.   4. feron: -on 262 (261), ferons 13363 (13445)

               6. feront 10533 (10609).

Cond.   1. feroie 18099 (18732).

               4. feriens 1605 (1616).

Kompositum: **desconfire.**

Praes. Ind. 3. desconfit 277 (275).

Part. Perf. desconfit 17119 (17449) u. ö., desconfi 15207 (15322), 17064 (17363) u. ö., desconfite 16019 (16184).

3. vĕoir und vëir cf. p. 85.

Praes. Ind. 1. voi, uoi 594 (593), 13377 (13457).

               2. vois[1] ci 6118 (6154), ves ci 6787 (6829).

---

1) Nach Tobler Herrigs Archiv 94, 462 aus vides ecce hic. Dagegen: Ehrlicher a. a. O. p. 32 sq., weil wiederholt auch vëez ci erscheint. Es sei von videtis auszugehen und der frühe Schwund des Hiatus-e- durch Einfluß von ez (ecce) zu erklären. Dieses schon Aiol 1428.

4. veon: on 17672 (18113), veons 17956 (18088).

Praes. Conj. 1. voie 1569 (1580).

6. voient 10089 (10164).

Perf. 1. vi, ui 501 (500), 2635 (2654).

3. vit, uit 1560 (1571), 17290 (17670).

4. uëismes 1114 (1122).

6. virent 7355 (7405).

Conj. Praet. 1. vëisse 8254 (3275).

5. vëissiés 617 (606).

Fut. 4. verron: -on 13408 (13490).

5. verrois: -ois 12905 (12988).

Part. Perf. vëu 916 (916), pourvëu 15537 (15653).

Gerund. voiant 8835 (8889).

Imp. veés, veez 7831 (7883), 14968 (15081), ves 3804 (3830), voiés 12131 (12232).

4. venir.

Praes. Ind. 1. vieng 4661 (4684), 6715 (6756), vien 8471 (8524).

4. revenon: on 13391 (13473), venommes: -omes 4350 (4373).

„ Conj. 1. viegne 2488 (2497).

3. conviegne 12273 (12367).

5. vigniés 1821 (1839).

6. viegnent 10310 (10387).

Perf. 1. ving, uing 4648 (4697), 5788 (5822), 5816 (5850) u. ö.

6. vinrrent 1553 (1564), 3356 (3378) u. ö.

Conj. Praet. 1. venisse 821 (821).

3. venist 604 (603).

Fut. 1. revenrrai 14064 (14169).

2. venr(r)as 4075 (4098), 4092 (4115), uenrra[s] 4533 (4556).

3. couuenr(r)a 5888 (5922), 7976 (8029).

5. revenrrés 14013 (14116).

6. vendront 18272 (18938).

A n m.: Nicht hierher gehört reuenrront 18200 (nur P),

obwohl es äußerlich obigen Formen entspricht. Der Sinn des Verses ergibt, daß es sich um die Futurform von veoir handelt. Sander a. a. O. p. 39 gibt weitere Belege dieser speziell im Pik. vorkommenden äußerl. Vermischungen von veoir und venir.

Cond. 3. venrroit 9909 (9984).
Imp. vien 2396 (2415).

5. tenir.

Praes. Ind. 1. tieng 2469 (2558) u. ö.
„ Conj. 1. tiegne 12618 (12695).
        3. niaintiegne 5300 (5328).
Perf.   6. tinrrent 12564 (12641).
Fut.   1. (re)tenrrai 541 (540), 8269 (8322).
        5. tenrrés 9019 (9078).
        6. tenrront 16377 (16570).
Cond.   3. tenrroit 2125 (2144).
        5. soustenrriés 4206 (4229).

2. Klasse.
1. ardoir 7655 (7706).

Praes. Ind. 6. ardent 1912 (1932), argent 2698 (2717).
„ Conj. 2. arges 5603 (5636).
Part. Perf. ars 4188 (4211), arse 13180 (13261), arsis: -is
        889 (889).

2. chaindre.

Praes. Ind. 6. chaignent 2048 (2067).
„ Conj. 3. chaigne 1191 (1200).
Perf.   3. çainst, chainst 378 (377), 15491 (—).
Conj. Praet. 3. chainsist 18340 (19018).

3. fraindre 7986 (8039).

Part. Perf. frait 16929 (17199), frais 7325 (7372), 7981
        (8034) und fraint 7349 (7399), frains 16082
        (16257).

4. taindre.

Fut.   · 5. taindrés 3904 (3930).
Part. Perf. tains 11 084 (11 173).

5. poindre.

Praes. Ind.   6. poignent 3061 (3080).
  „   Conj. 4. poignons 3061 (3080).
Gerund. poignant 4913 (4936) u. ö.

6. destruire 1574 (1585).

Perf.   6. destruisant 69 (69).
Gerund. destruisant 14 461 (–).

7. clore.

Praes. Ind.   3. aclot 3555 (3580).
Part. Perf. fourclos 15 187 (15 301).

8. dire 790 (790).

Praes. Ind.   3. dit 12 772 (12 853) sonst dist 23 (23), 33
                 (33), 2535 (2554) etc. cf. p. 86.
             5. dison : -on 1114 (1122).
             5. dites 2370 (2389).
Fut.   4. diron: -on 4751 (4774), dirommes: -omes
                 2627 (2648).
             5. dirés 12 920 (13 003).
Perf.   2. desis 854 (854).
Conj. Praet. 1. dëisse 5679 (5712).
             5. dëissiés 2178 (2197).

9. duire.

Praes. Conj. 3. conduie 7491 (7541).
Perf.   3. conduist 4925 (4988).
Fut.   1. deduirai 8872 (8926).
            5. aconduirés 12 941 (13 024).
Imp.   5. conduisiés 4304 (4327) u. ö.
Gerund. souduiant 234 (234).

10. rescourre (re-excutere) 4996 (5021).

Perf.   3. rescoust 2353 (2372) u. ö., escoust 3755
            (3780).

6. rescousent 1334 (1345) u. ö.

Part. Perf. rescous 659 (658), 2068 (2087).

rescousse 7458 (7508).

11. maindre.

Praes. Ind. 1. ramaing 2018 (2038).

„ Conj. 3. remaigne 6018 (6053).

Perf. 3. remest 1293 (1303).

Fut. 1. remanrrai 1522 (1523).

3. remanr[r]a 9060 (9120), 11 300 (11 329).

5. remanrrés 3323 (3345).

Cond. 1. remanroie 14 062 (14 168).

Part. Perf. remes 7297 (7344): -és 2053 (2072), remez 2677 (2696), remanu[s]: u[s] 2765 (2785), 19 758 (11 960).

Imp. 2. remain 4639 (4662).

12. metre.

Perf. 6. misent 1545 (1556), 3888 [3914].

Conj. Praet. 1. mesisse 3731 (3756).

mëisse 6481 (6521).

Fut. 1. trametrai 536 (535).

3. metra 5258 (5286).

5. metrés 9678 (9753), meterés 16 795 (17 028).

Gerund. admetant 17 113 (17 432).

13 oc(c)ire 159 (159), 13 648 (13 738).

Praes. Ind. 4. occion: -on 10 843 (10 928).

„ Conj 3. ochie 757 (757).

6. occient 13 233 (13 314).

Perf. 1. occis 1429 (1440).

2. occesis 2524 (2543) u. ö., occëis 6226 (6263).

5. occesistes 17 865 (18 341), occëistes 8202 (8255), 10 638 (10 714).

6. ocisent 1834 (1852), 2246 (2275) u. ö. und einmal analog (nach firent) gebildetes: occirent 2698 (2717).

Fut.	1. oc(c)irai 813 (814), 4074 (4097).
	2. ochira 14 722 (14836).
	5. occiront 1454 (1465).
Part. perf.	ochis 396 (395) occis 463 (462).

14. reponre.

Part. perf.	repus: -us 1102 (1110), 5030 (5055).

15. prendre 8884 (8938), prandre : ā 2203 (2222).

Praes. Ind.	1. pren 623 (622), preing 12 134 (12 235).
	3. prant : ant 11 429 (11 523).
	5. prenés 596 (595).
	6. prendent 9314 (9382), 1081 (1084).
Praes. Conj.:	prenge 90 (90), 2180 (2199) u. ö. (7 mal.).
Perf.	6. prisent 5518 (5550), sousprisent 12 405
Conj. Praet.	1. prëisse 6427 (6467).
	5. presissiés 637 (636).
	6. prëissent 5407 (5438).
Fut.	1. prendrai 332 (330) u. ö.
	3. prendra 634 (633).
	4. prendron: -on 4789 (4812).
	6. prendront 16 949 (17 223).
Cond.	1. prendroie 6835 (6877).
	4. prenderiens 10 851 (10 936).
	5. prendriés 3791 (3818).
Gerund.	emprenant 5548 (5580).
Imp.	2. pren 5263 (5291).
	5. prenés 1976 (1077) u. ö., prennés 5732 (5776), prendés 2170 (2189), 9093 (9153) u. ö., reprendés 14 918 (15 032).

16. raembre.

Part. praes.: raemant 3132 (3152), 4057 (4080) u. ö., daneben die bekannte volkstümliche Umbildung roi amant 953 (953), 3838 (3864).

17. quer(r)e 172 (172), 17 204 (17 537).

Praes. Ind.	6. quierent 1107 (1115).

Praes. Conj. 3. (en)quiere 5267 (5295), 16 390 (16 589).
Perf.   3. conquist 2127 (2146).
Conj. Praet. quesist 10 808 (10 893).
Fut.   1. requerrai 2792 (2812).
            4. querrons 18 264 (18 925), conquerron: -on
               4821 (5844).
Cond.   1. requerroie 2213 (2232).

18. seoir und sëir cf. p. 85.

Perf.   3. as(s)ist 17 317 (17 697). 17 322 (17 706).
            6. sisent 8815 (—), asisent 5576 (5609), 7749
               (7801).
Conj. Praet. 3. sëist 5206 (5234).
Fut.   1. serrai 16 306 (16 495).
            5. serrés 16 305 (16 498).
Gerund. seant 202 (202).

19. semondre.

Praes. Ind. 1. semoing 16 710 (16 943).
             3. semont 114 (114).
Part. Perf. semons 10 557 (10 633).

20. rire 5414 (5445).

Gerund. sourriant 16 770 (17 003).

21. rere.

Perf.   3. rest 9709 (9784).
Part. Perf. res 9687 (9782).

22. tordre.
detordre 2673 (2691).

Praes. Ind. 3. destort 5049 (5078), detort 11 940 (11 125).
Fut.   3. estordra 5011 (5036).
             5. estordrés 4476 (4499).

23. sordre.

Perf.   3. surrexi 10 894 (10 979).

Go gle

24. **destraindre** 2600 (2619).

Part. perf. estraint 3164 (3184), destrainte 1262 (1272).
Adjektiv destrois 3903 (3929.

3. Klasse.

1. **avoir** 769 (769).

Praes. Ind. 1. ai 497 (496), e : ę 11 125 (11 213).
4. avon: -on 658 (659) u. ö., avons 2362 (2381), avommes 4348 (4371) u. ö.

Praes. Conj. 1. aie 1412 (1423).
3. ait 473 (472) u. ö.
6. aient 1353 (1364).

Impf. 4. avion: -on 10 850 (10 935).

Perf. 1. oi 12 400 (12 477) u. ö., euch 8249 (8302).
3. ot 604 (603), 1257 (1267) u. ö., rot 5982 (6017).
5. eusmes 1116 (1124).
6. orent 483 (482) u. ö.

Conj. Praet. 1. ëusse 1726 (1743) u. ö.
3. ëust 86 (86), 771 (771).
4. ëussons 867 (867), ëussiens 10 533 (15 649), 10 198 (10 272).
6. ëussent 17 061 (17 360).

Fut. 1. avrai, aurai 1120 (1128), 1985 (2005) u. ö.
arai 819 (819), 10 767 (10 869) u. ö.
auerei 2248 (2267), 13 022 (13 103) u. ö.
2. avras, auras 691 (690), 3584 (3609) u. ö.
aras 192 (192), 15 476 (15 592) u. ö.
averas 16 994 (17 276).
3. aura 694 (693), 4848 (4881).
ara 760 (760), 768 (768).
auera 3929 (—).
4. avron(s) 13 361 (13 443), 15 174 (15 288).
arons 3915 (3941), 4820 (4843) u. ö.
aueron 13 400 (13 482).
5. aurés 297 (295), 4869 (4887) u. ö.
arés 53 (53), 369 (368) u. ö.
auerés 6259 (6297), 12 897 (13 980) u. ö.
6. auront 10 393 (10 470), aront 1940 (1960), 11 828 (11 930) u. ö.

Cond.   1. aroie 7152 (7199), 5880 (5813) u. ö.
             3. auroit 98 (98), aroit 1873 (1893), 2980
                (3008) u. ö.
             4. arïens 6492 (6532).
             5. arïéz 9910 (9985), auerïés 6645 (6686),
                7715 (7766) u. ö.

2. boivre.

boivre 12515 (12592), daneben boire 12499
(12576).

Praes. Ind. 5. beués 4854 (4877)
Perf.   3. but 2433 (2452) u. ö.
Part. Perf. bëu 2455 (2474) u. ö.

3. chaoir.

Perf.   3. chäi 13201 (13201): i 3777 (3803), cäi
                11009 (11094).
             6. chäirent 2804 (2824).
Fut.   3. carra 205 (205).
Part. Perf. chëus 3986 (4008), mescëu: u 10985 (11070),
             cheois: ois 12914 (12997).

4. chaloir.

Praes. Ind. 3. caut 1728 (1745) u. ö.
Perf.   3. calut 18229 (18885).
Conj. Praet. 3. causist 637 (636).
Cond.   3. chaurroit 7741 (7792).

5. recevoir.

decevoir 13388 (13470).
Praes. Ind. 3. reçoit 9123 (9183).
             6. perçoivent 6580 (6621).
Fut.   1. recevrai 17925 (18435).
Perf.   3. (a)perçut 14147 (14251), 14641 (12718).
Part. Perf. rechut 15600 (15715), decëu 67 (67), concëue
             13223 (13304).

6. conoistre 12508 (12585).

Praes. Ind. 1. connois 551 (550).
             4. connisson: on 10824 (10909).

5. connoissiés 17682 (18130).

Perf. 4. connëumes 13682 (—).

6. reconnurent 949 (949).

Fut. 3. connistra 895 (895) u. ö.

Cond. 3. connoistroit 12681 (12759).

Part. praes. connoissant 1145 (1153) u. ö.

„ perf. connëu 11763 (11865) u. ö.

7. corre 1932 (1952).

secourre 11699 (11801).

Praes. Ind. 3. co(u)rt 1771 (1789), 3243 (3264) u. ö., keurt 5348 (5377).

3. courent 3404 (3427) u. ö.

„ Conj. 3. secoure 4058 (4081).

Fut. 3. secourra 1846 (1864).

Part. perf. couru 431 (430), courut 10455 (10532).

8. croire.

Perf. 3. crut 3827 (3853), 2369 (2388), crëi: -i 5309 (5337).

6. crurent 13701 (13790).

Conj. Praet. crëist 14754 (14868) u. ö.

Fut. 1. kerrai 3328 (3350), 15254 (15369) u. ö., querrai 4115 (4138).

3. kerra 14768 (14882).

Cond. 1. kerroie 2355 (2374).

3. kerroit 17616 (18021).

6. kerroient 13657 (13747).

Part. praes. (mes)creant 1519 (1530), 14701 (14815).

„ perf. crëu 10640 (10716).

9. croistre.

Praes. Ind. 3. croist 1844 (1862).

Part. perf. parcrëu(s) 3222 (3243), 1498 (1509).

10. deuoir.

Ind. Praes. 4. deuons 6484 (6524), deuon 6405 (6445).

6. doiuent 11659 (11757).

Conj.		doiue 7030 (7076), 7136 (7182), sonst doie 1062 (1063), 6843 (6885) u. ö.
Perf.	3.	dut 2309 (2328).
	6.	durent 10155 (10229).
Conj. Praet.	3.	dëust 5233 (5261).
	4.	dëussons 14598 (14714).
	6.	dëussent 1092 (1100).
Fut.	3.	deuera 10212 (10286).
	5.	deurés 10288 (10362).
Cond.	1.	deveroie 12126 (12227).
	3.	deuroit 7285 (7332).
	5.	deuriés 10798 (10882), deueriés 6824 (6866).

11. estovoir.

Praes. Ind.	3.	estuet 766 (766) u. ö.
„ Conj.	3.	estuece 1445 (1457).
Perf.	3.	estut 11410 (11504).

12. doloir.

Praes. Iud.	3.	delt 100.
Part. Praes.		dolant cf. Deklination.

13. mouvoir.

Conj. Praet.	3.	mëust 10688 (10764).
Fut.	1.	mouverai 16394 (16593).
	4.	mouurons 7621 (7670).
	6.	mouvront 13572 (13660).
Part. Perf.		esmëu 387 (386).

14. loisir (Subst. 2216 (2235)).

Perf.	3.	liut 2121 (2142).

15. paroir.

Praes.	3.	pert 14392 (14509).
Perf.	3.	aparut 5934 (5968).
Fut.	3.	parra 15039 (15153).
Part. Perf.		aparue 3871 (3897).

16. **plaire** (Subst. plaisir 605 (604)).

Praes. Conj. 3. place 2180 (2199) u. ö.
Perf.   3. plot 2998 (3017) u. ö.
Conj. Praet. plëust 11948 (12050).
Fut.   3. plaira 9911 (9986).
Cond.   3. plairoit 3702 (3727).

17. gesir 2540 (2569).

Perf.   1. jui 5355 (5384).
          3. iut, jut, gut 124 (124), 15397 (15412),
            18017 (—) u. ö.
          6. jurent 13157 (13238).
Fut.   3. gerra 11319 (11408) u. ö.
Cond.   giroit 16455 (—).
Gerund. gisant 18299 (18976).

18. lire.

Impf.   5. lisiez 18435 (19118).
Perf.   3. liut 278 (276), daneben: list: i 2539 (2558).
Part. perf. eslëu 399 (398).
Gerund. lisant 13653 (13743).

19. morir 609 (608).

Praes. Ind. 6. muerent 3921 (3957).
  „   Conj. 3. muire 9258 (9326).
Fut.   3. morra 641 (640) u. ö.
          6. morront 10953 (11038).

20. ester 1124 (1132).

Perf.   3. estut 9184 (9247).
          6. esturent 4875 (4898).
Gerund.   estant 2952 (2972).
Imp.   5. estés 2545 (2564).
Part. arrestëu uud arrestu cf. Metrik (Hiatus).

21. pooir.

Praes. Ind. 5. pöez 287 (285), 13445 (13527).
  „   Conj. 1. puisse 618 (617) u. ö.

Impf.

Perf.

Conj. Praet.

Fut.

Cond.

Part. Praes.

3. puisse 2979 (2998), 13641 (13731) u. ö,
puist 814 (814), 4434 (4457) u. ö.
4. puissons 841 (841) u. ö.
6. puissent 3956 (3977).
4. pöions 4960 (4983), poiions 1604 (1615),
poiiens 7721 (7772).
5. pooiés 12856 (12938).
6. pooient 1743 (1761).
1. poi 810 (810) u. ö.
3. pot 6154 (6190) u. ö.
6. porent 1087 (1096).
1. pëusse 363 (361).
5. pëussiés 606 (605).
6. pëussent 3953 (3974).
1. porrai 2290 (2309), porai 16286 (16466).
4. porron: -on 15181 (15295).
5. porrés 16701 (17024), porrois -ois 3902 (3928).
1. por(r)oie 1740 (1758), 615 (614) u. ö.
4. porriens 6480 (6520), por(r)ions 4959
(4982), 13613 (13700).
6. poroient 13261 (13343).
(Adj.) poissant 906 (906).

21. savoir 11784 (11886).

Praes. Ind.

„   Conj.

Perf.

Conj. Praet.

Fut.

Cond.

1. sai 499 (498).
4. savon: -on 10817 (10902) u. ö., sauons
12016 (12118).
3. sache 846 (846) u. ö.
6. sachent 11829 (11931).
3. sot 732 (731).
6. sorent 6508 (6548).
1. sëusse 12488 (12565).
3. sëust 10775 (10860).
6. sëussent 15114 (15228).
1. sarai 7868 (7920) u. ö.
3. saura 3633 (3658), sara 1845 (1865) u. ö.
5. sarés 1615 (1626), 10223 (10297) u. ö.
1. saroie 14672 (14786).

8

2. sauroies 6652 (6693).
5. saur(i)iés 1845 (1865), 10776 (10861).

Gerund. sachant 900 (900), Subst. nonsachant 13765 (13856).

22. soloir.

Praes. Ind.   1. sueil 176 (176).
          3. sot 3972 (—).
Impf.   5. soliés 3104 (3124).

23. taire; taisir 604 (603).

Fut.   1. tairai 11082 (11171).
Part. Perf.   tëu 11969 (12071).

24. tol(d)re.

        tolir 165 (165) u. ö. :-ir 4359 (4382) u. ö.
Praes. Ind.   3. taut 6453 (6493), 14418 (14536) u. ö.
  „   Conj. 1. toille 430 (430).
          3. toille 4086 (4109).
Perf.   1. toli 14334 (14450).
          2. tolis 419 (419).
          3. toli 13304 (13386) u. ö.
Fut.   3. taurra 1216 (1225).
          5. taurrés 12425 (12502).
Part. Perf.   tolu 414 (413), tolue 11734 (11836), toloit:
        -oit 3911 (3937).
Imp.   2. tol 9647 (9719).

25. valoir.

Praes. Ind.   3. valt 9774 (9849), vaut 8397 (8450) u. ö.
          6. valent 9778 (9853).
Praes. Conj.   3. vaille 12549 (12626).
Fut.   3. vaura 11592 (11686).
Cond.   3. vaurroit 1252 (1262).
          6. vaurroient 4541 (4567).
Part. (Gerund.) vaillant 536 (537), 1116 (1124) u. ö. vail-
        lissant 986 (986), 5682 (5715) u. ö., valis-
        sant 694 (693).

26. voloir.

Praes. Ind. 1. vueil 3128 (3148) u. ö., vuel 790 (790), uoeil 2655 (2674), voeil 1068 (1069), voil 2772 (2792).
2. veus 3241 (3262), vels, uels 188 (188), 6225 (6262) u. ö.
3. veut 2286 (2305), uelt 390 (389),
6. vuelent 15634 (15749), vuellent 8865 (8915) u. ö.

„ Conj. 1. vueille 1704 (1721).
3. vueille 5654 (5687), uoille 7086 (7132).

Perf. 1. vaus 2365 (2384), vauc 17395 (17782).
2. vausis 3544 (3569) u. ü.
3. vaut 354 (352) u. ö.
6. vaurrent 1472 (1483) u. ö.

Conj. Praet. 1. vausisse 1218 (1227).
3. vausist 7132 (7178) u. ö.
6. vausissent 13613 (13703).

Fut. 1. vaurrai 1395 (1406) u. ö., einmal vaudrai 12059 (12161).
3. vaurra 165 (165) u. ö.
4. vaurrons 11831 (11933), vaurrommes 6597 (6636).
5. vaurrés 16232 (16410).
6. vaurront 10897 (11999).

Cond. 1. vaurroie 1352 (1363) u. ö.
3. vaurroit 1252 (1262) u. ö.
6. vaurroient 5538 (5570).

Unregelmässige Verba der 3. Klasse.

1. vivre.

Praes. Conj. 1. vive 6146 (6182).
Perf. 3. vesqui 17166 (17491).
Conj. Praet. 1. vesquisse 822 (822).
Fut. 1. vivrai 14410 (14528).
5. viurés 15219 (15334).
Gerund. uivant 11039 (11106).

8*

2. naistre.

Perf.	2.	nasquis 8739 (8792).
	3.	nasqui 15322 (15437): -i 4471 (4494), nasquié: ié 15255 (15370).
Part. Perf.:		né in mainsné 18204 (18857), nascus: us 11581 (11675), nasquis: is 15461 (15577).

3. benëir 5700 (5733).

Praes. Conj.	3.	benëie 2447 (2466) u. ö.
Perf.	3.	benëi 2445 (2464), 4629 (4652).
Part. Perf.		beneois 11773 (11875), benois 1188 (1197).

ferner:

mal(l)ëir 14179 (14283), 14193 (14297).

Conj. Praes.	3.	maldie, maudie 129 (129), 687 (686) u. ö.
Perf.	3.	maudist 11581 (11675).
Part. Perf.		Die korekte Form ist erhalten im Adv. maloitisme 14341 (14457), sonst stets: malëis 861 (861) u. ö.

III. Metrik.

Die vorliegende Fassung des B. d. H. ist in Zehnsilbnern abgefaßt. Einzelne Verstöße gegen die korrekte Silbenzahl erweisen sich als Nachlässigkeiten des Abschreibers; im allgemeinen jedoch ist der Versbau vom Dichter und Kopisten mit seltener Regelmäßigkeit und Consequenz gehandhabt.

1. Elision und Hiatus bei einsilbigen Wörtern:

a) Die Elision ist obligatorisch: bei

α) de, ne (= non), le, la (Acc. d. Art.), sowie beim Possessiv-Pronomen: ma, ta, sa. Zur Vermeidung der Elision finden sich selten: *nen* für *ne*, cf. Negat. p. 84, und beim Possessivum die Masculin- statt der Femininform, cf. p. 72 sq.

de zeigt einmal Hiatus vor einem Eigennamen:

dë Aubefort 3545 (3568), sonst d'Aubefort 2115 (2134), 2132
(2151), 2143 (2162) u. ö., vgl. hierzu Tobler Versbau p. 60.

β) bei den Pronomina me, te, se, le, la und zwar
ohne Unterschied ihrer Stellung, ob

1) vor dem Verb:

> m'a 314 (312), 322 (320), l'öi 301 (299), t'amoie
> 3545 (3570), t'enuoie 2531 (2550), l'ara 1908
> (1928) etc., oder

2) nach dem Verb.:

> donnés m'ent 1465 (1476), aporte me_a 7062 (7108),
> lais le_aler 7216 (7283), menés le_o 16536 (16742),
> rendés le_au 4917 (4940), ales s'en est 2879 (2899),
> lai m'ent 2560 (2579), doch finden sich gewöhn-
> lich statt dieser unbetonten die nicht elidierten
> betonten Formen, cf. Personalpronomen.

b) Die Elision ist facultativ bei ce, que, je, ne, se,
si (lat. si und sic).

α) ce:

> E(lision): c'est 8 (8), 12 (12), 55 (55) u. ö., ch'a
> 1305 (1316), c'ert 11043 (11128), etwa 70%
> aller Fälle.

> H(iatus): ce | est 21 (21), 696 (695) u. ö., ce | ai
> 1401 (1412), ce | avoie 359 (357), ce | estoit 3355
> (3377) u. ö. etwa 30 %; sehr gebräuchlich ist da-
> neben çou: çou | est 988 (988), 5232 (5250), 5551
> (5583) u. ö, çou | est 10231 (10306) u. ö.

β) que.

1) Cas. obl. des Pron.:

> E. qu'ele 81 (81), c'onques 1224 (1233), k'avoit 736
> (735), c'on 2799 (2818) etwa 75 %.

> H. que | on 997 (999), que | onques 1724 (1741),
> qui | ele 38 (38) etwa 25 %.

2) Konjunktion:

> E. k'a 507 (506), qu'il 241 (241), 422 (422), k'armes
> 618 (617), c'ausi 3650 (3675) etwa 72 %.

> H. que | il 191 (191), 235 (235) u. ö., que | a 62
> (619), que | icil 1207 (1216) etc. etwa 28 %.

γ) je

   E. i'en 12 (12), i'oi 596 (595), g'irai 2925 (2945), g'i 5569 (5602) etwa 65 %.

   H. ie | aim 2371 (2390), je | irai 1822 (1840), ge | irai 15648 (15763) etwa 35 %.

δ) ne = lat. nec.

   E. n'ert 1485 (1496), n'afoler 8550 (8604), n'avoec 3559 (3584) etwa 25 %.

   H. ne | arrier 12550 (12625), ne | Escler 2990 (3010), ne | argent 9624 (9696), ne | onques 3565 (3590), etwa 75 %.

ε) se (= lat. sic).

   E. s'en 79 (79), s'ot 80 (80), s'est 2847 (2867), s'a 602 (602) etwa 60 %.

   H. stets die Form si: si | est 524 (523), 782 (782) u. ö., si | ala 17695 (18144), si | a 9214 (9277) etwa 40 %.

ζ) se (= lat. si).

   E. s'il 133 (133), 367 (365) u. ö., s'ensi 7729 (7780), s'on 3549 (3574), s'eles 1926 (1946) etwa 60 %.

   H. se | il 204 (204), 723 (722) u. ö., se | on 8273 (8326), se | une 7145 (7191), se | enuers 9782 (8959) etwa 40 %.

c) li.

1) als Artikel des Sing.:

   E. l'enfes 1579 (1590), l'amiraus 2954 (2974), l'auoirs 724 (723), l'afaires 18422 (19103) etwa 55 %.

   H. li | enfes 815 (815), 3129 (3149), li | hom 64 (64), 109 (109), li | afaires 506 (505), li | auoirs 8274 (8330) etwa 45 %.

2) Als Artikel des Plur.:

   nur Hiatus: li | auquant 1750 (1768), li | archon 9208 (9271), li escu 9568 (9641) etc.

3) als Dativ des Pronomens:

   H. li | ont 9202 (9265), li | aconta 193 (193), li | est 859 (859), 1377 (1398) etc.

   E. nur vor en: l'en 375 (373), 1317 (1328), 1449

(1460) u. ö. Der Accusativ, nicht Dativ, liegt vor in: l'estuet 366 (364), 11281 (11370), 14693 (14807), 15398 (15513), l'estut 10389 (10466), 11410 (11504), *li* < lui statt *le*, also die betonte statt der unbetonten Form in: li estut 4999 (5025). Vgl. hierzu Wassmuth a. a. O. p. 8 und Pohl: Roman de Rou, Rom. Forsch. II 326.

d) qui = Pron. relat.

    H. qui | a 86 (86), 95 (95), qui | est 4030 (4053), qui | une 2230 (2249), ki | aprés 5300 (5328) etc.

Daneben finden sich mehrfach elidierte Formen, es ist dann aber *que*, nicht *qui* anzunehmen (cf. Tobler, Versbau p. 64).

    E.: k'el 1392 (2411), 4745 (4768) u. ö., k'a 2520 (2539), c'ontre 5662 (5695), k'au 7173 (7220), qu'encor 8797 (9051), ferner 8609 (8659), 8360 (8403), 9551 (9624), 11174 (11260).

Dieses *que* findet sich auch vor Konsonanten, cf. Relativum p. 78.

2. Elision in mehrsilbigen Wörtern.

a) In Verbalformen:

Die 3. pers. sg. der a-Verba elidiert stets das auslautende -*e* vor folgend. vok. Anlaut:

    cuide avoir 341 (331), chante et 1762 (1780) etc.

Ebenfalls die 3. sg. präs. Conj. der übrigen Konj.:

    prenge a 90 (90), voeille u 7086 (7132) etc.

Nur einmal findet sich Hiatus:

    ne sache hom 248 (247).

b) in anderen Wortklassen:

1) Wörter mit einfachem Kons. vor -e:

    E. une abëie 4 (7), droite estore 13 (13), toute est 24 (24), orgueilleuse et 35 (35) etc.

    H. nur einmal: damë adestrant 12722 (12802).

2) Wörter mit Doppelkons. vor -e:

E. ceste̯est 5 (5), barbe̯a 110 (110), gente̯et 146 (146) etc.

H. nur einmal: quinzë ans 10 315 (10 392).

3) Wörter mit Muta. + Liqu. vor -e:

E. estre̯acolté 116 (116), metre̯en 238 (238), voste̯aé 842 (942) etc. mit Schwund des -e: entr'els 10 341 (10 418), autr'ier 4269 (4392), entr'raus 13 909 (14 009) etc.

Hiatus kommt nicht vor.

4) Über die Elisionsverhältnisse des auslaut. -e in der Declination cf. p. 45 sq.

c) vor germanischem h.

Germanisches h rechnet als Kons., es wird also davor nicht elidiert:

de | Hanstone 29 (29), 984 (985) u. ö., chiere | hardie 10 177 (10 251), une | hie 9547 (9619), oste | herbergier 11 922 (12 024) etc.

Facultative Elision findet sich bei folgenden Wörtern (cf. Tobler p. 57 sq.):

hanste:

H. la | hanste 4922 (4945), 5049 (5077) u. ö., de | hanste 3261 (3282) u. ö. (8 mal).

E. l'anste 1958 (1978), 2083 (2102) u. ö., tante̯anste 15 005 (15 118) (25 mal).

hauberc:

H. le | hauberc 2027 (2048), 2033 (2052) u. ö., de | haubers 2823 (2843), riche | hauberc 1876 (1896) (15 mal).

E. l'auberc 1917 (1937), 4900 (4923) u. ö., d'aubers 4416 (4439) (12 mal).

helme:

H. le | hiaume 2113 (2132), ne | hiaume 4515 (4538) (10 mal).

E. l'elme 6266 (6301), d'elmes 2823 (2843), 4416 (4439), l'iaume 1918 (1938) (35 mal), ferner in dem Eigennamen: Huidemer

H. apele | Huidemer 7093 (7139).

E. Couloigne Huidemer 7654 (7703), ebenso 7696 (7747).

d) Romanisches h hindert die Elision nicht, selbst wenn es geschrieben ist:

male heure 9715 (9790), virge honeree 1948 (1968), passe hom 3183 (3204) etc.

Eine Ausnahme macht *hinnire*:

ne | henni 12 687 (12 765),

germanischer Einfluß liegt vor bei haut:

de | haut 10 324 (10 401), la | hautece 10 563 (10 639).

3. Andere Resultate der Silbenzählung.

a) In gelehrten Wörtern sind zwei, schon im Lat. ungetrennt nebeneinander stehende, aber zwei verschiedenen Silben angehörende Vokale, stets zweisilbig.

de | able(s) 220 (220), 4015 (4038) u. ö., de | ablie 12190 (12 292), cre | atour 285 (284), li | on(s) 255 (254), 3977 (3999) etc.

Besonders sind hier zu erwähnen die lat. Suffixe:

-ianum: anciiene 7 (7), anci | enour 46 (46), 292 (292), cresti | iens 4021 (4044), cresti | enté 1641 (1654) u. ö.

-ionen: destructi | on 14 224 (14 332), estracti | on 10 826 (10 911) etc.

-iosum: glori | ous 828 (828), glori | euse 1767 (1785) u. ö.

-ientem: ori | ant 216 (216), 826 (826) u. ö., esci | ent 2654 (2673), 4832 (4855) u. ö.

b) Der Hiatus besteht noch nicht im Lat., sondern tritt erst im Altfrz. ein durch Ausfall des trennenden Konsonanten.

1) Ausfall einer Labialis:

e | u 2150 (2169), be | u 18 077 (18 704), pa | our 4413 (4436), esme | u 387 (386), se | ust 10 775 (10 860) etc.

Ausfall des e ist durch die Silbenzahl gesichert:

rechut 15600 (15715), sonst stets rece | u 903 (903),
4824 (4847) u. ö., dece | u 39 (39), 1218 (1226) etc.

Trotzdem werden wir die Form ohne *e* schon dem Dichter
zusprechen dürfen, denn bereits Roland 782 ist reçut statt
receut gesichert.

2) Ausfall einer Dentalis:

arme | ures 6031 (6066), se | ir 2237 (2256),
pesce | or 16200 (16377), re ! ont 15186 (15300),
se | oir 3539 (3562) etc.

Ausfall des *e* ist gesichert für:

benois 1188 (1197), neben bene | ois 11773 (11875),
maloitisme 14341 (14457), uir (für ve | ir cf.
Konjugation) 16699 steht nur in P, gehört also dem
Kopisten, arrestu 401 (400), arrestus 1039 (1040),
17136 (17462), neben arreste | ue 15519 (15635),
16108 (16283), den frühen Schwund des -*e*- in
diesem Worte erklärt man gewöhnlich durch das
daneben, und viel häufiger gebrauchte arresté 786
(786) etc.

Neben pöeste | is 4401 (4424) findet sich die berechtigte
Nebenform pöestis 13106 (13187), darüber vgl. Foerster,
Erec Anm. 5607.

Ves 3804 (3830) als Imperativ neben vëés kennt
schon Chrestien, vgl. dazu die Bemerkung bei dem Verbum.
Statt esfreée erscheint im Versinnern einmal esfreé
13788 (14902) (wiederholt so im Reim cf. p. 12). Der
Schwund des *e* hängt offenbar mit dem Umstande zusammen, daß hier drei *e* aufeinander folgen; phonetisch
übernimmt das eine *e* die Funktion von zweien.

3) Ausfall einer Gutturalis:

pa | is 855 (855), se | urté 1365 (1376), fu | ir 16038
(16204), conne | us 893 (803), aconse | u 1228
(1238) etc.

Gefallen ist das Hiatus *e* in:

nis (nec ipse), stets in dieser jüngeren Form: 1892
(1912), 7993 (9868), 17783 (18241) u. ö. und
desiuner 4176 (4199) neben ge | uner 2949 (2965),

wofern nicht mit Ebeling a. a. O. p. 151 schon für das
Vulgärlateinische die Etyma *disjunare und disjejunare
anzusetzen sind.

Wir sehen also, daß das Hiatus e im allgemeinen
noch erhalten ist, geschwunden ist es z. T. in Wörtern, die
infolge Analogiewirkung früher von der Norm abgewichen
sind[1]); sonst begegnet der Ausfall des e im Pik. seit
dem 13 ᵉ, im Norm. früher, im Franz. später.

4) Die Verbalendungen -ions, -iez sind ursprünglich
lautgesetzlich zweisilbig im Impf. und Cond. und einsilbig
im Konj. In unserem Gedichte ist diese Scheidung nicht
mehr aufrecht erhalten, es finden sich auch im ersten
Falle schon einsilbige Formen:

a) -iens:

α) Endung des Impf.:

zweisilbig: nur esti | iens 7741 (7793),
einsilbig: aliens 17407 (17796), issiens 7745 (7796),
poiiens 7721 (7772).

β) Endung des Cond.:

zweisilbig: seriiens 869 (860), ariens 6492 (6532).
einsilbig: feriens 1605 (1615), douteriens 4961 (4984),
porriens 6480 (6520), ariens 7722 (7773), prende-
riens 10851 (10936).

γ) Endung des Conj. Impf.

nur einsilbig: ëussiens 15533 (15649) u. ö., fuissiens 12047 (12149) u. ö.

b) -iemes:

hat nur einsilbigen Diphthong: estiemes 2634 (2653),
seriemes 7145 (7192).

c) -ions:

als Endung des Impf. u. Cond. stets zweisilbig:
savi | ons 5742 (5776), poï | ons 4960 (4083), 6490
(6539), ami | ons 4589 (4612), esti | ons 9466 (9538),

---

1) Dennoch ist Oeckels Bemerkung p. 4 und 74: „Es findet
sich im ganzen Gedicht kein Verstoß gegen die Erhaltung des
vorton. Hiatus „e-" nicht zutreffend, da immerhin für den Dichter
wie für den Schreiber einige Wörter mit Ausfall des e gesichert sind.

avi | on: on 10850 (10935), porri | ons 4959 (4982), 8007 (8060) u. ö., seri | ons 10924 (11009).

d) -iés:

α) Endung des Impf.

zweisilbig: esti | iés 3794 (3820), 7768 (7820) u. ö., avi | és 8325 (8378), 10796 (10881), ali | iés 11625 (11723), disi | iés 7902 (7953), savi | iés 11049 (11134).

einsilbig seltener: soliés 3104 (3124), estiés 3899 (3925), saviés 6638 (6679), lisiés 18435 (19118).

β) Endung des Cond.

zweisilbig: donrri | és 1515 (1526), lairi | iés 10653 (10729), savri | iés 10776 (10861).

einsilbig häufiger: ariés 4014 (4037), seriés 4229 (4252), devriés 10798 (10883), porriés 11799 (10884) u. ö., vaurriés 16248 (16427) etc.

γ) als Endg. des Impf. Conj.:

nur einsilbig: dëissiés 2178 (2197), ëussiés 2237 (2246) etc.

c) Über Doppelformen bei den Pronomina, sowie in der Deklination und Konjugation (bes. Futurformen) cf. die einzelnen Kapitel; über Wörter mit eingeschobenem oder geschwundenem interkonson. *e* cf. unbetontes *e* beim Kopisten.

d) Erscheinungen, die sich aus der Silbenzahl einzelner Wörter ergeben.

α) Silbenzahl einzelner Wörter:

iovene(s) erscheint nur zweisilbig: 59 (59), 151 (150) 3665 (3690), 3674 (3699) u. ö., vgl. iouenete 111 (111), iouenece 114 (114), daneben begegnet die jüngere Form: ione 3608 (3633), 11211 (11299), ionete 12656 (12733).

angele(s) ist stets zweisilbig: 6798 (6840), 18412 (19093) daneben anges 18420 (19101).

Jherusalem ist meist dreisilbig: Jherusalem 17142 (17572), Jursalen 2799 (2819), 3452 (3475).

viersilbig: Jherusalant: -ant 536 (535), 1168 (1176).

noiant, niant meist zweisilbig: 722 (721), 1515 (1526), 4040 (4063), 7512 (7562) u. ö.

einzeln einsilbig: niens 6779 (6821), 6800 (6842).

avoec (72 mal) 178 (178), 567 (568), 1493 (1444) — avoeques (12 mal) 2730 (2750), 8446 (8499).

arriere (12 mal) 1173 (1182), 1310 (1318), nicht berücksichtigt sind die vielen Formen in der Cäsur und am Versende — arrier (12 mal) 477 (476), 1298 (1307), 2849 (2869), sor 87 (87), 321 (319), 532 (531). sore ist stets Adv. und begegnet besonders in der Redewendung: *corir sore a*: seure li courent 2589 (2608), 3403 (3427), soure li cort 3243 (3264), 9538 (9610) etc.

com, con (144 mal) 89 (89), 150 (150), 2193 (2212) — comme (28 mal) 5 (5), 6 (6), 14 (14).

encor[1]) (23 mal) 42 (42), 606 (605), 2351 (2370) — encore (5 mal) 769 (769), 1193 (1201).

illuec (32 mal) 337 (335), 1020 (1021) — illueques (5 mal) 2505 (2524), 11647 (11745).

dusque, jusque vor Vokal meist elidiert: 1039 (1040), 1868 (1887), 2976 (2995) etc., wo die Silbenzahl den Hiat verbietet steht -s: dusques en 12925 (13008), 12924 (13007), dusques a 12547 (12624).

or 43 (43), 91 (91), 520 (519), 763 (762), ore meist vor Vokal und in der Caesur 1572 (1582), 589 (588), 773 (773) etc., doch auch vor Konsonant und auch stets mit silbischem -e (nach Oeckel p. 7 hat *e* in ore vor Konson. keinen Lautwert mehr gehabt):

| k'a ore cis caitis 2747 (2767) ebenso 5288 (5316), 8504 (8557), 16912 (17179). 18130 (18763) u. ö. onques 638 (637), 655 (654), 1724 (1741), ainc (stets in dieser pik. Form cf. Karre Anm. 183) 47 (47), 301 (299), 324 (322), 435 (435).

dont 11113 (11202) — donques 631 (630), — adonques 330 (328).

---

1) encor erlauben sich noch heutige Dichter.

voir -- voire cf. p. 83.

lat. ecce begegnet stets als *es*:

415 (414), 680 (679), 1106 (1114) u. ö. niemals als estes.

b) Doppelformen aus demselben Stammwort mit verschiedener Silbenzahl, die sich fast sämtlich als volkstümliche und gelehrte Formen gegenüberstehen:

roion 4768 (4791) u. ö. — region 16641 (16861) u. ö.

fretés 4028 (4051) u. ö. — fermeté 2134 (2145) u. ö.

cierté 4235 (4258), u. ö. — carité 5988 (6023) u. ö.

raençon 5407 (5438) u. ö. — redemption 663 (662) u. ö.

oiance 1335 (1346) — audiance 12197 (12299).

verté 895 (895) u. ö. — verité 1327 (1338) u. ö.

fuison 249 (248) u. ö. — confusion 10860 (10946).

mont 8495 (8548) u. ö., — monde (durch die Verszahl) gesichert 15399 (15514).

noble 55 (55) u. ö. — nobile 685 (685) mit derselben Accentverschiebung wie z. B. im neufrz. mobíle, ein nobílius anzuseßen ist unstatthaft cf. Foerster Z. III 562 u. G. Paris R. X. 50.

Auf verschiedene Stammwörter gehen zurück:

apostle, apostre 4122 (4144), 5591 (5624) u. ö. = lat. apóstolus und aposto(i)le 2893 (2913), 17972 (18518) = apostolius.

Dem Unterschied in der Form entspricht auch ein Unterschied in der Bedeutung, indem ersteres = apôtre, leßteres = pape ist.

e) Wiederholt wird, um die richtige Silbenzahl zu erhalten, einem Wort eine Diminutiv-Endung angehängt, wo meist eine wirkliche Diminution nicht beabsichtigt ist, so finden sich nebeneinander:

mantel 5374 (5404 — mantelet 3715 (3740), petit 8797 (8851) — petitet 2773 (2793), liues 3887 (3913) — liuetes 4619 (4642), ronci(n) 16319 (16508 — roncinet 16244 (16422), ione 77 (77) — ionete 111 (111), Buevon 15690 (15805) — Buevonet 15702 (15817) etc. die Beispiele lassen sich noch bedeutend vermehren.

Aus demselben Grunde werden Simplex und Kompositum oft nebeneinander in derselben Bedeutung gebraucht cf. Aiol. Anm. 282:

targiés 18424 (19105) u. ö. – atargiés 18420 (19101) u. ö.
gasté 7763 (7814) — agastés 14462 (14580).
grevé 9731 (9806) — agrevé 9739 (9814).
fier 13610 (13700) – afier 13612 (13702).
drecier 6446 (6480) – adrechier 6291 (6332).
cachié 366 (364) – pourcachié 367 (365) etc.

f) endlich sei noch auf einige Doppelformen unter den Eigennamen hingewiesen, die wohl zumeist auf den Kopisten zurückgehen; doch ist zu beachten, daß die richtige Verszahl niemals gestört wird:

Robat 848 (848) — Roböet 851 (851) – Roboans (gewöhnlich so, cf. n beim Kopisten) 4995 (5020), 6348 (6388) u. ö. — Rabouenet 877 (877), 900 (900), Bues – Bueves, cf. Deklination. Gonsses 2312 (2331), 2331 (2350) u. ö. – Gonsselin 2004 (2024), 2068 (2087) u. ö., Vencadousse 11939 (12041) u. ö. — Vencadouss (wohl nur Verschreibung; in der Cäsur stehend) 11966 (12068).

4. Inklination.

1) Über de, ad in + Artikel, cf. Artikel p. 96 sq.
2) ne

a) ne + le = nel (125 mal).
197 (197), 222 (222), 356 (354), 1273 (1283), 1127 (1136) etc. Einmal schreibt der Kopist nes für nel: cel glonton . . . . je *nes* (= nel) vous bail 5075 (5103).
= ne le (50 mal) 620 (619), 793 (793), 1285 (1295), 1273 (1283), 3395 (3418) etc.

b) ne + la gewöhnlich = ne le (8 mal) 2374 (2393), 7103 (7149), 8496 (8549).
seltener = ne la 3536 (3358), 5820 (5854), 13310 (13392), 14087 (14192), einmal inkliniert > nel 13068 (13149).

c) ne + les (illos, illas) = nes (11 mal) 2022 (2038), 1992 (2042), 4959 (4982) etc.

3) je

   a) je + le = iel, jel (37 mal): 1071 (1072), 1524 (1535), 858 (858) etc.

   = ie le, je le (25 mal) 630 (629), 515 (514), 521 (520), 630 (629) etc.

   b) je + la = ie le, je le: 159 (159), 196 (196), 1742 (1760) (10 mal).

   c) je + les = je les 3907 (3933).

4) se (sic)

   a) se + le = sel (40 mal) 1157 (1165), 2185 (2204), 2558 (2577) etc.

   = si le (30 mal) 253 (252), 548 (547), 946 (946), 1511 (1522), 2146 (2165) etc.

   b) se + la = si le (10 mal) 907 (907), 969 (969), 1141 (1149), 3974 (3996) etc., einmal inkliniert > sel: voit Jos., *sel* prent a ... 12 451 (12 568).

   c) se + les = ses (12 mal) 926 (926), 2007 (2027), 2037 (2056), 3026 (3045) etc.

   = si les (20 mal) 920 (920), 921 (921), 1579 (1590) etc.

5) se (si)

   a) se + le, la = sel 1128 (1136), 11771 (11 873), 13 076 (13 157), 18 095 (18731).

   = se le 5422 (5453), 5999 (6034), 8333 (8386), 9265 (9333) etc.

   b) se + les = si les 2016 (2035).

6) que

   a) que + le = quel 917 (917), 10 739 (10 824) 10 785 (10 870) etc.

   = que le 1271 (1281), 2539 (2558), 11 348 (11 437).

   b) que + les = kes 17 293 (17 673).

Diese Übersicht ergibt, daß die inklinierten Formen teilweise die nicht contrahierten bei weitem überwiegen; es muß diese Erscheinung im Vergleich zu den übrigen Lautverhältnissen als ein konservativer Zug unseres Denkmals bezeichnet werden, ich komme bei der Datierung hierauf zurück, cf. Kap. V b und d.

5. Aphärese.

Neben qui | est: 1894 (2014), 2067 (2085), 4041 (4064), u. ö., findet sich 10 mal qu'st: 1994 (2014), 4782 (4805), 4867 (5901) etc., ferner ist Aphärese anzunehmen für: ia'n (= en) orrés verités 17827 (18286).

6. Caesur.

Die Caesur liegt, wie es beim Zehnsilbner die Norm ist, in unserem Gedichte stets hinter der vierten betonten Silbe; Abweichungen, wie 6 + 4 oder 5 + 5, kommen niemals vor. Nicht immer fällt sie jedoch in eine Sinnespause, so z. B. zwischen Artikel und Nomen:

s'en auiés un | meilleur et ... 10796 (10881) u. ö.

zwischen Verbum und Negation:

mais il n'alerent | mie ... 12749 (12829) u. ö.

zwischen Hilfsverb und Participium:

Dis lor en a | occis et... 463 (462) u. ö.

Die verschiedenen Gestalten des Zehnsilbners sind gemischt. Eine überzählige unbetonte Silbe erscheint in verschiedenen Spielarten:

1) männliche Caesur und männlicher Versausgang:
   Or faites pais | li grant et li menour 43 (43), Je me mourrai | car ensi l'ai songié 349 (347).

2) männliche Caesur und weiblicher Versausgang:
   Plaist vous öir | bonne gent honneree 1 (1), Bonne canchon | de bien enluminee 2 (2).

3) weibliche (epische) Caesur und männlicher Versausgang:
   car de l'estoire | ont oublïé la flour 50 (50), Cel de Hanstoune | le noble poigneour 56 (56).

4) epische Caesur und weiblicher Versausgang:
   Toute est estraite | et de rois et de contes 24 (24), Ciex est moult sages | qui ele n'abriconne 38 (38).

9

5. lyrische Caesur begegnet möglicherweise:

ains que bue. | se mëust tant ne quant 10 688 (10 764),
doch können wir hier bue. als buevon (cf. Deklination) auf-
lösen, oder, was wahrscheinlicher ist, besser für ains que:
ainçois que einsetzen.

7. Unregelmäßige Verse.

Von inkorrekten Versen ist in unserer Handschrift
kaum zu sprechen; es handelt sich fast lediglich um Lücken,
die sich mit Hilfe der in Klammern beigefügten Lesarten
der anderen Handschriften, meist aber schon durch den
Sinn des Verses ausfüllen lassen.

|| a [vostre] volenté 3658 (3683).

|| vaurrai [je] retorner 1677 (1694).

|| fre[re] dist Bueves 12809 (12890), es mag sich
   hier auch um eine Kürzung dieses vielgebrauchten
   Wortes handeln.

les [cles] li baille || 13 626 (13716).

|| ont [un] tapi rüé 9212 (9275).

he [Bueues] sire || 2687 (2706).

|| l'avoir en [sa] baillie 716 (715).

|| et [la] barbe a florie 110 (110).

|| quatre pas passé 17759 (18214), dafür ist einzu-
   setzen: [demie liue alé] RW,

Zu lange Verse begegnen nicht, in Fällen wie:

|| en sont moult *courourechié* 3398 (3421) und:

Bvueues li rois | 17704 (18153) liegen natürlich
   Schreibfehler vor, cf. Bemerkungen zum Text
   Kap. IV e.

8. Enjambement.

Von dieser metrischen Freiheit macht unser Dichter
einen ganz außerordentlich großen Gebrauch, was um so
bemerkenswerter ist, da diese Erscheinung in altfranzösischen 10silbigen Versen, wenigstens in volkstümlichen
Epen, ungemein selten ist (cf. Tobler p. 29) [1]). Wenn-

---

1) Vgl. ferner: Stramwitz a. a. O. p. 1 u. 184 sq.

gleich durch den Versschluß auf das engste zusammengehörige Wörter, wie Art. + Subst., Praep. + Art., wie es allgemein in kurzen, im Agn. auch längeren Versmassen häufig ist, bei uns nie auseinandergerissen sind, so finden sich doch unverhältnismäßig häufig folgende Arten des Enjambements:

Der Versschluß trennt:

1) Das Subjekt vom Verbum:
Oiés, signour, com grant encombremant | avint 11492 (11586).

Cil Braidimons, ... | fu . . . . 2096 (2115), faucons monteniers | vole . . . 3419 (3442) und ebenso oder ähnlich: 136 (136), 898 (898), 481 (480), 2740 (2760), 3088 (3107), 3527 (3552), 4692 (4715) 7879 (7932), 6946 (6990), 9389 (9455) u. ö.

2) Den Infinitiv von dem regierenden Verbum:
Ains me lairoie le cuer sous la poitrine | traire 5678 (5711), ebenso: 2548 (2567), 6645 (6676), 7895 (7946), 9917 (9992), 10057 (10132), 10685 (10761) u. ö.

3) Das Objekt vom Verbum:
a) das nähere:
cor me rendés | le pautounier 7783 (7835), plaist vous öir, ... : . | bonne canchon 1 (1), auch umgekehrt: cent chevals, ... | mainne rois Bueues 17579 (17972), ebenso: 1223 (1232), 1264 (1274), 557 (556), 4717 (4740), 6165 (6201) u. ö.,

etwas schwächer ist das Enjambement in diesem Falle in Zergliederungen:
n'enconterrai n'euesque ne abé | clerc ne prouuoire ne moigne couroné 7379 (7429), ebenso: 128 (128), 4433 (4456), 2503 (2522), 13397 (13466) u. ö., oder wenn der Versschluß zwischen Apposition und Beziehungswort fällt:
il en apele Roboan et Tieri | les fiex Soibaut 5476 (5508), ebenso: 5134 (5162), 5246 (5274), 13661 (13751) u. ö.

9*

b) das entferntere:

Uns de mes fiex si soit bien tost tramis | a ma
  seror 875 (875) u. ö.

4) attributive Bestimmung von seinem Beziehungswort:

Guis de Hanstone fu moult bons chevalier | Hardis
  as armes et corageus et fier 72 (72), Es vos
  Bueuon . . . . . . | maigres et pales 3578 (3602),
  cf. 912 (912), 8448 (8501) u. ö.

5) die adverbiale Bestimmung vom Verbum oder umgekehrt:

la dame ot moult le cuer dolant | pour son
  signour . . . 170 (170), ebenso oder ähnlich: 139
  (139), 666 (665), 572 (571), 648 (647), 663 (662),
  9090 (9150), 9052 (9012) u. ö.

6) Wiederholt erstreckt sich ein Satz oder eine Satz-
periode auf mehrere Verse; in solchen Fällen tritt dann
das Enjambement mehrfach hinter einander auf:

Un ior venoit du moustier saint Moris | Li viex
  Soibaus, moult mornes et pensis | pour son signor
  . . . . 12459 (12546).

Quant Bueves vit a la chiere hardie | La bonne
  dame que il avoit tant chiere | Si iusticier d'an-
  goisseuse maniere | (Sa male mere, qui tant par
  estoit fiere) | La va batant et devant et derriere
  1263 (1273), ebenso: 1301 (1312), 6433 (6475),
  7456 (7506), 7874 (7926), 13182 (13264), 14138
  (14242) u. ö.

Überblickt man diese nur in einer kleinen Auswahl
gegebenen Beispiele, so ist man zu der Behauptung berechtigt, daß inbezug auf das Enjambement sich unsere
Dichtung einem besseren Kunstepos ebenbürtig an die
Seite stellen darf.

9. Untersuchung der Reim- und Verstechnik und des epischen Stils.

a) Die Vers- und Laissenzahl der Hs. P. gegenüber
der des ursprünglichen Gedichtes:

Die Hs. P der Fassg. II d. festl. B. d. H. zählt 18445 Verse, die sich auf 373 Laissen verteilen, der kritische Text enthält 19127 Verse, verteilt auf 370 Laissen.

Die Verse 443 (442) und 9674 (9748) in P sind vom Kopisten doppelt geschrieben worden.

Eine Freiheit, die sich der Schreiber herausnimmt, besteht darin, daß er manchmal eine neue Laisse beginnt, wo zwar eine Sinnespause einsetzt, die Assonanz oder der Reim aber nicht wechselt; es finden sich im ganzen 5 solcher Fälle:

a) L(aisse) $\frac{22}{23}$ (22). Die Trennung in P (hier allerdings auch CT) ist nicht gerechtfertigt, da der mit Vers 789 (788) beginnende reine Reim nach 14 Versen wieder in die Assonanz zurückfällt.

b) L. $\frac{47}{48}$ (46). P trennt mit Vers 1758 (1776); aber auch hier fällt der anfängliche Vollreim nach einigen Versen wieder in die Assonanz zurück.

c) L. $\frac{181}{182}$ (179). Trennung mit Vers 10540 (10589). In beiden Hälften ist der Reimvokal ę (ganz einzeln vermischt mit -és, -er, -el).

d) L. $\frac{239}{240}$ (236). Trennung mit Vers 13092 (13173). Reimendung in der ersten Hälfte: -i und -is, in der zweiten Hälfte: -is und -i.

e) L. $\frac{243}{244}$ (240). Trennung mit Vers 13092 (13172), Reimendung in der ersten Hälfte: -é (er, -és), „ „ „ zweiten „ -er.

In diesem Falle trennen auch RW, aber nicht T. Für b), c), d) ist ein Vergleich mit T nicht möglich.

Ferner gibt der Umstand zu Bedenken Anlaß, daß (RW), T gegenüber P anscheinend mehr als 600 Verse (anfangs wenige, dann mehrere und am Schluße von Vers (15590) an Verse in großer Anzahl) interpoliert haben. An und für sich wäre dies nicht auffällig, denn die Mehrverse könnten auf die Fassung T, die jünger ist als P (cf. Kap. V b und d, und Sander a. a. O. p. 126 sq.) zurückgehen und dann von R (W) aus dieser übernommen worden sein. Allein, es muß bei genauerer Prüfung der Verhältnisse befremden, daß R (W), die abgesehen von Varianten nur selten von P sich entfernen (cf. Kap. VI und VII), plötzlich derart stark von ihrer Vorlage abweichen sollten, daß sie auf die letzten 2500 Verse mehr als 500 Verse interpoliert hätten. Ein solch eigenmächtiges Verhalten ist überhaupt dem ungeschickten und unfähigen Schreiber von R (cf. Kap. VI) nicht zuzutrauen, ganz abgesehen von W, dessen Kopist fast sklavisch die Worte von R nachzeichnet (cf. Kap. VII) und Änderungen nur mit großem Ungeschick und teils in sinnstörender Weise vornimmt. So scheint denn der Sachverhalt in der Tat anders, ja, wie die Untersuchung zeigen wird, gerade umgekehrt zu liegen, da wichtige Momente darauf hindeuten, daß die in Rede stehenden Verse ebenfalls dem Original P angehört haben und erst von dem Kopisten in geschickter Weise ausgelassen worden sind. Betrachten wir nämlich die in P fehlenden Verse näher, so erweisen sie sich mit wenigen Ausnahmen als für den Sinn und das Verständnis der betreffenden Abschnitte recht wohl entbehrlich, es sind so z. B. ausgelassen die Verse: (3189), (3311), (3550—3551), (3981), (7991), (11475), (10785—10793), (13682—13683), (14410—14417), (16062—16067), (16220—16224), (16482—16488), (16754—16757), (16821—15829) etc.

Besonders kürzt der Kopist in Schilderungen, die sich auf den Kampf beziehen, so fehlen die Verse: (16005—16009), (16012—16016), (17205—17210), (17254—17255), (18388—18390) etc.

Ferner läßt er nicht selten die Einleitung einer Frage oder Aufforderung fort, wodurch der Sinn keinen Schaden erleidet:

Un oir en a, ainc plus bel ne vëistes
[Dist Josiane, biaus ostes, or me dites] fehlt P.
Comment a non, or ne eccelés mie (12737),

De sa grant ire se prist a mesurer
[Et a Maxin commença a parler] fehlt P.
Amis, biaus frere, plaist toi a escouter (11336).
oder:
li turs . . . .
V voit ses homes, si est hant escrïés
[Par Mahomet, ou est mes chiés voués] fehlt P.
Je vos desfent desor vos hiretés ... (18317).

Ebenso oder ähnlich die Verse: (13947), (14307), (15990), (16171), (16437), (17666), (17727) etc. Weiter bestehen die Kürzungen darin, das längere Abschnitte des ursprünglichen Gedichtes in der Überlieferung nur inhaltlich und zwar meist nur durch einen oder wenige Verse wiedergegeben sind, z. B.: Vers (18308—18315): hier wird die Rüstung eines Heiden genau beschrieben, P hat dafür nur:

Moult richement s'est li turs fer armés 17848; vgl.
ferner die

Verse: (17258—63) wofür P nur 1 Vers
    „   (17603—52)   „   „   „ 4 Verse
    „   (18472—83)   „   „   „ 3 „
    „   (18485—504)   „   „   „ 3 „ etc.

Zweimal sind auf diese Weise höchstwahrscheinlich ganze Laissen verloren gegangen: So zwischen V. (18576—18643), wofür P 2 Verse hat, eine reine u-Laisse, cf. Laisse (355), und zwischen V. (17121—17135) eine reine a-Laisse, cf. Laisse (318).

Waren die genannten Beispiele sämtlich für den Zusammenhang entbehrlich, so finden sich aber auch einige Fälle, in denen die Auslassungen dem Sinn und Verständnis der betreffenden Abschnitte verhängnisvoll geworden, sind z. B.:

Frere dist Bueves, de cui fu la canchon?
Man fragt, welches Lied? Es fehlt der Vers (12891):
[Dont ier a vespre en chantïéz le son]
Sire dist Bueues, por dieu le roi amant
Il est assis en la cit de Mombrant
Wer? Es fehlt dazwischen der Vers:
[Rois Yvorins a bien mestier de gant] (15719).

Soibaus l'entent, n'i a plus demouré
Droit a St. Gile se sont acheminé. Wer?
Es fehlen dazwischen die Verse (11770—76).
Das „sont" bezieht sich auf den Vers:
[Tot maintenant a semons son barné].

Fiert s'en la presse com lions courechiés,
Le paien fiert qui des Turs fu prisiés.
Wen? Es fehlt dazwischen der Vers:
[Vers Malagu en vint tous eslaissiés] (17408).

Sämtliche erforderlichen Verse sind in (RW), T erhalten; es unterliegt nach dem Gesagten keinem Zweifel mehr, daß dieselben auch dem Original P angehört haben und später von dem Abschreiber einfach ausgelassen sind.

b) Die Assonanzen und der Zusammenhang zwischen Stil und Reimtechnik:

Verbunden sind die Verse in der ersten Hälfte unserer Dichtung meist durch die Assonanz, also durch den Gleichklang der letzten hochbetonten Vokale, in der zweiten Hälfte dagegen ist die Assonanz in der Regel durch den Vollreim ersetzt worden.

Die Zahl der verschiedenen Assonanz-Vokale ist in anbetracht des Umfanges unseres Gedichtes sehr gering, es wechseln lediglich:

a, ā, ã + e; ẹ, ẹ + e; ę, ę + e; i, ī, i + e; ort; or, ō, ō + e; u, u + e; ié, iere; oi.

Doch ist dies nichts Außergewöhnliches, eine derartige Armut an Assonanzen und Vokalen begegnet auch in anderen umfangreichen Gedichten und erklärt sich aus dem Charakter der Spielmannspoesie [1]. Auffallender hingegen ist bei uns die Art der Verwendung dieser Assonanzvokale, nämlich die unverhältnismäßige Häufigkeit und dadurch veranlaßt die außergewöhnliche Laissenlänge der bequem verwendbaren -ẹ, -ié, -ant und -i Assonanzen im Vergleich zu den übrigen. So zählt die -ẹ Laisse 137 (135)

---

1) Über Charakteristik der Volksepik vgl. A. Stimming: Girart de Rossillon (Einleitung p. 1—17). Halle 1888.

allein 437 Verse und die Gesamtheit der 102 -é Laissen etwa 8200 Verse, das ist also beinahe die Hälfte der ganzen Dichtung und mehr als das 9 fache der a, â + e, ę, ę + e, ī, iere, or, ǫ̃ + e, ǫrt, oi, u + e Laissen, die sich zusammen auf nur 900 Verse beziffern, und teilweise, wie z. B. die -oi L. 363 (360) mit 6 Versen, außerordentlich kurz sind. Daraus geht hervor, daß der Dichter beim Bau seiner Verse sehr auf Bequemlichkeit sah. Die Gründe für die bequemere Verwendbarkeit der Assonanzen auf -e, -ie, -ā, -i sind leicht zu erklären: Infinitive auf -er, -ier, -ir lassen sich, wie Oeckel p. 19 ausführte, leicht am Versende als Assonanzwörter verwenden, nicht nur wegen ihres an sich schon häufigen Vorkommens sondern auch, weil ihre syntaktische Verwendung die Stellung am Ende eines Satzabschnittes begünstigt, das ja meist mit dem Versende zusammenfällt.

Außerdem erklärt sich die Bevorzugung obiger Assonanzen durch folgende für den Stil und besonders für den Zusammenhang zwischen Stil und Reimtechnik so typischen Erscheinungen der afrz. Volksepik:

1) durch die Fülle synonymer Ausdrücke, Epitheta ornantia (besonders Beiwörter der Helden, wie wir sie aus den Homerischen Gesängen kennen) und Beteuerungsformeln, die teilweise, zu Formeln erstarrt, sich als völlige Flickwörter erweisen und daher lediglich verwendet sind, um die für den Reim erforderliche Endung zu gewinnen. Im folgenden seien nur einige Beispiele gegeben, Belege werden wegen des häufigen Vorkommens nicht nötig sein:

α) tautologische und synonyme Wortverbindungen:

> or et argant, a duel et a tormant, mesaise et povretez, force et hardemant, mort occis et estranglé, iuré et pleui, aimme et tient chier, occire et depechier, tourser et cargier, courecié et mari etc.

β) Epitheta:

> castel plenier, espee d'acier, palais paué, pre flouri, espiel aceré, peliçons gris, elme luisant, cheval abrievé, estrier doré. etc.

Bueves: au cors avenant, — qui le corage a fier, —
li damoisiaus de pris, — li gentiex et li ber, —
o le viaire cler etc.

Josiane: la dame au vis fier, — au cors legier, —
au cler vis, — au vis cler, — au gent cors hou-
neré etc.

Es finden sich mindestens je 50 derartiger Zusätze:

γ) Wunsch und Beteuerungsformeln:

que diex vous puist aidier

Diex vous soit aidans

cui diex croisse bontés

par cel signour qui el crois fu mis

„   „   „   qui tout a a baillier

etc. vgl. hierzu Andresen a. a. O. p. 3 sg.

2) durch die Umschreibungen des Verbum finitum.
Sie werden angewandt, um die Assonanz zu erzielen, wo
die einfachen Verbalformen diese nicht ergeben würden.

1) Part. Praes. bezw. Gerund. + Hilfsverbum:

α) estre + Part. Praes.:

sont verdoiant 166 (166), fu couuoitant 189 (189),
est cheuauchant 525 (524), soiiés doutant 530 (529) etc.

β) aller + Gerund.:

vait pourcachant 172 (172), va effreant 226 (226),
vait tremblant 206 (206), aloit espiant 235 (235),
s'en vait aïrant 225 (225) etc.; diese Umschreibungen
sind sehr häufig und füllen einen großen Teil der
-ant Laissen aus.

2) Modales Verbum + Infinitiv:

pooir: corone puet porter 9905 (9980), puis avoir
70 (70), pëus aler 3542 (3567), porrai durer 3547
(3572) etc.

voloir: vueil desirer 3570 (3595), veut retorner
2369 (2288), vaurrent arrester 10 215 (10 289) ne
vaut plus atargier 15 604 (15 719) etc.

devoir: dut ajorner 12 292 (12 386) u. ö. doi amer
17 429 (17 817), durent assambler 10 155 (10 229) etc.

3) mit faire:

font geter 2907 (2927), font alumer 5919 (5953),

feroie moustrer 1744 (1762), le hauberc li fis rompre
et percier 11912 (12014) etc.

4) mit aler:

vont ... saisir 4414 (4437), vont laidengier 2612
(2631), voisent monter 17446 (17836) etc.

5) mit prendre a:

prent a arraisnier 2185 (2204), prist a araisnier
2167 (2186), prendent ... a entrer 11209 (11297),
prist a apeler 3178 (3199) etc.

6) mit commencier a:

commence a acoler 13633 (13723), commença a rire
5414 (5445), commencha a crïer 2964 (2963) etc.

7) mit courir:

li courut aporter 3307 (3329), ... le cort acoler
3788 (3814), courons aidier 6100 (6135), coururent
armer 9793 (9848) etc.

Fast ebenso formelhaft und nur, um die nötige Assonanz zu erzielen, finden sich die Verbindungen:

8) mit deignier:

daigniés ... venir 2234 (2253), daignoit .. escouter
12338 (—), daignierent demourer 7224 (7271) etc.

9) mit querre:

quier oublïer 3336 (3358), quier commenchier
3806 (3834), quier refuser 4734 (4757), quier noier
5198 (5226), sehr häufig!

10) soloir

sot porter 5972 (6007), herbergier 2868 (2888), soliés ... douner 3105 (3124), sueil amer 176 (176) etc.

3) durch die reiche Manigfaltigkeits von Formen desselben Wortes mit verschiedenen Ausgängen, die schon
durch ihr äußeres Gepräge verraten, daß sie lediglich aus
metrischen Gründen und besonders mit Rücksicht auf die
Assonanz gebildet worden sind [1]). Solche Doppelformen
treten nach Andresen a. a. O. p. 3 in den ersten, selbst
größeren poetischen Denkmälern nur spärlich auf, bilden
sich aber mit der Entwicklung der altfranzösischen Poesie

_____

1) Diese Doppelformen zeigen außer den genannten auch die
selteneren Ausgänge.

immer mehr aus. Wenn daher unser Text an diesen
Formen einen außerordentlichen Reichtum aufweist, so ist
uns dies ein wichtiger Punkt für die Bestimmung der Abfassungszeit unseres Gedichtes, cf. Kap. V b:

So finden sich in derselben Bedeutung nebeneinander:

a) Substantiva:

arrestee 581 (580), u. ö. — arrestëue 16 108 (16 283)
— arrestison 269 (268), 560 (561) u. ö., — arre-
stance 336 (334), — arrestemant 3808 (3844).

demor 295 (293) u. ö. — demouree 13 (13) u. ö. —
demorance 332 (330).

pre 167 (167) u. ö. — pree 1953 (1973) u. ö. — praiel
1890 (1910) — praerie 122 (122) u. ö.

fois 3919 (3945) — foiies 18 230 (18885) — fies 5739
(5773).

commant 199 (199) u. ö. — commandie 4280 (4204)

viutance 12 212 (12 315) — vilonnie 1921 (1941) u. ö.

aïe 733 (733) u. ö. — aiue 3870 (3886) u. ö. — aïdance
1346 (1357).

pité 1666 (1682) u. ö. — pitié 3450 (3473) u. ö. —
pitance 539 (537).

desir 612 (611) — desirier 2173 (2192) u. ö. — desirance
2201 (2220).

regné 2675 (2694) — regnier 3804 (3840).

vengance 325 (323) — vengison 260 (259) — venge-
ment 14 725 (14 839).

he 9804 (9879) u. ö. — haour 287 (287).

folie 109 (109) — folour 64 (64).

lin 1466 (1477) — lignie 17 315 (17 695).

vespre 12 431 (12 508) — auesprer 4674 (4697) —
auespree 1023 (1025) u. ö. — auesprement 198 (198).

planchié 1817 (1835) — planchier 12 244 (12 337).

amiré 2077 (2098) u. ö. — amirant 13 591 (13 679)
u. ö.

hirés 508 (507) — hiretal 17 794 (18 253).

costé 1594 (1605) — costal 17 802 (18 261), (über
Wörter auf -alem vgl. p. 6 und 13).

esciant 4828 (4851) u. ö. — esciante 12 202 (12 304).

mont 4803 (4826) — monde 971 (971).

Olmer 8784 (8838 — Omé 16365 (16559).

Amant 16365 (16447) — Amé 10365 (10444).

Hermin 2463 (2462) — Hermine 1911 (1931.

Denis 13066 (13207) — Denise 17421 (18003).

b) Adjektive und Participien:

descoulourés 2935 (2935) u. ö. — descoulouri(s) 12845
(12928), 17068 (17367) — coulourie 147 (147) u. ö.

aceré(e) 9747 (9822), 14965 (15078) u. ö. — acerin
10396 (10471).

anti 5722 (5756) u. ö. — antié 386 (384).

droiturel 8313 (8366) — droituriers 764 (764) u. ö.

senestre 1790 (1808) u. ö. — senestrier 3965 (3985)
u. ö.

iré(s) 3066 (3085) u. ö. — irié 6345 (6386) u. ö. —
irascu 418 (418) u. ö.

consenti 10920 (11005) — consentu 1219 (1228);
eine große Anzahl weiterer Doppelformen sind
unter den Verben sowie unter dem Vokalismus und
Konsonantismus des Dichters aufgeführt.

4) Über die Doppelformen inbezug auf das Bartsch'sche
Gesetz, cf. p. 13, 14 und 31.

c) tabellarische Übersicht über die Assonanzen resp.
Reime. Vgl. das p. 136 sq. Gesagte; wo es notwendig ist,
wird ein Unterschied zwischen der ersten und zweiten
Hälfte [von Laisse 177 (175) an] gemacht:

a.

Die oralen a-Laissen zeigen mit einer Ausnahme den
vollen Reim:

-a: L(aisse) 178 (176), 195 (192), 269 (264), 284
(279), 310 (305), 334 (330). Zwischen V. 16882
(17121) — 16883 (17134) ist höchstwahrscheinlich
eine -a Laisse, cf. L (328), vom Kopisten ausgelassen worden, cf. p. 133).

-al: 351 (347).

-a, -art, -ars, -ar in regelloser Mischung zeigt: L. 93 (91).

ã + e.

-ance: 9 (9), 39 (38).
-ance (je 1 mal -ande, -ante, auch RW): 41 (40).
-ance mit starkem Zusatz unreiner Reime: L 56 (54)
und bloße Assonanz: 217 (214).

ã (ant, cf. p. 7).

Wie die im Anschluß an die Tabelle angestellte
Untersuchung zeigen wird, sind die absolut reinen
Ausgänge auf -ant und ebenso -é, -es; -i und -iér größten-
teils erst vom Kopisten durch freies Schalten mit dem
Endkonsonanten (bes. Flexions-s) gewaltsam hergestellt
worden. Der Dichter befolgte die Regeln der Grammatik
und legte auf Augenreime keinen Wert[1]:

-ant rein: 13 (13), 75 (73), 146 (144), 183 (181),
190 (187), 199 (196), 202 (199), 258 (253), 272
(267), 282 (277), 294 (289), 300 (295), 308 (303),
347 (343), 355 (350), 340 (336), 360 (357), 369
(366), je einmal -n: 202 (199), 330 (326).

-ant (ganz einzeln -ns): 6 (6), 27 (26), 33 (32), 44
(43), 105 (107), 124 (122), 148 (146), 154 (152),
250 (245), 84 (82); darin zwei -ent, cf. p. 8, daneben einmal -n: 25 (24).

-ant (einzeln -nc): 142 (140), 255 (250), 267 (262).
„   -mp): 242 (238), 320 (315), 326 (322).
„   -nc, -mp): 165 (163), 116 (114); darin
2 -nt, cf. p. 8.
„   -nc oder -mp + -ns): 102 (100), 140
(138), 160 (158), 92 (90), 230 (227),
236 (233), daneben einmal -n:
66 (64).

[1] Die Tabelle zeigt also die Verhältnisse der überlieferten
Gestalt, die der ursprünglichen werden im Anschluß daran behandelt.

ẹ.

-ẹl: 314 (309).

-ẹl (einzeln -ẹrf, -erc, -ẹr): 51 (49).

-ẹl -ẹrs, -ẹs, -ẹt, -ẹst): 109 (107).

ẹ + e.

Sämtliche Laissen zeigen bloße Assonanz, manchmal finden sich darin kleine Gruppen mit dem Vollreim -ẹle: 70 (68), 72 (70), 215 (212).

215 (212) darin 3 mal -ẹle hintereinander.

223 (220), 226 (233) je 4 mal -ẹle „

$\frac{46}{47}$ (46) 14 mal -ẹle „ cf. p. 133.

ẹ.

a) Die erste Hälfte:

Alle Laissen zeigen starke Mischungen von -é, -er, -és z. T. durchsetzt mit Ausgängen wie -el, -ers, -et, -ef etc.; doch finden sich in fast jeder Tirade kleinere oder größere Gruppen mit vollem Reim:

  -é, -és, -ẹr [1]): 39 (37), 54 (52), 78 (76), 74 (72), 145 (143), 161 (159), dazu -el, -ef, seltener -ert, -et, -est, -ers: 46 (45), 141 (139), 147 (145), 113 (111), 159 (157), 157 (155), 164 (162), 174 (172).

  -é, -ér, -és: 115 (113), 123 (121), 135 (133), 137 (135), 145 (143). dazu -el, -elf, seltener -ert, -ers: 99 (97), 166 (164), 169 (167).

  -er, -és, -é: 105 (103), 131 (129), 155 (153), dazu die anderen Ausgänge: 23 (22), 40 (39), 59 (57), 65 (63), 80 (78), 97 (95), 139 (137), 149 (147), 172 (170), 176 (174).

  -és, -é, -er: 91 (89) und mit den anderen Ausgängen: 69 (67), 151 (149), 153 (151).

Die Tendenz zum Vollreim zeigt sich besonders in den Laissen:

---

1) Die kursiv gedruckten Reimlaute treten gruppiert auf.

23	(22)	darin	15 mal		hintereinander	-er.
131	(129)	„	14 mal und 12 mal		„	-er.
155	(153)	„	18 mal		„	-er.
		„	17 mal und 13 mal		„	-és.
172	(170)	„	zweimal hintereinander je 19			-er.
176	(174)	„	30 mal		hintereinander	-er.
80	(78)	„	26 mal		„	-er.
		„	5 mal		„	-és.

b) die zweite Hälfte:

Hier tritt ein Umschwung in der Reimtechnik ein, insofern als die -é, -er, -és durchweg geschieden werden:

>Vollreim -é: 249 (244), 254 (249), 256 (251), 276 (271), 285 (280), 290 (285), 299 (294), 311 (306), 315 (310), 319 (314), 324 (320), 327 (323), 342 (338), 366 (363), ganz selten findet sich in solchen Laissen noch ein stummer, auslautender Konsonant hinter dem -é, den der Kopist in den obigen Laissen konsequent aus der Vorlage gestrichen hat:

f: 305 (300).

s: 280 (275), 358 (354), 339 (335).

l: 204 (201).

r: 271 (266), mehrere dieser Konsonanten finden sich in den L. $\frac{181}{182}$ (179), 191 (188), 208 (205), 259 (254), 266 (261) und 227 (224), 213 (210).

>Vollreim -es:

>220 (217), 261 (256), 268 (263), 296 (290), 303 (298), 309 (304), 313 (308), 317 (312), 335 (331), 353 (349), 355 (351), 364 (361), 370 (367), 372 (369), 368 (365), darin der Reim: nes: sollers. .

Etwas ganz Außergewöhnliches ist es, wenn unser Kopist den reinen Reim der Vorlage verändert: so L. 287 (282), darin einmal -er 15512 (15628), dafür T (RW) -és; ferner L. 321 (316), darin -é 16786 (17019), wofür T (RW) -és bieten.

Vollreim -er:

251 (246), 273 (268), 333 (329), 307 (302) mit geringen Abweichungen, indem sich vereinzelt ein
-é, -és zeigt: 193 (190), 283 (278), 341 (337), 345
(341), 348 (344), 221 (218), darin 3 -és am Schlusse,
ebenso RW (!).

Gelegentlich findet eine Scheidung der Endungen -é,
-er, -és innerhalb einer Laisse statt:

L. 214 (211): 12051 (12153) — 12084 (12185) auf
-er, 12085 (12186) -- 12148 (12252) auf -é (4 -el,
4 -es, 1 -er).

L. 345 (341): 17605 (18005) — 17633 (18034) auf -és
(1 é), 17634 (18033) — 17652 (18084) auf -é.

Endlich erscheinen auch hier Laissen mit Mischung
von -é, -er, -és, doch sind stets Vereinigungen einzelner
Lautgruppen zu beobachten:

-é, -és (-er, -ers) 278 (273).
-é, -er (-és) 237 (234).
-é, -er, -és (-el) 246 (241), darin 14 mal -é und 5 mal
-er hintereinander. —

-é (-er, -és, -ert) $\left.\begin{matrix} 243 \\ 244 \end{matrix}\right\}$ (239) cf. p. 133.

ẹ + e.

Die meisten Laissen weisen den reinen Vollreim auf:
1 (1), 15 (15), 29 (28), 34 (33), 144 (142), 170 (168), 200
(197), 205 (202), 253 (248), 265 (260), 270 (265), 275
(270), 293 (288), 302 (297), 343 (339), 349 (345), 359 (356),
372 (369).

Einigemal findet sich zwischen dem Tonvokal und dem
tonlosen e schwach artikulierte Konsonanten (Liquide,
1 mal -s-):

101 (99): -ee, einmal clere,
241 (238): -ee einmal pere,
210 (207): -ee einmal remeses.

Hinter der Vokalgruppe -ee erscheint ein Flexions-s:

10

133 (131) und dazu wieder Liquide zwischen é|e: 222 (219), besonders: 53 (51), 108 (106).

i.

a) Die erste Hälfte:

Den Vollreim zeigt keine Laisse; überwiegend -is (vermischt mit i, einmal -ir) hat 24 (23). Alle übrigen Laissen weisen bloße i-Assonanz (-i, -is, -ir, dazu -it, -il, -ist, -irs) auf, durchsetzt mit zahlreichen Wörtern auf -in: 42 (41), 62 (60), 67 (65), 120 (122), 126 (124), 130 (128). Gruppierungen einzelner Laute zeigen:

104 (102) darin: 12mal der reine Ausgang -i
110 (108)   „   19mal   „   „   „   -is
118 (116)   „   6mal   „   „   „   -is
128 (126)   „   5mal   „   „   „   -is

und besonders L. 16 (16):

darin: 17mal hintereinander -ir,
  „   9mal   „   -i,
  „   5mal   „   -is.

Für die beiden Wörter auf -in in dieser L. zeigen CT -i, sie stammen daher wohl vom Kopisten. Ferner haben Assonanzen ohne Nasale: L. 56 (54) und 96 (94).

b) Die zweite Hälfte:

Es findet wieder durchweg eine Scheidung nach den Ausgängen statt:

Vollreim -i: 196 (193), 328 (324), darin einmal -in, 198 (195): -i (je 1 mal -il und -in), 357 (353): -i (1 -it, 3 -ist hintereinander, auch so RW.).

Vollreim -is: 180 (178), 306 (301), 277 (272): -is (1 -in), 224 (221): -is (2 -i), 286 (281) -is (1 -irs).

-i und -is sind deutlich geschieden innerhalb der Laisse 239 (236):

V. 13058 (13139) — 13069 (13150): -is.

V. 13070 (13151): retenir.

V. 13071 (13152) — 13091 (13172): -i (1 -is).

Über L. $\left.\begin{array}{c}239\\240\end{array}\right\}$ (236) cf. p. 133.

Vollreim -ir: 263 (258).

Bloße Assonanz vermischt mit -in zeigen: 212 (209), 229 (226), 233 (230).

Zu den Nasalen ist zu bemerken, daß von den 139 vorkommenden Wörtern allein 130 auf die Assonanzen der ersten Hälfte entfallen; ferner ist daran auffällig die häufige Wiederkehr ein und desselben Wortes, z. B. in L. 104 (102):

11 mal das Wort: Sarrasin(s).
5 mal „   „ : Yvorin(s).
5 mal „   „ : acerin(s).
3 mal „   „ : Apollin.

Eine reine -in Laisse findet sich nur einmal: 177 (175).

i + e.

i + e unseres Textes hat zwei Quellen:
1) ie = franz. ie.
2) ie = franz. iée.

Beide ie sind teilweise im Reime getrennt:

Vollreim -ie = franz. -ie: 20 (20) außer noiie, was aber vom Kopisten stammt, da CT dafür tapïe haben, 194 (191) außer haiscie, 219 (216) außer envoisie, 260 (255), 18 (18) außer esclarie (C dafür esclarcie) und nonchie (C dafür gehie); für occies und baillies (von baillir nicht baillier) dieser Laisse zeigen CT Entsprechungen auf -ie, die Laisse wird also in der Vorlage rein gereimt gewesen sein.

Die übrigen Laissen zeigen eine Mischung von -ie und -ie (< iée), wobei das erstere stets überwiegt:
5 (5), 255 (252), 262 (257), 297 (292), 337 (333), 350 (346), 356 (352), und 289 (284), worin 1 mal röine.

Zwischen Tonvokal i und folgendem e ist in einzelnen Versen sonst rein gereimter Laissen ein Konsonant (he-

sonders Liquida, auch Muta + Liquida, seltener: c, t, s, v)
anzutreffen: 95 (93), 162 (160), 173 (171), 216 (213): -ie
(1 -ites, 1 -ie), 367 (364), besonders stark in 100 (98), 344
(340). Einmal findet sich -ise als durchgehender Reim:
207 (204).

Bloße Assonanz weisen auf, teilweise vermischt mit
Ausgängen auf -ie: 45 (44), darin 8 mal hintereinander -ie,
52 (50), 59 (58), 87 (85), 117 (115), 120 (118), 127 (125),
129 (127), 228 (225).

Es findet sich im ganzen 23 mal -ine in oraler Assonanz
z. B.: ferine 1536 (1547), 3893 (3906), orine 1539 (1550) etc.,
zu beachten ist, daß nur 4 Fälle davon auf die Laissen
der zweiten Hälfte entfallen.

ié.

Vollreim weisen auf:

-ier: 4 (4), 31 (30), 150 (148), 291 (286), 301 (296),
336 (332), 362 (359), 365 (362), 316 (311), darin
1 -iés, 274 (269), 2 -iés, die beiden -ié(s) am
Schlusse der L. 21 (21) finden sich nicht in TC,
sie stammen wohl von unserem Kopisten.

-ié: 281 (276), 325 (321), einzelne nicht reine Reime
weisen auf:

-ié (3 -iés, 1 -ier): 179 (177).

-iés (2 -iers): 373 (370), dagegen zeigen sich stärkere
Beimischungen: 10 (10), darin 10 mal hintereinander: -ier, 296 (291), 329 (325).

Bei weitem die größte Anzahl der Laissen zeigen den
Ausgang -ier einzeln vermischt mit -iers, -ié(s), seltener
-iéf, -iét, -iél, -iert, so:

58 (56), 132 (130), 134 (132), 136 (134), 138 (136),
143 (141), 152 (150), 156 (154), 158 (156), 163
(161), 171 (169), 175 (173), 209 (206), 218 (215),
225 (222), 238 (235), 322 (317), stärker sind die
Beimischungen in: 49 (47), 94 (92), 98 (96), 114
(112), 121 (119), 248 (243) und besonders:
168 (166).

Endlich zeigen bloße -ié Assonanz, doch derart, daß die Endung -ier(s) überall in größeren oder kleineren Gruppen auftritt:

55 (53), 63 (61), 73 (71), 77 (75), 79 (77), 83 (81), 89 (87), 232 (229).

Vereinzeltes -ien begegnet in:

55 (53), 83 (81), 114 (112).

iere.

Vollreim -iere: 37 (36).

ọ.

Vollreim -ort: 192 (189), 203 (200), 245 (240).

ọ.

Vollreim -o(u)r: 3 (3), 8 (8).

-o(u)r, vermischt mit zahlreichen Assonanzen und 6 -on zeigt: 81 (79); RW haben hier eine fast reine -or Laisse.

õ.

Alle Laissen zeigen durchweg den Vollreim:

-on rein: 17 (17), 32 (31), 67 (66), 167 (165), 264 (259), 312 (307), 318 (313), 323 (319), 332 (328), 338 (334), 346 (342), 361 (358).

-on (einzeln -nt): 14 (14), 112 (110), 186 (183), 231 (228), 234 (231), 247 (242), 252 (247), 279 (274).

-on (einmal -ns): 7 (7).

-on (-ns, -nt, -nc): 61 (59), 106 (104), 119 (117).

-oï in -on Assonanz begegnet je einmal, doch in der Schreibung -on: 61 (59), 167 (165), 279 (274).

ọ in -on Assonanz findet sich einmal: 119 (117).

õ + e.

Sämtliche Laissen zeigen bloße Assonanz, doch ist auch hier das Streben nach Reinheit des Reimes erkennbar:

2 (2) darin 3 mal und 4 mal hintereinander -omes.

25 (25) darin 2 mal je 3 -one.

28 (27) darin reimen V. 965 (965) — 967 (968) auf -ome.

968 (969) — 973 (974) „ -onde.
974 (775) — 989 (991) „ -onne.
990 (992) — 995 (997) „ -onde.

Völlige Assonanz haben: 64 (62), 103 (101).

-oï + e in -on + e Assonanz begegnet in: 25 (25) und 64 (62) je einmal, 103 (101) zweimal, in dieser L. findet sich außerdem einmal: douce 4349 (4372).

oi.

Den Vollreim -oi zeigt 363 (360), -oi (einmal -oil): 292 (287), die übrigen L. haben bloße Assonanz: 50 (48), 84 (83), 88 (86), 235 (232), darin 4 mal hintereinander -oir.

u.

Vollreim:

-u: 88 (87) darin einmal -us; 189 (186), 206 (203), 211 (208), 288 (283), 298 (293), die L. (355) RW, T' fehlt in P, ist aber wahrscheinlich im Original vorhanden gewesen, cf. p. 133.

-us: 71 (69), 198 (201), 331 (327), 352 (348), darin einmal -urs.

Vorherrschend u, vermischt mit -us zeigen: 35 (34), 68 (66), darin 11 mal hintereinander -u, stärkere Mischung zeigt: 11 (11), neben -u, -us treten noch andere Endungen wie -ut, -ur, -urs auf: 30 (29), 111 (109), 43 (42), darin 11 mal hintereinander -us, ferner einmal gëun 1474 (1485).

u + e.

Vollreim u + e: 304 (299), u + e vermischt mit einzelnen Assonanzen: 86 (84).

Aus dieser Tabelle sei das Wichtigste hervorgehoben[1]):

---

1) Ich schließe mich hier Oeckel's Ausführungen an und werde später darauf Bezug nehmen.

Es zeigt sich, wie schon p. 136 angedeutet wurde, daß das Verhältnis zwischen Assonanz und Reim bei den meisten Laissen im ganzen Gedichte nicht dasselbe bleibt. Die -a und -u, vor allem aber die zahlreichen -e, -i und -i + e Laissen zeigen in der ersten Hälfte meist Assonanz, in der zweiten Hälfte dagegen meist Vollreim. An welcher Stelle tritt nun der Umschwung in der Reimtechnik ein?

Eine Betrachtung des Textes und der Tabelle ergibt, daß in diesen Laissen eine strenge Scheidung der zuvor gemischten Ausgänge eintritt, bei:

$$-e: \quad \text{mit L.} \quad \frac{181}{182} \quad (179).$$

$$-a: \quad \text{„ „ } 178 \ (176).$$

$$-i: \quad \text{„ „ } 180 \ (178).$$

$$-u: \quad \text{„ „ } 189 \ (186).$$

$$-i+e: \quad \text{„ „ } 194 \ (191).$$

Die angeführten 5 Laissen liegen also in nächster Nachbarschaft. Nun findet sich V. 10384 (10461) — 10408 (10485) eine reingereimte -in Laisse = 177 (175). Da dieselbe die einzige der ganzen Dichtung ist und sich gerade an dieser Stelle befindet, so ist sie offenbar aus dem Wechsel der Reimtechnik hervorgegangen:

Für das Einsetzen der neuen Reimtechnik in diesen Laissen kommt also V. 10384 (10461) der L. 177 (175) in Betracht.

Ein wesentlich anderes Verhalten zeigen alle übrigen Laissen:

Die -ie Laissen weisen in der ersten Hälfte sowohl reine wie gemischte Ausgänge, in der zweiten Hälfte dagegen vorwiegend den Vollreim auf, die zahlreichen auf -e + e und mit geringen Abweichungen auch -ā und -õ zeigen gleichmäßig in beiden Teilen des Gedichtes den Vollreim, die -ę + e Laissen dagegen lassen auch in der zweiten Hälfte keine größere Neigung zur Reinheit des Reimes erkennen, und die Endungen auf -ā + e entwickeln sich sogar von anfänglich reinem Reim zur Assonanz zurück. Laissen mit den Ausgängen auf -iere, -ǫ, -õ + e erscheinen nur im ersten, die auf -ǫ nur im zweiten Teile der Dichtung.

Wie ist nun diese ungleiche Verteilung von Assonanz und Reim, wie der einzeln Laissen überhaupt, in unserem Gedichte zu erklären? Ist mit Oeckel p. 37 anzunehmen, der Dichter habe in der zweiten Hälfte, von L. 177 (175) an den festen Entschluß gefaßt, von der Assonanz zum Reim überzugehen? Dann wäre er, wie die oben dargelegten Verhältnisse zeigen, sehr inkonsequent vorgegangen. Nach meiner auf zahlreiche Beobachtungen sich stützenden Vermutung ist diese ganze Frage mit der der Komposition unseres Gedichtes in Zusammenhang zu bringen: *der Dichter wird für sein Werk mehrere Vorlagen benutzt haben und zwar höchstwahrscheinlich für die erste Hälfte eine (oder mehrere?) mit vorwiegend Assonanzen und für die zweite Hälfte eine solche mit vorwiegend reinen Reimen.*

Der Haupt-Stützpunkt für meine Vermutung sind mir die Verse 8—13 der L. 1 (1) [1]):

Tels vous en (sc. la canchon) cante, c'est verités prouuee,
Ki de l'estore ne set une denree
Del miex en ont corrompue et faussee
Mais j'en dirai, c'est verités prouuee,
La droite estore . . . .

Es wird also deutlich gesagt, daß schon mehrere Gedichte über die Bueve-Sage vorhanden gewesen sind: der Dichter bezw. der Bearbeiter wird sie für sein Werk als Vorlagen benutzt und sich auch inbezug auf die Versausgänge nach ihnen gerichtet haben. Ferner sprechen kleine stilistische Unterschiede für Benützung mehrerer Vorlagen, denn gewisse Redensarten, die stets wiederkehren, erscheinen nur im ersten —, andere nur im zweiten Abschnitt des Gedichtes. Eine andere Bemerkung machten wir schon p. 14, nämlich bezügl. der Form e = lat. habeo, besonders im Futurum, welche nur in der zweiten Hälfte des Gedichtes vorkommt. Auf weitere Einzelheiten gehen wir hier nicht ein, da diese Frage in einer besonderen Dissertation behandelt wird.

Noch ist es nötig, auf die verschiedenen Endkon-

---

1) Diese Laisse findet sich nicht in CT, wohl aber in [R]W, vgl die Bemerkungen Kap. V d sq.

sonanten der den größten Teil der Dichtung ausmachenden
-é, -i, -ié, -u und -ant Laissen einzugehen. In der
ersten Hälfte, wo Assonanz herrscht, sind die Ausgänge
-é, -és, -er, -el, -ef, wie die Tabelle zeigt, gemischt, ebenso
-i, -is, -ir, -il, -if, meist, auch -u, -us; -ié, -iés, ier, -iel,
-ief und seltener -ant, -ans. In der zweiten Hälfte bilden
sich die Ausgänge auf -é, -i, -u, z. T. -ié einerseits und
die auf -r: -er, -ir, -ier und s: -és, -ir, -us, z. T. -iés andererseits als besondere Laissen aus, doch treten auch hier
wiederholt noch Assonanzen auf:

Über die Ausgänge -l, -f, usw. in Wörtern wie
naturel, charnel, souef, fief wurde unter Konsonantismus
p. 32 sq. genau gehandelt: es wurde dort festgestellt,
daß der Dichter diese primären Formen allgemein verwendet hat und die zahlreichen sekundären, besser in
den Reim passenden Formen erst durch den Kopisten
in den Text gekommen sind. An dieser Stelle bleibt
noch die Frage des auslautenden -s, besonders des
Flexions -s zu erörtern. Zum Vergleich werden die Hss.
C und T herangezogen, über deren Verhältnis zu P cf. Einleitung p. 2, 3, 4:

a) die Flexionsverhältnisse in den Laissen mit bloßer
Assonanz:

In den Assonanzen ist der Gebrauch des Flexions -s
in der Mehrzahl der Fälle richtig gehandhabt d. h. es ist
im Nom. sg., Acc. pl. gesetzt. Einige Male aber läßt der
Kopist gegen die Grammatik das Flexion -s fort oder setzt
es unorganisch zu, nur um für den Reim die erforderliche
Endung zu erhalten. Er verfährt nun in diesem Punkte
innerhalb der Assonanzen sehr inkonsequent, und so finden
wir oft in derselben Laisse correkte und inkorrekte Formen
nebeneinander, z. B.:

L. 11 (11): Neben den Nom. sg.: mus 415 (415),
venus 417 (417) erscheinen: deuenu 398 (398) CT-
-us. Ebenso in L. 161 (159) u. ö.

L $\frac{22}{23}$ (22): Neben den Acc. sq.: regné 823 (823), aé
822 (822), volenté 829 (829) erscheinen: regnés

845 (845) CT-é, aés 842 (842) f. CT, gres 846
(846) CT é; ebenso in den Laissen: 67 (65), 137
(135), 155 (153) u. ö.

L. 139 (137): Neben dem Nom. pl. demoré 7343
(7391) erscheint serrés 7325 (7373) PW; R-é. Ein
Vergleich mit T ist hier nicht möglich.

L 89 (87): Neben dem Acc. pl. soumiers 3935 (3961)
erscheint aduersier 3967 (3990) RW-iers; ebenso
in L. 106 (104), 108 (106).

b) die Flexionsverhältnisse in den Vollreim-Laissen:
Hier trägt der Kopist den Erfordernissen des Reimes
in weitestem Maße Rechnung; er hat in den Laissen mit
den Ausgängen -és, -is, -iés, -us das Flexionszeichen gesetzt, dasselbe aber in denen auf -é, -i, -ié, -u, da es den
Augenreim störte, einfach fortgelassen. Ein Vergleich mit
CT zeigt, daß der Dichter auch hier, wie in der Assonanz,
das Flexions-Zeichen überall korrekt gesetzt hat. Es seien
aus den überaus zahlreichen Belegen nur einige Beispiele
herausgegriffen:

Nom. sg.
　　bons chevalier 71: -ier (71) P (RW), CT-iers.
　　fier: -ier 72 (72) P (RW), CT-iers.
　　pesant: -ant 15942 (16104) P (RW), T-ans.
　　vaillant: -ant 16771 (17005) P (RW), T-ans.
　　Bueves le souduiant¹): -ant 13921 (-) P (RW), T-ans.
　　desmesuré: -é 14314 (14430) P (RW), T-és.
　　foursené: -é 15009 (15123) P (RW), T-és.
　　priué: -é 15224 (15339) P (RW), T-és.
　　torné: -é 14037 (14140) P (RW), T-és.
　　ouuré: -é 14988 (15101) P (RW), T-és.
　　jré: -é 15036 (15150) P (RW), T-és.

---

1) T hat hier die Lesart: Bueues li combatans die auch unser
Dichter gehabt haben wird. Die Lesart - le souduiant stammt vom
Kopisten, dafür spricht schon der Umstand, daß hier le für li im
Nom. steht, was sonst noch nie vorkommt cf. Artikel p. 64. Wichtig
ist nun wieder, daß RW ebenfalls — le souduiant, also die Lesart des
Kopisten nicht die des Dichters P haben.

ses anemis morté: é 14688 (14802) P (C, RW), T-és.
äirié: sé 16969 (18246) P (RW), T-és.

Acc. Sg.:

le branc letrés: -és 15491 (15607) P (RW), T-é.
en estés: -és 18394 (19075) P (RW), T-é.
aés: -és 15508 (15624) P (RW), T-é.
mäistés: -és 16439 (16641) P (RW), T-é.
en santés: -és 16440 (16642) P (RW), T-é.
du damoisel petis: 16195 (16372) P (RW), T de pris.
de pités: -és 16808 (17046) P, hier haben sich RW
P nicht angeschlossen, sondern wie T die korrekte Form pité geschrieben. Ebenso in:
verités: -és 15793 (15921) PW, aber RT-é.
mercis: -is 15080 (15186) PW, aber RT-i. etc.

Nom. pl.

assamblés: -és 15782 (15910) P (RW), T-é.
acesmés: -és 16331 (16429) P (RW), T-é u. ö.

in anderen Fällen zeigen RW auch hier wie T die korrekte
Formen:

enserrés: -és 14091 (14196) P; RW, T-é.
siglés: -és 17628 (18039) P; RW, T-é.
entracordez: -és 14093 (14198) hier PW, RT-é, etc.

Acc. Pl.

doré: -é 14991 (15107) P (RW), T-és.
afolé: -é 14671 (14789) P (f. RW), T-és.
luisant: -ant 15978 (16141) P, aber RW, T-ans.
roiauté: -é 16917 (17186) P, aber RW, T-és.
apelé: -é 16378 (16597) P, aber RW, T-és.
cordouan: -ant 919 (919) P, aber CT-ans.

Es zeigt sich also auch hier, das die Schreiber von
RW nur ungern P gefolgt sind, sondern lieber die korrekten Formen gesetzt haben, zumal da sie auch sonst
auf die Reinheit des Reimes keinen großen Wert legten
(cf. Kap. VI und VII, und Oeckel a. a O. p. 82).

Für P lassen sich die Belege in allen Casus beliebig
vermehren. Wir sehen also, daß unser Kopist seinen Vorsatz, für das Auge reine Reime herzustellen, mit großer
Strenge durchgeführt hat; dennoch finden sich nun in

einigen Laissen — hier häufiger, da gar nicht.— die grammatisch-korrekten aber den Augenreim störenden Formen und gerade diese sind es, die uns, ganz abgesehen von dem Verhalten der Hs. T, zu der Annahme berechtigen, daß der Kopist sie alle so in seiner Vorlage gefunden hat.

Es seien einige Beispiele aus sonst reinen Laissen angeführt, RW schließen sich auch hier wieder P an:

Nom. sg.:

escrïés: é 14322 (14436) P (RW), T.

alez: é 15247 (15362) P (RW), T.

apelez: é 15902 (16044) P (RW), T.

prisiés: é 10430 (10507) P (RW), T.

parentés: é 17578 (17765) P (RW), T.

Acc. pl.

Hier finden sich in anbetracht des seltenen Vorkommens dieses Casus im Reim relativ häufig die ursprünglichen Formen, es erhellt daraus, daß der Kopist in diesem Falle nur ungern das -s dem Reime geopfert hat:

tensés: é P (RW) 9519 (9591).

drugemans: -ant P (RW) 12780 (12861).

ostees: -ee 12362 (12445) f. RW.

bailliés: ié 10432 (10509) P (RW).

Stets unverändert blieben natürlich stammhaftes auslautendes s, und s in der 2. pers. plur. in Verbformen:

paradis: -i 10904 (10989), nes (nasum): -é 12612 (12689); avés: -é 13615 (12692), reuenrrés: -é 14013 (14116) etc.

c) Noch muß erwähnt werden, daß unser Kopist in vielen Fällen den ungenauen Reim seiner Vorlage dadurch beseitigt hat, daß er kleine Veränderungen am Wortlaut vornahm. Selbstverständlich ist im kritischem Text, da er den „Intentionen" des Dichters und nicht des späteren Kopisten gerecht werden mußte, die ursprüngliche Lesart jedesmal rekonstruiert worden, was mit Hilfe der Hss. T,

R[1]) W leicht möglich war. Es seien einige Beispiele solcher Veränderungen angeführt:

Plus bele feme n'avoit en nul regné: -és T, RW.
P (Kopist) ändert: ... n'avoit en dis regnés 17614 (18018).

Grans cops se donnent sor les escus dorés: -é T, RW.
P ändert:: .... ne se sont deporté 16322 (16660).

Moult i ot contes et demaines et pers.: -és T, RW.
P ändert: ....et casés 18144 (18777).

Qui ne li vaut le pris de deus festus: -u. CT.
P ändert: .. le monte d'un festu 438 (438).

Od vos irai sel vous vient a gré: -és.
P ändert: .. se vous le commandés 14108 (14212).

Grans fu la ioie u palais principel: ér T, RW.
P ändert: .... „ „ principer 15379 (15494).

Et Josiane et Soibaus li barbés: -er T, RW.
P ändert: Et puis Soibaus li gentiex et li ber 15376 (15491).

Cil respont: Sire, tout a vostre plaisir: -is T, RW.
P ändert: .... a vostre deuis 15470 (15586).

Desus l'espaule la ou la coife gist: -ir T, RW.
P ändert: ... li fait grant cop sentir 14190 (14294).

A pié descent, s'a osté son escu: -us T, RW.
P ändert: A pié descendent et ostent lor escus 17138 (17464).

Wir kommen also zu dem Ergebnis, daß die Reime des Dichters bezügl. der Endkonsonanten von denen des Kopisten sehr verschieden gewesen sind. Der mit 177 (175) einsetzende Umschwung in der Reimtechnik gestaltet sich folgendermaßen:

Der Dichter verwendet zwar die in der ersten Hälfte gemischten Ausgänge in der zweiten Hälfte als besondere Reime (entsprechend den Vorlagen cf. p.

---

1) Auffällig ist das R(W) hier niemals die Lesart des Kopisten P haben, vgl. darüber Kap. VI und VII.

152), bleibt aber bezügl. der Flexion den Gesetzen der Grammatik treu und zeigt dadurch, daß er auf Augenreime keinen Wert legt. Der Kopist unseres Gedichtes hält es für seine vornehmste Aufgabe, die überall in der Vorlage auftretenden Unebenheiten des Reimes zu beseitigen und führt auch, von einigen Ausnahmen abgesehen, seinen Vorsatz konsequent durch.

Diese Verkennung der Tatsachen veranlaßt Oeckel p. 83 sq. zu einigen Bemerkungen über die von Herrn Geh.-Rat Stimming gewählte Form des kritischen Textes (vgl. Einleitung p. 3):

Er sagt so betreffs der Setzung des Flexions -s p. 85: „In den -és, -iés, -is -us Reimen ist das -s zu setzen, in den -ant, -é, -ié, -i, -u Reimen ist es nicht zu setzen. In der Hs. P ist diese Regel fast durchgehends beachtet." Freilich ist in P, wie wir soeben gesehen haben, das Flexions -s in diesen Fällen gesetzt und zwar selbst da, wo es nach den Regeln der Grammatik unmöglich ist, aber es stammt nicht vom *Dichter*, wie wahrscheinlich gemacht wurde, sondern erst vom *Kopisten*. Oeckel's Vorschlag entspricht den „Intentionen" des letzteren, ist also für den kr. Text unannehmbar.

Zweifeln kann man in Fällen, in denen R W T W dieselbe Lesart aufweisen z. B. acc. pl. troussé: -é 16302 (16606). Hier kann man entweder annehmen, daß auch schon der Dichter von P das -s dem Reime geopfert hat, oder daß dies erst durch T geschehen ist. Man kann also nicht wissen, ob -s zu setzen oder fortzulassen ist. Im kr. Text ist in diesem Falle das -s nicht gesetzt.

Die weiteren Bemerkungen Oeckels betreffen die unter c) p. 156 aufgeführten Umänderungen des Wortlautes. Sie können ebenfalls nicht in den kritischen Text aufgenommen werden, da sie erst vom Kopisten P vorgenommen worden sind: *Die in der Fassung II des festl. Boeve de Hanstone gewählte Textform ist demnach die einzig mögliche.*

d) Bemerkungen zum Reim:

In ę + e Assonanz begegnet einmal: siele: mamęle

1797 (1815), ié stammt vom Kopisten, es findet sich in der-
selben Laisse noch zweimal die franz. Form: sele cf. p. 10.
In ę-Assonanz einmal: Josiane est . . . alé: -é statt alee.
T, R W bieten: Josiane au vis cler 17107 (16344). Der
Kopist ändert also wieder dem Reim zu Liebe. Solche
Formen belegt Andresen a. a. O., p. 53 sq.

In ę + e-Assonanz finden sich die schon erwähnten
Formen:

esfreé: -ee 15664 (15779), 16014 (16179).
desreé: -ee 17754 (18209), 14533 (14651).
veé: -ee 12358 (12441), vgl. hierzu die metrischen
Bemerkungen p. 122.

In ę-Assonanz einmal combrier: -er statt combrer
8964 (9018).

Die überlieferte Mundart im Vergleich zum Centralfranzösischen.

Die Hs. P. ist in einer Mundart überliefert, die mit
der der Reime nicht übereinstimmt, es ist daher zur Bestimmung des Dialektes des Kopisten eine weitere Analyse
erforderlich[1]).

a. Vokale.

Franz. A.

Das orale betonte a erscheint auch bei uns als a:
barbe 32 (32), viellars 112 (112), parrastre 1073

---

1) Der Kopist stammt, wie a priori bemerkt sei, aus dem Ponthieu. Die sprachl. Eigentümlichkeiten dieses pik. Unterdialektes
sind durch die Abhandlung: Raynaud's: Etude sur le dialecte picard
dans le Ponthieu d'aprés les chartres des XIII e et XIV e s. Paris
1876 gesammelt. Doch ist die Arbeit wegen ihres Alters mit Vorsicht
zu gebrauchen cf. Neumann a. a. O. p. 1. Da nun unsere Hs.
charakteristische Züge bietet, die die Eigentümlichkeiten dieser Mundart erweitern können, so kann eine etwas eingehendere Erörterung
einzelner Punkte nur von Nutzen sein. Wir geben zunächst eine
Analyse der Lauterscheinungen und vergleichem zum Schluß die
Resultate mit den aus den übrigen pik. Unterdialekten gewonnenen,
um so unser Denkmal zu lokalisieren.

(1074), cheval 2521 (2540), sache (sapiat) 3745 (3770).

In saßtieftonigen, einsilbigen Wörtern:

a (habet) 180 (180), daher auch im Fut. laira 1576 (1567), auera 2733 (2753), sera 202 (202, 422 (422), 599 (598) u. ö. einmal steht dafür serai in der Stelle: (Der Graf von Cestre spricht):

Dehait ait Bueves et le bouche et le nes

. . . .

Se ja par lui estes plus deportés
Ja n'en *serai* touchiés ne adesés 9081 (9141).

Hier ist der Saß vom Kopisten statt auf Bueves auf den Sprechenden bezogen worden, *serai* ist also die 1. nicht die 3. Person. Eine solche Verwechselung war beim Abschreiben sehr leicht möglich, es steht also nicht *ai* für *a*.

-aticum $>$ age niemals aige: riuage 1613 (1624), message 2464 (2483), lignage 2573 (2592), sauuage 12847 (12930) etc.

-abilem stets $>$ able halbgelehrt, avle, aule erscheinen nicht: secourable 11438 (11532), mirable 10516 (10960), amirable 6409 (6449) u. ö., gleichbehandelt sind: deable 7765 (7817), table 1480 (1491), estable 1795 (1813).

Impf. Konj. der a-Verba:

Vor ss erscheint stets ai:

1. pers. amaisse 153 (153), 1226 (1235), donnaisse 1459 (1470), menaisse 2157 (2176) etc.

6. p. portaissent 3835 (3861), contaissent 5684 (5717), armaissent 14977 (15090). Ausnahme ist nur: mengassent 3448 (3471).

Vor st erscheint stets a:

osast 11273 (11361) etc., brisastes 8750 (8804) etc.:
Wiese: Dialoge Gregors p. 8 belegt auch hier *ai* statt a.

a $+$ mouilliertem l und n: es erscheint stets a(i) [1]):

---

1) Über die diphthongische Natur dieses Lautes läßt sich natürlich nichts Bestimmtes ermitteln, da derselbe nicht im Reime steht. Die

baille 266 (265), bataille 3241 (3262), corailles
13 809 (13 903), maille 1878 (1898); bourgaignent
1654 (1669), Alemaigne 12 545 (12 620), Bretaigne
12 543 (12 618) etc.

Über a + l + Kons. cf. l.

Vortoniges a erscheint als:

a: palais 890 (890), auoir 51 (51); quartier 1072
(1073), carbons 889 (889) etc. Dagegen findet sich:

e: vor r stets in: ferine (farinam) 1536 (1547), 3859
(3885) u. ö., nach r in: greeillier 14 859 (14 973)
neben gewöhnlichem: graeillier 12 220 (12 322),
12 223 (—). In anderen Texten erscheint noch:
graaillier (Assim.), vgl. hierzu. G. Paris a. a. O. p. XI.

Vor mouilliertem l und n erscheint wie hauptonig:

a(i): desmaillie 444 (—), baillai 2149 (2168), entail-
lier 5456 (5487), entaillie 17 332 (17 716); gaignars
4088 (4101), compaignons 3401 (3424), acom-
paigniés 18 417 (19 058) etc.

e(i) erscheint dafür in: bateillie 14 143 (14 247), greigneur 1118 (1126), 12 455 (12 532), greignor 16 758
(17 223), sehr häufig aber ist die weitere (dialektische) Erhöhung >

i: trauillier 81 (81), 12 511 (12 588), trauillant 11 442
(11 536) u. ö., trauillie 5189 (5217) u. ö., batillie
17 307 (17 685) u. ö., fremillon (firmaculum + onem)
2412 (2431), grignour 301 (299), bargignier 3468
(3491).

Neben comparrés 3387 (3410), 3389 (3412) u. ö.
erscheint comper(r)és 462 (461), 9723 (9798),
die Erklärung ist bekannt.

Neben gewöhnlichem enfanç(h)on 1102 (1110), 17 399
(17 724) findet sich einmal mit Ausfall des n: en-
feçon 16 613 (—), dieselbe Form belegt Wiese:
Dialekte Gregor's p. 10.

Durch Umstellung der Vokale erklärt sich e statt a

regelmäßigen Schreibungen -aill-, -aign- und die vortonige Erhöhung
> e(i) und i lassen die Entwickelung eines i vor ī, ï vermuten, setzen
sie aber nicht voraus, cf. Suchier: Reimpredigt p. XXVII; Neumnn a. a.
O. p. 39 nimmt stets i an.

11

in: manecier 1074 (1073), manechant 14441 (14559).
Diese Umstellung begegnet auch bei anderen
Vokalen, es seien gleich miterwähnt: o-e statt e-o:
enuolepee 6923 (6967), enuolepant 11449 (11544),
desuolepee 1933 (1953), 14968 (—) und e-u statt
u-e: herupés (ags. hryopan?) 4006 (4028), daneben
das gewöhnliche hurepés 3224 (3245). Diese Vokal-
Umstellung scheint eine häufige Erscheinung nord-
östlicher Texte zu sein, vgl. Belege bei A. Stimming
Boeve, Fassung I Anm. V. 26; Ztschr. XXXIII,
68 u. Sander a. a. O. p. 79.
   au: statt a in aufricant 3009 (3028) u. ö.
   ai: in haiscie (*ha[rm]scara) 1248 (1258) ist 7 mal
   in dieser Form belegt, nur einmal erscheint a:
   haschie 159 (159).
   ai statt a steht ferner bei sekundärem Hiat vor i:
   chaiiere 2890 (2910), 8900 (8954), estraiiere (*stra-
   tariam) 1282 (1292), daneben a: estraiers 16098
   (16274).
Aphärese des anlautenden a findet sich in: postel
   12228 (—).

Franz. Ā.

Während ā und ē jeder Herkunft in der Sprache des
Dichters zusammen gefallen sind und auch graphisch jedes
en durch an wiedergegeben ist, scheinen beide Laute in
der Mundart des Kopisten, nach der Schreibung zu urteilen,
streng geschieden zu sein, (cf. p. 7). Einige Ausnahmen
sind zu untersuchen.
   Franz. ā erscheint als:
   an: ans (annum + s) 79 (79), pans 949 (949), branc
   426 (426), lande 2939 (2959), gambes 3293 (3315) etc.
Die Endungen -entem, -endum, -entiam waren schon
früh durch die entsprechenden -a Endungen: -antem, -andum,
-antiam ersetzt worden, daher sind Part. und Gerund. wie:
plaisant 12572 (12649), souuenant 3557 (3582) und substanti-
vische Ableitungen wie: penitance 3462 (3485) etc. keine Ausnahmen. Etymol. ŏ vor Nasalis liegt zu Grunde in: dant
Guis 503 (504), dant Soibaut 686 (685), also in unbetonter

Stellung, wie es Titeln vor Eigennamen zukommt, dann auch in betonter: dame 237 (237) u. ö.

au graph. für an begegnet in: amiraut 2508 (2527), als Kürzung: 2084 (2103), 2116 (2135), 2151 (2170) etc.

en für an in: couuenent 1330 (1401). Dieses Wort erscheint auch sonst mit *en* in pik. Texten, man könnte Analogie des daneben vorkommenden couvent annehmen, cf. Ebeling a. a. O. p. 129.

Vortoniges ā:

vor einfachem Nasal erscheint stets *am*: amour 284 (282), clamour 311 (311) etc. Vor Nasal + Kons. begegnet neben gewöhnlichem:

an: angoisse 10158 (10232), santé 5259 (5311) etc. auch:
en: encore 769 (769), 5231 (5259) u. ö. und fast regelmäßig in den Formen des Verbum manducare: mengier 351 (349), 363 (361), 1046 (1047), meniue 18320 (18992), meniuent 1117 (1125), meniai 7429 (7479), menia 7429 (7479) etc. Ausnahmen, also franz. Formen, sind nur: maniue 3313 (3375) und mangier 13642 (13732); *en* ferner in Ländernamen: Normendie 699 (698), 12543 (12618), Romenie 4254 (4277), Engleter(r)e 8120 (8173), 8390 (8443) u. ö., auch englois 12275 (12369), englés 6163 (6199), 18434 (19117).

Franz. Ę.

= lat. ĕ, ae erscheint bei uns als:

ę: feste 121 (121), cert 360 (358), beste 1642 (1657), geste 14216 (14324), hauberc 7350 (7400), guer(r)e 8561 (9614). In Suffixen: coutel 2194 (2213), mamele 1796 (1814), anel 2803 (2823) etc. Selten ist dafür der Diphthong:

ié anzutreffen: iestes 593 (592), 4324 (—), diestre 13820 (13915), siele 9208 (9271), auch vortonig: ensielé: 13709 (13798), doch hier nur infolge der Analogie. Sonst findet sich aber stets ę, wir dürfen also wohl behaupten, daß dieser Vorgang

11*

in der Mundart des Kopisten nicht heimisch ist,
(besonders findet sich ié statt ę im Ost-Pik. u.
Wall.). Einen anderen, noch nicht völlig geklärten
Grund hat die Diphthongierung in den Wörtern:
tierç 1428 (1439), tierce 1274 (1284), piece 6704
(6745), die überall so erscheinen, (cf. ié beim Dichter
p. 29).

ę + u (< l + Kons.) entwickelt sich mit dem Gleitlaut a > iau: biaus 192 (192), vortonig in: biauté
10008 (10083), damoisiax 2420 (2439), nouuiaus
2138 (2157), coutiaus 1081 (1084), quarriax 7500
(7550), hiaumes 2047 (2066), iaume 2909 (2929),
Arondiaux 14473 (14592), Guilliaumes 304 (302),
4913 (4936) und Guillaumes 334 (332), wo das i
des Triphthongen von dem vorhergehendem ī aufgenommen worden ist.

Die in pik. Texten vorkommende Reduktion von iau
> ia (cf. Auc. p. 10; 36; Aiol. 500; 709) begegnet bei uns
einmal: hiames 17902 (—). Niemals findet sich statt iau
das franz. eau, wohl aber ist gelegentlich die alte Schreibung
ęl[1]) geblieben: pels (pellem + s) 8855 (8909), elme(s) 402
(401), 3215 (3236).

Franz. Ę.

1) = vlt. ę ist wie im Centralfranz. durch:

e wiedergegeben: esche (esca) 3890 (3619), seche
(siccam) 3475 (3498), ancestres 4881 (4904), drecent
1608 (1619), clerk 242 (242). In Endungen: mulet
2454 (2473), liuetes 4619 (4642), bretesces 4397
(4420); über -itia cf. Konsonantismus.

-iculum > -eil: vermeil 1159 (1167), soumeil 2484
(2503), oreilles 3501 (3524), apareille 13307 (13796),
Marseille 18392 (19073) etc.

-ilia > -eille: merveille 3405 (3428), dagegen hat lj
in -ilium, also am Silbenschluß nach M-L. Gr. § 52
ein vorangehendes e schon im Vulgärlat. in i ver-
wandelt, es sind daher: conseil 734 (733), 12116

---

1) Vergl. hierzu Friedwagner: Huon de Bord. p. 52.

(12217) u. ö. und **esmerueil** 2349 (2368) analogisch gebildete Formen nach conseille, esmerueille.

Tritt zu diesen Endungen noch ein Konsonant, so entsteht au:

vermaus 1075 (1076), solaus 54 (54), 90 (90) u. ö., solaux 11408 (11502), consaus 9067 (9127) und consaut 12019 (12121) = 3. pers. Konj. Praes. von conseillier.

Über ẹ + l vor Kons. cf. l.

ẹ (< lat. ĭ) + l + Kons. erscheint schon, wie ẹ + l + Kons. mit dem Gleitlaut a als iau: Neben cels 9933 (10088), els 1391 (1402) schon: ciaus 450 (449); iaus 801 (801), dieses gewöhnlich als: aus[1] 1497 (1507), 8773 (8827) und: als 5943 (5977), cf. l.

2) ẹ findet sich wie im Franz. in:

gete 3277 (3298), 4061 (4084), jete 7167 (7203), re-gete 10990 (11075), daneben erscheint einmal giete 3229 (3250). Die Etymologie dieses Wortes ist be-kanntlich noch unsicher, mit *jectat statt jactat ist nicht gedient, vgl. die Ausführungen Herzogs: Zeitschr. für rom. Philologie XXIII p. 361.

3. = vlt. ā.

erscheint als ẹ, von der mundartlich weit verbreiteten Entwicklung > ei findet sich bei uns keine Spur:

pre 1635 (1648), mer 9099 (9159), leres 7863 (7413), pere 2592 (2611), leuent 10063 (10138).

-atem: verité 1303 (1314), santé 12015 (12117).

Im Verbum: escrïer 4937 (4960); oublïés (-atis) 9229 (9292), prenés 8905 (8959); trouuerent 10479 (10556), conterent 6147 (6183); encröé 2968 (2987), priuee 8122 (8175).

-alem in volkstümlichen Wörtern:

-el: crüel (*crudalem) 558 (557), 10144 (10218), mortel 95 (95), 634 (633), 15999 (16162), häufiger aber ist gelehrtes:

-al: amiral 2513 (2532), poitral 7185 (7232), 10642

---

1) cf. Foerster: Chev. as II. esp. p. X L VI.

(10 733), infernal 11 068 (11 157), loial 17 663 (18 098),
roial 8721 (8774), und stets in*mal 9817 (9892),
9306 (9384) u. ö., cf. Dichter p. 6, 7 u. 13.

-arem ist noch -er: piler 1043 (1044), sollers 919
(919),bacheler 10 397 (10 472) Belege sind äußerst
selten, da die Endung meist im Reime verwendet ist.
Einmal findet sich schon -ier: bacheliers 9897 (9972).
Über ę + l + Kons. cf. l.

a wird nie ę sondern bleibt satzunbetont erhalten
in: car 50 (50), 96 (96), 10 482 (10 559), daneben begegnet
gleichhäufig das pikardische: cor 1539 (1550), 2199 (2218),
2790 (2810), cf. Foerster: Ille et Galeron Anm. zu Vers 457.

Franz. unbetontes E.

Bei uns erscheinen Doppelformen mit e und a. Letzteres
ist häufig im Agn. und im NO. und O. des französischen
Sprachgebietes, cf. Röhr a. a. O. p. 26. Wir unterscheiden:
1) = vlt. a nach Palatalen, es erscheinen:
  e: cheval 7798 (7850), cheueux (caballum + s) 3224
  (3245), cheueus (capillum + s) 888 (888), kenus
  3611 (3634), chëus 3986 (4008), escheui (*skapid)
  2228 (2247) etc., und
  a: chavaus (caballum + s) 1928 (1948), caveus 9687
  (9762), eschavie 3585 (3911), cavestre 10 986 (11 071),
  cavé 3113 (3133) etc.; dagegen zeigt sich in Wörtern
  wie: chalenges 1036 (1037), calens 1071 (1072),
  calut 18 229 (18 885), cäines 2870 (2890), cäir 2489
  (2508), chäirent 2804 (2824) etc. d. h. vor folgendem
  l oder palatalem Vokal die Erhaltung des a auf
  dem ganzen Sprachgebiete, cf. Schw.-B. Gr. p. 62.
  ié: chieris 876 (876), cierté 4235 (4258), achieuer
  5907 (5951) u. ö., enchieri 126 (126), doch hier nur
  infolge der Einwirkung der haupttonigen Formen.
2) = vlt a im sek. Hiat zu haupttonigem ü. Es erscheint
stets wie im Franz.:
  e: ëur 1409 (1420), mallëuree 14 234 (14 387), sëu
  10 998 (11 083), ëu 15 543 (15 659), ferner sëusse
  12 488 (12 565), ëussent 13 502 (13 584) und stets

in dieser Form: pëust 2325 (2344) u. ö., mëust
10 688 (10 764), worin man Angleichungen an ëust
zu sehen hat.

3) = vlt. e und ę (klass. ē, ĕ, ae, ĭ), welche vortonig
in ę zusammenfallen:

e: ersoir 1140 (1148), 2437 (2456), prestees 1952
(1972), mes < minus: meschiet 16 948 (17 222),
mesestance 1339 (1350), delés 3922 (3948), he
11 313 (11 402) u. ö., Gerart 4645 (4668) u. ö.,
geronné[1]) 7081 (7127), esbanoier 6572 (6613), essaier
6448 (6488).

a: Hier ist mehrfach Dissimilation und Ässimilation
im Spiel:
aé 13 756 (13 847) u. ö., maaille 3380 (3403), dahait
4537 (4560) u. ö., masange 2215 (2234), ha 12 967
(13 050) u. ö., Raboans 9924 (9999), esfraer 792
(792), asbanoier 6510 (6550) u. ö., assaiier 3803
(3831), assaiant 16 273 (16 453), assaiés 12 435
(12 513). In der Vorsilbe re-: raencon 10 110 (10 185),
u. ö. raemant (cf. Verbum). Allgemein finden sich:
sauuage 12 847 (12 903), trauillie 9566 (9639) etc.,
speciell dem Vulgär-Paris. Dialect eigen ist der
Wandel von e > a vor r: per nur in: apercëu
2780 (2800), sonst: par 1280 (1290), 3308 (3330),
parcevant 1502 (1613), pardona 630 (631), par-
fonde 933 (933), parmain 10 223 (10 297), mar-
cheans 4357 (4380) etc.

e(i) (teilweise Stütz-e) vor mouilliertem ñ, ľ: seignour
2135 (2154), seigneurs 21 (21), 33 (33), 173 (173)
u. ö., seignori 1434 (1445), 1434 (1445), seignouri
142 (142); meillor 13 929 (14 029), meillours 9576
(9650), conseillier 2860 (2880), paueillon(s) 10 080
(10 155), 15 029 (15 143), apareillier 6017 (6052)
u. ö., merveilleuse 109 (109) etc. Die Beispiele
lassen sich noch bedeutend vermehren; wir dürfen
also wohl, nach der konstanten Schreibung zu

_____

1) germ. gero, cf. Herzog Z. f. r. Ph. XXVII p. 125; auch mit
i. (s. u.).

urteilen, ein dialektisches e + i statt e annehmen;
dafür spricht ferner die weitere Modificierung zu:
i: signor 285 (283), 291 (289) u. ö., signoris 878
(878), signorie 693 (692), pignie (pectinata) 145
(145), 589 (588), millor(s) 799 (—), 7554 (7604),
consillié 15410 (15525) u. ö., mervillier 6174 (6212)
u. ö., pauillons 6465 (6505), vermillié 14408 (14525)
etc. i findet sich neben e (s. o.) nach palatalem g:
giron 11839 (11941), gironné 5947 (5981), 8284
(8337), Girars 4956 (4979). In heriditarium, hereditatem ist stets das erste e > i dissimiliert:
hiretier 79 (79), 1070 (1071), 6256 (6294) u. ö.,
(h)iretés 1700 (1717), 1718 (1733), 6009 (6044)
u. ö., desireter 82 (82), 2268 (2287). Ausnahmen
sind nur: herités 507 (508) und deseritemant
11042 (11127). i statt e in: yvoire (eboreum)
1886 (1906) ist gemeinfrz.: es ist nach Schw.-B.
Gr. p. 61 auf Einwirkung des Artikels li zurückzuführen.

ié: in fierté 7525 (7575), fieués 10118 (10193), em-
briever 6677 (6718) etc. erklärt sich aus den stammbetonten Formen.

Von den Doppelformen des nämlichen Wortes mit
und ohne e zwischen Konsonanten (cf. Tobler Versbau
p. 39) begegnen:

pelicon 910 (910) u. ö. — plicon 4987 (5012).

charterier 2610 (2630) — chartrier 2739 (2759)
2786 (2806), 2746 (2766).

marberin 3709 (3734), 2492 (2511) u. ö. -- marbrin 4010 (4032).

Hongerie 16473 (16675) — Hongrie 12544 (12621).

Über die Verwendung entscheidet das Metrum; nur
in der langen Form begegnen: camberiere 5120 (5148),
12374 (—), guerredon(s) 1489 (1500), 8030 (8083) u. ö.,
nur in der kurzen: vraie 2795 (2815) u. ö., vrais 2852
(2872) u. ö., vraiement 13983 (14083) u. ö. Vgl. hierzu
die unter Konjugation behandelten verkürzten und erwei-
terten Futurformen.

e-Protheticum ist wie im Franz. stets eingetreten:
escuier 10914 (10999), espes 11426 (11520), estour
3681 (3707), escuireus 4013 (4033) etc.

Aphärese des anlautenden e in: vesques 12325
(12418), 16835 (17073), daneben euesques 17954
(18468) u. ö.

Über nachtoniges -e ist nicht viel zu bemerken.
Scheinbar ausgefallen ist es in einigen zweigeschl. Fem.
Adj., cf. p. 12 und Metrik p. 122. In der Caesur finden sich:
Vencadouss[e] 11966 (12068) und chos[es] 18390 (—).
Über angele, iouene etc. cf. Metrik p. 124.

Franz Ẽ.

Vgl. das zu Ã Gesagte. Es findet sich im Gegensatz
zur Sprache des Dichters nur:

> en: feme 41 (41), 88 (88), 358 (356) u. ö., prendre
> 7113(7159), sente 11572(11667); bendes 7183(7229),
> chaiens 13596 (13686), camberlenc 5488 (5530);
> fourment 8631 (8684), arpent 16922 (17191),
> uentre 664 (663), gent 823 (823) etc.

Eine Ausnahme machen eine Anzahl von Wörtern, die
aber in den nördlichen Mundarten allgemein sowohl in ẽ-
als ã-Assonanz gefunden werden:

> a) vor ursprüngl. m. + Kons.:
> Es erscheint gewöhnlich an: tans 46 (46), 461 (460),
> 15015 (15129), sambles 3378 (3401) u. ö., resam-
> bles 3768 (3794), resamblent 17372 (17759), en-
> samble 169 (169), 10250 (10325), en zeigt sich stets
> in: membres 355 (353), 843 (843), 1051 (1052)
> u. ö. und sempres 3813 (3839).

> b) die Adiaphora:
> Nur mit an erscheinen: oriant 826 (826), 17659
> (18091) u. ö., sergans 5131 (5159), sergant 1081
> (1082); nur mit e: (mal)talent 703 (704), 4068
> (4109), 5838 (5872) u. ö., noient 722 (721); in
> beiden Formen: escïent 10682 (10758), 12714
> (12790) und esciant 12655 (12732), zwei ver-
> schiedene Etyma sind anzusetzen für: dolant 148

(147) u. ö. und dolente 113 (113), ersteres = ursprüngl. Part. Praes. dol-antem, letzteres = *do-
lentam. Wenn sich nun daneben dolante[1]) 103
(103) findet, so ist das eine jener häufigen Erscheinungen der alten Sprache, die sich dadurch
erklären, daß bei zwei an sich möglichen sprachlichen Wendungen der Sprechende im Augenblicke
der Äußerung eine Mischung eintreten läßt.
a findet sich ferner in den Eigennamen: Ardane
387 (385) und in dem nicht ganz volkstümlichen:
estrumant 15696 (15811).

Vortoniges ẽ erscheint als:

en: pener 81 (81), denier 83 (83), regné (g nur
graphisch) 823 (823), engigniés 2875 (2895), enamé
2319 (2338), enhermis 2504 (2523), grenu 2767
u. ö. < crinitum, dieses durch Dissimil. > *cre-
nitum und durch Suffixwechsel > *crenutum,
woraus crenu, grenu. Daneben erscheint in an-
lautender Silbe manchmal:

an: stets in anemi(s) 634 (633), 892 (892) u. ö. und
anoier 5197 (5225), anuiier 7033 (7079), anuit
16631 (16851), anoi 3929 (—), ferner in: am-
parler 767 (767). Durch regressive Assimilation
erklären sich: manace 1717 (1734), 14842 (14955),
manaces 3240 (3261), manacent 13691 (13781),
durch Umstellung der Vokale erklärten wir p. 162:
manecier 1074 (1075), manechant 14441 (—).

in: ist gelehrt in: infernal 10983 (11068), jedoch
echt volkstümlich, typisch für den N. und NO. (cf.
Suchier: Auc. p. 68 Anm.), in: infer 4030 (4053),
8004 (8057), daneben auch das franz.: enfer 8750
(8804) u. ö.

Doppelformen mit en und an begegnen vor ursprgl.
m + Kons.:

assembler 6906 (6949), 7780 (7832) und assambler

---

1) Ein analoges Femininum liegt hier nicht vor, cf. Deklination.

7094 (7140); semblant 914 (914), 8999 (9058) und
samblant 195 (195), 6706 (6747); semblance 326
(324) und samblance 340 (338), 1336 (1347);
assemblé(s) 308 (306), 4696 (4719) u. ö. und assamblés 4600 (4623), 6057 (6193) u. ö., die Beispiele lassen sich beliebig vermehren, das Übergewicht haben etwas die Formen mit a.

Franz. I.

erscheint auch bei uns so, in offener und geschlossener
Silbe:

1) = vlt. ĭ, ī:

saliue 645 (644), fil 580 (579), auis 8456 (8809);
christ 15687 (15747), ille (insulam) 1617 (1628),
occire 7260 (7307) etc.

In Endungen:

Inf.: seruir 16185 (16362) etc.

Perf.: öy (audivit) 8767 (8821), die Schreibung y
statt i begegnet seit Mitte des 13 ", (s. vortoniges i). Statt ursprgl. ié analogisch stets in:
respondi 190 (190), descendi 3347 (3369), descen-
dirent 4238 (4261), atendirent 4238 (4261),
im Reime dagegen ié und i, cf. p. 16 und 29.

-ivus stets > -is: pensis 207 (207), 738 (737),
caitis 818 (818), vis 4029 (4052), aidis 10475
(10552) etc.

-ibilis > -ible: oribles 15942 (16104); vortonig: des-
fubla 4610 (4633), afublé 2274 (2293) ist gemein-
französisch, dagegen die Vokalisierung des Labials
dialektisch: afule 8163 (8216), desfule 7594 (7643),
vortonig: triuler 6661 (6702), triula 907 (907).

-ilis wird in der Sprache des Dichters stets > -is
(cf. p. 6) in der des Kopisten > -ieus (graph.
iex): gentiex 3276 (3297), 3930 (3956) u. ö.,
ebenso: fiex 29 (29), 11224 (11312) u. ö., gentiex
fiex 283 (282), einmal ieu > iu: fils 7424 (7473)

= fius, einmal ciex (= ecce ille + s) 38 (38),
cf. p. 96.

i vor r bleibt i stets in: virge 592 (591), 1939
(1959), 1168 (1197) u. ö., zeigt den sekundären
Wechsel > ie (cf. Neumann Zs. f. r. Ph. XIV, 574)
stets in: cierge(s) 778 (778), 2319 (2339) u. ö.,
chierges 5603 (5636).

2) vlt. ę + i stets > i:
pis 3086 (3105), ist 2833 (2853), 2920 (2939), mire
16129 (16304), respit 824 (824), sire, sjre 11783
(11855), 12840 (12923), pris (pretium) 6653 (6694),
prie 105 (105), analog: pri 1922 (1942) etc.

3. vlt. ę̄ + ī der Folgesilbe > i:
pris 12824 (12907), venis 2271 (2290), il, jl
459 (458), 11823 (11925) etc.

4) vlt. ē nach Palatalis stets > i:
cire (cēra) 277 (275), 2401 (2420), mercis 514
(513), loisir 15914 (16116), päis 1070 (1071), pa-
risis 18206 (18859) etc., analogisch: coile 496
(495), bourgois 17538 (17930).

5) Lat. sic wird neben si auch se 5775 (5809).
Vortoniges i:
liurer 8466 (8519), priuee 586 (585), jrer 5620 (5653),
jromes 11815 (—), lj 10767 (10852) u. ö., jrons 857
(857), gern auch graph. y: Yuorin 12758 (12838),
Ysoré 3182 (3203), yver 1881 (1901), Ysabel 4914
(4937).

e statt i durch Dissimilation: deviser 10358 (10436),
deuisent 1530 (1541) etc.

ié statt i in: abrievé (kelt. Stamm brīga?) 2082
(2101), 2912 (2932) u. ö., niemals abrivé, nach
Koerting erklärt sich ié durch Einfluß von brief.

iu statt i stets in piument (pigmentum) 11030
(11115), 11457 (11551) u. ö. Das u stammt < g,
die Erklärung gibt Wiese a. a. O. p. 50: Beim
schnellen Sprechen wird der Verschluß für g nicht
vollständig ausgeführt, der Zungenrücken geht
nur nach hinten in die u-Stellung, und so kommt

vor dem Schließen der Lippen zu m ein u
heraus.

Über zwischentoniges i in den Futurformen cf. Konjugation.

Ĩ.

= lat. freiem und gedecktem ī vor Nasal erscheint
auch bei uns so:

> prime 1227 (1237), espines 1310 (1321), lime (līma
> = Feile) 10986 (11071), vermine 3457 (3480),
> guimple 3981 (—). Für pin (pīnum) 271 (269) er-
> scheint gewöhnlich die Form: pui 13849 (13944),
> 17319 (17704) u. ö., wo u für n steht, und iu > ui
> umgestellt ist.

ē nach Palatalis: sarrasine 17015 (17288).

> Vortonig: rimoier (germ. rim) 3471 (3494), finer
> (< fin neugebildet) 7367 (7417), graph. gern y : yndois
> 1864 (1883), ymage 7240 (7290), ymagener 3857
> (3882), 3597 (3582), Symon 17736 (18191).

Nachnebenbetonig in: marinier 4616 (4639) u. ö. analogisch nach marine 11555 (11649), daneben marounier
4457 (4480). Man vergleiche dazu: vilenie 10748
(10833) — vilonnie (o nach felon) 1921 (1941),
cf. Diez 636.

Franz. O.

1) = ǫ̆ bleibt auch in unserem Text als:

> ǫ: mors 68 (68), cor (cornu) 380 (378), col 380 (378),
> cors 129 (129), porte 2506 (2525), detort 739 (738),
> noces 13087 (13168), doch daneben auch:
>
> ue: nueces 1115 (1123), 13079 (13160).

2) = vlt. au, es erscheint als

> o: chose 52 (52), 731 (731), parole 285 (283), los
> (laus) 8684 (8717), or 249 (248), Pol 8144 (8197),
> robe 928 (928), 16607 (16818) u. ö. Belege für
> ore, encore cf. p. 125.

Franz. Q.

1) vlt. ō, cl. freiem ō, ŭ.

Dieser Laut ist in seiner Entwickelung bei uns schon auf der 3. Stufe eu angelangt, daneben erscheinen graphisch noch o, ou, worin nur alte Schreibung zu sehen ist.

o: -orem: millor(s) 620 (638), signor 1337 (1348), coulor 6812 (6854), träitor 2646 (2669), (h)ounor 983 (984), lor 414 (413), sore 3979 (4001), (sor 185 (185), desor 419 (419) haben vortonig erhaltenes o.).

-osum: merueillos 4366 (4388) u. ö., mernillose 1935 (1955).

ou: -orem: meillour 3 (3), seignour 942 (942), 1646 (1625) u. ö., coulour 1260 (1270), träitour(s) 557 (556), (h)ounour 5330 (5358), 6653 (6694), lour 11 643 (11 741), aoure 2806 (2826) u. ö., flours 6264 (6302).

-osum: courecous 2430 (2449).

eu: pleure 733 (732), preu 849 (849), neueus 305 (305), seul 1463 (1474), aeure 2784 (2804) u. ö., honneure 8129 (8182), leur 10 074 (10 149), deseure 574 (574), demeurt[1]) 120 (120), demeure 9538 (9610).

-orem: träiteur 684 (683), doleur 10 991 (11 078), meilleurs 9576 (9650).

-osum: hideus 913 (913), glorieuse 2796 (2816), dolereus 6314 (6365), orguilleus 6426 (6466).

eu im Kompositum: preudome(s) 22 (22), 39 (39) u. ö. Niemals erscheint eu, auch später nicht, in:

---

1) Hier liegt etymol. ō zugrunde. Doch erscheint nur äußerst selten korrektes ue (cf. G. Paris Romania X 44), sondern gewöhnlich ou, eu < lat. ō. Die Erklärung s. bei Ehrlicher a. a. O. p. 53: Es findet sehr früh Stammausgleich statt. Das vortonige o dringt in die endbetonten Formen ein und macht dann haupttonig die Diphthongierung > ou, eu im 12. s. mit.

amor 155 (155), amour 1399 (1410), es liegt hier provenz. Einfluß vor.

2) = vlt. ǫ, cl. ged. ō, ŭ, germ. ged. ŭ, griech. ǫ.

ǫ: cort (cohortem) 3244 (3265), estor 2166 (2185), entor 5376 (5406), corre 6203 (6241), cort (currit) 3243 (3264), trestot 923 (923), ior 2390 (2409), 1023 (1024) u. ö., dieses Wort begegnet wie im Reim (cf. p. 22) fast stets mit o.

ou: court (cohortem) 4164 (4187), estour(s) 1180 (1189), entour 11247 (11334), secourre 5816 (5850), court (currit) 1771 (1789), tout 556 (555), iour 6734 (6776), bourc 2866 (2886) etc.

u: crupe (germ. krupp) 14947 (15060), cf. p. 176 Anm.

eu: keurt (currit) 5348 (5377), cf. Verbum.

Franz. ǫ in der Vortonsilbe:

1) = vlt. ǫ:

o: dolour 68 (68), trover 2292 (3311), esprover 2925 (2945), encröer 8074 (8127), nouiaus 2148 (2167), forsenés 8212 (8265), folour 64 (64), corone 7435 (7485) etc.

ou: trouuee 6 (6), esprouuer 2976 (2996), nouuiax 2281 (2300), iouer 3559 (3584), foursener 2288 (2307), fourbanis 11855 (11856) etc.

u: encrüer 5271 (5299), encrüez 13956 (14056) u. ö. culuevres 2624 (2643), in: iüer 112 (112), 4651 (4674), 5568 (5601) u. ö., jüé 16181 (16358) kann auch Einfluß von ju < jocum (cf. ǫu) vorliegen.

2) = vlt. ǫ;

o: nos 15 (15), por 2174 (2193), vos 107 (107), floter (flut) 17715 (18164), torna 3828 (3859), hordëis (hurd) 4397 (4420) etc.

ou: nous 555 (554), vous 1 (1), pour 3231 (3252), tournés 3228 (3249), fourbis 4947 (4980), ourer 8144 (8197), plourer 6809 (6851), douter 797 (797), ou (ubi) 804 (804).

u: maimburnis (germ. mainboro) 624 (623), furnis
16204 (16381), lat. ubi: u 15758 (15880), v 589
(587), 779 (779).

eu: beubant (bo(m)ba) 3825 (3851).

a: pramis 866 (868), eine häufig im O. und NO.
begegnende Form.

Durch Dissimilation erklärt sich sich e statt o in
folgenden Wörtern:

courecié 1255 (1255), courecous 2430 (2449), 4393
(4416), dann auch in die Haupttonsilbe eingedrungen: courece 4373 (4396); dolereus 6117
(6156) u. ö., dolereuse 1920 (1940); honerer 3673
(3698), daneben die Formen mit o(u): couruciés
3428 (3451), hounoree 12357 (12440) etc., ferner
zeigt sich e in: Jehan 669 (668) u. ö.

3) = vlt. au.

o: orrés 44 (44), reposer 3201 (3222), oreilles 3501
(3524), oré 1609 (1620) etc.,

Satztieftoniges aut wird zu:

ou 536 (535), 537 (536), ou-ou 17030 (17297), u
555 (554), so nebeneinander: ou-u 5162 (5190),
u-ou 1012 (1014), v-v 3506 (3529), u-u 3183 (3213).

Franz. Õ.

1) = vlt. ọ, ŏ vor Nasal:

on: canchons 21 (21), courone 974 (975), guerredon
1489 (1500), Rome 8867 (8921), pomes 18320
(18892), donne 328 (326), Hanston(n)e 387 (386),
444 (443), -onem statt -ūnum in: luiton (Nep-
tūnum) 4016 (4039).

oun: couroune 1987 (2007), doune 328 (326), Han-
stoune 56 (56), 385 (384) u. ö.; toune (tunna)
972 (973).

u: pume [1]) 15848 (15977).

---

1) cf. Wiese, Blondel de Nesle a. a. O. p. 96: „Das u erklärt
sich aus der energischen Lippenartikulation der Pikarden: dieselbe
dauert noch an, wenn der folgende Vokal gesprochen wird. So
wird lat. poma > pome > pume. Ebenso wirkt die Labialis auf den
vorausgehenden Vokal: crupe < crope, s. o. p. 175."

en: in calens 1071 (1072), und calenges 1035 (1036) erklärt sich aus den flexionsbetonten Formen des Verbums, z. B. calengier 1199 (1203).

2) = ŏ bezw. erst rom. ǫ vor Nasal:

on: mont 371 (370), pont 13431 (13513), conte (comitem) 375 (374), monte 381 (380), home(s) 399 (398), 366 (365) u. ö., preudom(m)e(s) 17 (17), 356 (355) u. ö.

oum: stets in der Wendung: a loi d'oume (irascu, felon) 432 (432), 3852 (3878), 3862 (3888) u. ö.

Anm. Über on 356 (355) etc., das bei uns stets in dieser Form erscheint, und hom 62 (62), preudom 98 (98) vgl. die Bemerkg. beim Dichter, p. 39.

3) = vlt. au vor Nasal:

on: honte 1589 (1600), 1703 (1720), ont 490 (489), 557 (556), font 542 (541), 3661 (3686).

Vortoniges õ = vlt. o, ǫ, au vor Nasal:

on: honor 44 (44), honeste 15554 (15670), monnés 3325 (3337); nombrer 799 (799), comblé 12826 (12703), Hongrie 13160 (13241); honir 4123 (4146), sommiers (*saumarium) 9895 (9970).

oun: sehr häufig für vlt. ǫ, ǫ, au:

hounors 3482 (3505), houneste 12575 (12652), touner 11212 (11300), oumage 7851 (7903); douner 3104 (3124) u. ö., soumier(s) 3863 (3891), hounir 4448 (4471), houni 476 (475). Besonders häufig nach-nebentonig:

pautouniers 3877 (3903), felounie 128(128), danach: vilounie 1921 (1941); girouné 10021 (10096), parcounier 14912 (15026) etc.

un, um: pumier(s) 1044 (1045), 10959 (11044) u. ö., pumel 17676 (18122), pumelé 10612 (10688), pumeri 10959 (11044), plunjon 5362(5401), Hungrie 12544 (12621).

en: in nen neben haupttonigem non, cf. Negation p. 84; in men, ten, sen neben mon, ton, son, cf. Possessivum p. 73.

12

Google

oin:vor ss in roinssoi (rumicem + ętum); über oingement 4479 (4509) cf. ng unter Konsonantismus.

Franz. U

erscheint auch bei uns als u:
= vlt. u:
obscure 782 (782), jurent 13157 (13238), couuer-
tures 9210 (9273), asur (lazward) 4906 (4929).
Vortonig: mucier 6125 (6161).
ui statt u im sek. Hiat vor i: escuiier 10617 (10693),
10937 (11022), escuiiers 109€0 (11045), 10866
(10953), daneben auch die gewöhnlichen Formen:
escuier 10914 (10999), escuiers 10957 (11042).
ui statt u ferner vor ss, s: fuisse 155 (152), 995
(997) u. ö., fuissiés 844 (844) etc., fuissent 636
(635); pluisor 5381 (5411) u. ö., pluisors 16859
(17096), pluiseur 11500 (11594), pluiseurs 6707
(6748) u. ö.

Niemals ui vor st: fust 153 (153), u. ö., fustes 8745
(8799). Dieselben Verhältnisse zeigten sich bei a, cf. p. 160.
In der ui-Klasse der starken Verba erscheinen gewöhnlich wie im Franz. Formen mit u: iut, jut 124 (124),
15397 (15412), estut 9184 (9247), dut 2309 (2328), durent
10155 (10229) etc., doch zweimal entwickelt sich iu (wallon.
Formen): liut (licuit) 2121 (2142) und liut (leguit) 278 (276).

Franz. U

ist ebenfalls bei uns:
un: un(e) 896 (896), 972 (973), flun 3456 (3479),
fortune 11340 (11429).
Vortonig: fumee 5469 (5501), alumee 1171 (1179). Lat.
frumentum erscheint als fourment 8631 (8684).

b. Diphthonge.

Franz. Ai

begegnet als
ai: maistre 789 (789), paistre 2454 (2473), plaist
2969 (2988), palais 583 (582), entrait 9847 (9922),

vraie 12 429 (12 506), plait 520 (519), graph. ay:
lay (laicum) 2636 (2655), may (majum) 1758 (1776).
a: begegnet haupttonig einmal: je ira 1822 (1840),
sonst stets irai 15 648 (15 742), donrai 8525 (8573),
kerrai 17077 (17 377) etc. Wir sehen also, daß
diese, in den östlichen pikardischen Unterdialekten
(cf. Foerster: Chev. as II esp. p. XXX III) und
besonders im Lothringischen (cf. Apfelstedt a. a.
O. p. XVI) so häufige Reduktion von ai > a in
unserem Dialekt nicht heimisch ist.

  ę < ai erscheint bei uns noch nicht. Wichtig ist hierfür
die Bemerkung Suchier's Auc. p. 60: „Noch nach der Mitte
des13ₛ zeigen pik. Urkunden den Diphthong ai mit solcher Consequenz, ihn nie durch e vertretend, daß es nicht zu gewagt
sein wird, hieraus auf die Aussprache einen Rückschluß
zu machen. Pik. ai lautet noch diphthongisch zu einer Zeit,
wo Normannisches und Französisches ai längst den diph-
thongischen Wert eingebüßt hatten". Eine Ausnahme
hiervon machen bei uns, wie allgemein (cf. Suchier Gr. p.
38), die beiden Wörter:

  aqua: gleich häufig als: ęue 946 (946), 1774 (1789),
    2576 (2595), 1329 (1380) u. ö. und mit dem Gleit-
    laut a als: iaue, iave 926 (926), 1435 (1446), 3118
    (3137), 18 160 (18 802) u. ö. erscheinend, ferner:
  lacrima: nur als larme 25 (25), 17 763 (18 219),
    larmoiier 6584 (6626), 12 565 (12 637) begegnend.

  In diesem Wort ist nicht Reduktion von ai > a eingetreten, sondern ai früh > ę und dann vor r zu a geworden. Die primäre Form lairme ist überhaupt nur
selten belegt, sie begegnet z. B. Aliscans 119.

  Vortoniges ai erscheint als:

  ai: taisir 604 (653), sairement 8395 (8448), plaissiés
    15 585 (15 695), chaitif 1638 (1653), chaiens 6866
    (6959), laiens 4041 (4064) stets nur in dieser Form.
  e: begegnet nach Palatal, wie allgemein: gesir 2721
    (2741) u. ö., gesine 11 735 (11 837).
  a für ai einmal: reparier 7891 (7943), sonst aber

stets repairié 376 (375), 9160 (9225) u. ö. Für
esclarie (*es-clariatam) 714 (713) neben dem gewöhnlichen: esclairie 1236 (1245), 1241 (1251) u. ö.
ist Einfluß des daneben vorkommenden Verb.
esclarcir 857 (857) anzunehmen (cf. Sander a. a.
O. p. 80).

Franz. Aï

erscheint auch bei uns als
ai: germains 1448 (1459), putain 2754 (2774), faim
3898 (3924), ataing 13 716 (13 806), compaing 10 967
(11 052), ataindre 2527 (2947) etc.

Vortonig:
Franz. ainçois lautet bei uns in pikardischer Weise
nur ançois: 9724 (9798), 10 704 (10 800), 12 039
(12 141) u. ö.

Franz. Ei (später Oi)

erscheint bei uns gewöhnlich in der Gestalt oi selten daneben als ę.
1) = vlt. ẹ.
mois 489 (488), noirs 870 (870), oirre (iter) 9096
(9156), 3 pers. d. Verbums: 2837 (2857), proie
7937 (7995), foible 2762 (2782), espoi (spIt) 3918
(3944). Neben vëoir, sëoir erscheinen auch im
Versinnern vëir, sëir, cf. p. 129. Stets wie im
Franz. die Endungen des Impf. und Cond.: fïoie
3153 (3173), amoie 3545 (3576), lairoie 843 (843) etc.
2) vlt. ę + i:
rois 24 (24), destroit 3951 (3927), fois 5413 (5444),
doi (digitum) 1871 (1890), orfrois 1862 (1881),
-iscum wird ebenfalls meist > -ois: françois 1815
(1833) u. ö., englois 12 275 (12 369), gregois 4499
(4522), 4502 (4525), harnois 11 561 (11 655), dieses,
wie auch sonst, als harnas 7298 (7345), seltener
begegnet daneben -iscum + s > -eis, > -ęis, > -ęs:
englés 6163 (6199), 18 434 (19 117), fres (frisk)
10 265 (10 340). Vgl. hierzu Schw-B. Gr. p. 123:

„Die Grenze westfranzös. ei- und des östl. oi-Ge-
bietes berührte die Hauptstadt." Es ist daher nicht
statthaft, diese Wörter als Normanismen zu betrachten.

Vortoniges oi:

1) = vlt. ę + i:

oi: poisson (piscionem) 552 (551), loisir 2216 (2235),
noielé(s) 2915 (2935), 7800 (7852), daneben erscheint,
wie auch sonst, ohne i: neelé(s) 445 (444), 5927
(5961); stets ohne i im Altfranzösischen: seeler 6678
(6719), seelé 2401 (2420), cf. Schw. B. Gr. p. 96.
In envoiier 2863 (2883) ist oi aus den stammbetonten Formen eingedrungen.

i: vor ss: pisson (piscionem) 4805 (4823).

2) = vlt. ę + i.

oi: moitié 3267 (3288), poitrine 5678 (5711), proisier 7899 (7951), proiiés 9045 (9100) u. ö.

i: sehr häufig infolge Stammausgleiches in: priier
9259 (9327) etc., prisier 1057 (1058) etc. und stets
in den flexionsbetonten Formen des Verb. issir:
issi 10948 (11033), issirent 5756 (5782), istroit
14017 (14125), weitere Formen cf. unter diesem
Verbum p. 97.

Lat. aeque sic erscheint gewöhnlich als: ensi (mit un-
organ. n) 349 (347), 11510 (11605) u. ö., ensement (ensi +
mente [1]) 13444 (13526), einmal: onsi 14362 (14406), doch
daneben auch ohne das analog. n als: is(s)i 11559 (11638),
11768 (11870), is(s)ifaitierement 11611 (11708), 11537
(11631).

3) vlt. = a + i.

Es handelt sich um die Endung -ationem, die in mehr
als zweisilbigen Wörtern durch die Mittelstufe -eison hindurch
sich > -oison entwickelt, bei uns aber häufiger noch weiter
> -ison abgeschwächt wird:

oi: ocoison 10849 (10934), rouuoison 8753 (8807).

---

1) Gegen diese Etymologie spricht: Friedwagner, Raguidel a. a.
O. Anm. 6089.

i: vengison 260 (259), orisons 2388 (2407), 2801 (2821), pamison 10970 (11095) etc.

Franz. Eï

ist bei uns fast ausschließlich zu aï weiterentwickelt, es hat jedoch nie die Stufe oï, wie im Ostfranzösischen erreicht. Es entspricht:

1) vlt. ẹ vor Nasal:
   auaine 1812 (1830) u. ö., painnes 2889 (2909) u. ö. mainnent (minant) 1258 (1268), sain (sinum) 3576 (3601), Magdelaine 666 (665), fain 3298 (3319), plains 161 (161), frain 2827 (2847) u. ö. Neben: chaaine (catēna) 1641 (1656), caaine 13566 (13654) findet sich die jüngere Form: caïnes 2870 (2890), 12678 (12756), vgl. dazu Cohn: Suffixwechsel p.52.

2) vlt. ẹ + i vor Nasal:
   taint 2935 (2955), chainst 378 (371), estraint 7187 (7234), destraindre 2600 (2619, empaindre 7721 (7772), enchainte 10191 (10265), sainne (signat) 3144 (3164), saingles 8284 (8337), vaintre 8755 (8802), vaint 16845 (17137) etc.

   eï nur zweimal, in: preing (prendio?) 12134 (12235) und: enseigne (insignia) 6333 (6373).

Vortonig erscheint:

ai gewöhnlich: ensaignié 74 (74) u. ö., faintié 347 (349), gaignierent 7224 (7271), sainier 5959 (5993), chainture 3258 (3279).

ei nur: enseignier 12430 (12567), 13435 (13518).

Franz. Jé

erscheint auch bei uns stets so, eine Vereinfachung zu e, die nach den Affrikaten tš und dž und nach ĺ, ī, seit dem Ausgang des 13s [1]) eintritt, läßt sich an keinem Beispiel unseres Textes beobachten.

Die Quellen des Lautes sind:

---

1) cf. Schw.-B. Gr. p. 127.

1) vlt. u. roman. ẹ̄:

briéf 264 (262), chaiiére 2890 (2910), ciel 2920 (2945), liés, ljés 284 (282), 14177 (14281) u. ö., Piere 9496 (9568), fief 1031 (1032), iés, jés[1]) 2519 (2538), 4021 (4044), iert (erit) 13056 (13089), iere (eram) 8331 (8384).

2) = vlt. ā in den Fällen des Bartsch'schen Gesetzes: chief 472 (472), laissierent 1231 (1241), pechieres 9884 (9959), cherquierent 16130 (16305), angoissiés 3042 (3061). Neben ii wird auch bloß i geschrieben: poiier 11170 (11258) und proier 11186 (11274); traiiés 8796 (8849) und traiés 8866 (8920); donriiés 1515 (1526) und donrrïés 6640 (6681) etc.

Franz. iée erscheint, wie beim Dichter, ausschließlich als íe:

maisnie 586 (585), cauchie 3862 (3888), archies 3039 (3058), mengie 11779 (11881), laissie 14141 (14245), auch so vlt. ẹ̄ + a: lie 974 (975), 3817 (3843), und lïement 7856 (7808).

Wie im Reime, finden sich nebeneinander:

pitié 53 (53) und pité 9570 (9643) u. ö.

amistié 8618 (8671) und amisté 3529 (3554).

-arius hat, wie im Franz., zwei Entwickelungen, es erscheint als:

a) -ier: destrier 425 (425), escuier 1183 (1192), camberiere 5120 (5148), riuiere 9855 (9930), stets auch estrier (cf. Dichter p. 30) 1984 (1954), 2828 (2848) u. ö.; statt -erjum: moustier(s) 1019 (1020), mestier 11247 (11436), und stets so. Neben gewöhnlichem: entiers 16152 (16327), 18172 (18821), selten, wie auch im Reime, das pik. entirs (lautgesetzl. < integrum + s) 17523 (17913), 18011 (18572).

b) -aire (gelehrt):

douaire 7221 (7268), luminaires 10011 (10086),

---

1) daneben auch die satztieftonigen Formen: es 3242 (3262) u. ö., ert 761 (760), ere 503 (502).

viaire 12524 (12601) u. ö., bersaire 13794 (13888) etc.

Franz. Jẽ

erscheint auch bei uns so:

1) vlt. ẹ vor Nasal:
    bien 2 (2), 16 (16), riens 153 (153), 284 (284), vienent 779 (779), crient 13322 (13404) etc.

2) vlt. ā vor Nasal, wenn dem a ein Palatal oder i vorangeht:
    paiien(s) 2933 (2953), 4215 (4238) und paien(s) 1942 (1962), 2923 (2943); crestiien(s) 14324 (14440), 16118 (16293), anciiene 9828 (2903), Orliens 16345 (16538) etc.

3) auch die Formen des Konj. Praes. von venir und tenir zeigen stets ié, cf. Konjugation p. 102, 103.

Franz. Jeu

tritt bei uns in verschiedener Gestalt auf, wir unterscheiden nach den Quellen des Lautes:

1) = vlt. ẹ + u:
    ieu: dieu 826 (826), damedieu 11067 (11156), diex 814 (814), Andrieu 373 (371), lieues (leuga) 5080 (5198) u. ö., lieue 2941 (2961), 17467 (17857), espiex (spĕut) 4453 (4477) u. ö., etc., für u steht graph. l in: espiel 7327 (7374), 9359 (9525). Häufig begegnen daneben dialekt. Formen mit:
    iu: liue 2841 (2861), 4014 (4037), 5878 (5912), liues 3872 (3896), 18285 (18952), auch: liuetes 4619 (4942), triue (treuwa) 324 (322) u. ö. Formen des Possessivum: siue 2998 (3017), 7520 (7570), siues 16852 (17099), tiue 9807 (9882), il für iu zweimal in: espil 2083 (2102), 2830 (2850), also = cas. obl. zu einem Nominativ: [espils].
    ui durch Umstellung < iu einmal in: suie 59 (59) = siue, umgekehrt iu > ui cf. p. 173.

2) vlt. ẹ + l, das vor Kons. > u wurde.
    ieu: miex 153 (153) u. ö., viex 65 (65), mieudre 85

(85), 87 (87), graph. l für u: mieldre 14 137 (14 241) etc. Nur einmal in diesem Falle:
iu: mius (melius) 17 356 (17 743).

3) vlt. o + l + Kons.:

ieu: iex (oculum + s) 5170 (5198), 5584 (5617), 6270 (6311) u. ö., sieut (solet) 5972 (6007), häufiger erscheint dafür

eu: ex (oculum + s) 5079 (5107), escuireus 4010 (4033), aqeut (ad-colligit) 7497 (7547), deus (dolum + s), 11 218 (11 306), veus (voles) 3241 (3262) u. ö., veut 2286 (2305) u. ö., oft l für u: dels (dolum + s) 488 (487), delt 100 (100), vels 6225 (6262), velt, uelt 390 (389), 2672 (2691).

uel, wo l graph. für u steht: esquelt[1] (* es-colligit) 4256 (5275), orguels 6527 (6567), 10 231 (10 306).

4) vlt. ọ̣ + u:

ieu: gieu 1785 (1803), lieu 4863 (4886), 9395 (9461), liex 5125 (5193), 5389 (5420); lieuent[2] 5823 (5857), vortonig dafür auch

iu: liuer 4792 (4795).

ui durch Umstellung von iu in:
ne la (sc. Josianè) porrés nului miex assener 6624 (6665): nului < nul lui < nul liu < nul lieu, vgl. dieses V. 7021 (7067). Vgl. hierzu auch Stimming: Der anglonorm. Boeve de H. p. 203.

eu: keus (cocum + s) 206 (205), 351 (349), feu (focum) 1319 (1330), 7400 (7449) u. ö., dafür häufig auch:

u: fu 847 (847), 7655 (7706), 13 018 (13 099), fus 14 464 (14 582), ju (jocum) 5693 (5726), 5701 (5735).

---

1) Es ist nicht nötig, hier die Schreibung qu für c anzunehmen. Formen mit dem Triphthong sind mehrfach belegt, cf. Suchier Gr. p. 52 sq.
2) locant ergibt lueent; lieuent erklärt sich nach lieu (loco). Dieses Verb, wie jocare, ist anfänglich dem Stammausgleich unterworfen, cf. Suchier, Auc. Anm. 47.

Franz. Oi.

1) = vlt. au + i:

ioie 301 (299), 986 (988), noise 408 (407), poi (vielleicht < einem alten Nom. [pois] < paucum + s gebildet) 464 (463), 2899 (2919), 3413 (3437), 6499 (6539) u. ö.; pou begegnet nicht, einmal aber dafür: pau, cf. p. 189.

2) vlt. ao + i:

vois 17017 (17301), voist 17109 (17423).

3) vlt. a + ui in der 1. Sg. Perf. der III. st. Konj.:

oi (habui) 9878 (9953), 17392 (17780).

4) lat. -ōria ;und -ŏria:

oi: gloire 13986 (14087), 17280 (17659) und estoire 23 (23), 50 (50), 12572 (12649), in diesem Worte ebenso häufig auch reduziert >

o: estore 9 (9), 15567 (15782), 15568 (15684) u. ö.

Franz. Qi.

= vlt. q + i erscheint auch in unserem Text als

oi: crois 1302 (1330), boiste 265 (264), connoist 13277 (13359), vois 4070 (4093), coiffe (kuphja) 5269 (5290), bois 350 (349) u. ö., die Form erklärt sich nur aus dem Nom. boscum + s, der Acc. ist nicht erhalten; apostoile < *apostolium für apostolicum) 17972 (18518). Die Reduktion >

o: zeigt sich häufig bei boscum + s: bos 2382 (2411), 7 mal in dieser Form. Dagegen ist hier nicht herzurechnen: apostole 2893 (2913), da dieses Wort auch ¦im Franz. ganz gewöhnlich Formen mit oi und o hat[1]); es bestehen im Altfranz. also 2 Formen.

Die Endung -uculum begegnet als:

oil: veroil (veruculum), daneben erscheint dieses Wort als: vereil 13567 (13655), 14038 (14141) und + s als: vereus 6985 (7030) und veraus (cf.

---

1) Belege bei Ebeling a. a. O. p. 135.

solaus, consaus etc. p. 165) 8780 (8834). Die
Formen mit e(i) erklären sich aus dem Verbum
vereillier, wo e Stütz-e in nebentoniger Silbe ist.
Die Endung -eus in vereus kann auch aus -ólium +s
entstanden sein, indem 'statt veruculum ein *vero-
lium anzusetzen ist. Diese Erklärung gibt: A.
Stimming: Boeve Fassg. I, Anm. zu V. 571. Ebenfalls erklärt sich ageneille (ad-genuculat) 15457
(15573), 18051; (18678) nach ageneillier.

Vortoniges oi entspricht:

1) = vlt. o + i:

   oi: loiier (locarium) 2566 (2585) u. ö., apoiier
     1043 (1044), anoiier 6024 (6059), 9239 (9307) etc.

   ui: puiié 10451 (10528), anuiier 7033 (7079), puis-
     sons 841 (841) etc. nach den stammbetonten
     Formen. Gemeinfr. sind: cuisine 199 (199) nach
     cuire; nuisance 1391 (1402) nach nuire.

2) vlt. au + i:

   oi: coisir (kausjan) 608 (607), boisdie 698 (697),
     boisie 6354 (6394) < germ. bausjan, einmal er-
     scheint

   i vor ss: croissi (kraustjan) 2436 (2455), wo der
     Kopist das o der Vorlage durch (den Punkt ge-
     tilgt hat [1]).

3) vlt. o + i:

   oi: angoissier 6099 (6134), connoissés 17682 (18130)
     etc., cf. dieses Verbum p. 110, oi vor ī statt franz. o:
     ueroillier 2671 (2690), desveroillié(s) 14092 (—),
     15837 (15966), agenoillier 3271 (3292), 9176
     (9239), vgl. dazu die Anm. p. 161.

   ui: puison (potionem) 551 (550), puisons 164 (164),
     195 (195) u. ö., empuisonnerent 10388 (10465),
     fuison (fusionem) 17607 (16818) u. ö.

   i: connistras 895 (895) etc., cf. Verbum, connissances

---

1) o statt oi gemeinfrz. in otroiier 774 (774) < auctoricare erklärt sich vielleicht durch Dissimilation (Stimming); *autoricare, das
gewöhnlich angesetzt wird, hätte [orroiier] ergeben.

9204 (9267), vor Î: agenillier 5187 (5215), 8821 (8875) u. ö., agenillons 8733 (8787), agenillie 16968 (17245), agenillant 13587 (13675).

Franz. Oị

entspricht

1) = vlt. ọ + i < n̄ im Auslaut oder vor Kons.

oi: soing (sonium) 1789 (1807), besoing 11808 (11910), auch mit e: besoinge 1842 (1862), essoine 12750 (12830), welche Formen Körting (cf. Etym. Wörterbuch) als Kreuzung von sonium und got. sunja erklärt; moine, moigne (*moni[c]um = Kontamination von monachum¹) + canonicum), loing (*lonje, cl. longe) 2841 (2861), loins 3705 (3730), 16241 (—). Daneben erscheint die pikardische Reduktion von oi >

o: lons 3226 (3247), auch in lontain 1431 (1442) u. ö.

2) vlt. ọ + i vor Nasal:

oi: poins (pugnum + s) 5071 (5099), 6311 (6352), poing 227 (227), ioinst 2807 (2827), oinst 908 (908), iointes 6297 (6338) etc., und

ui: puins 3122 (3141), 3226 (3247), 4519 (4542), 6061 (6096), 6304 (6345).

Vortonig: neben oi: poignons 1960 (1980), 3078 (3097), poigneur 56 (56) etc. einmal ui: apuignie²) 15826 (15253).

Franz. Ou.

1) = vlt. a + u erscheint im Text als:

o: esclos (sclagum + s = germ. sklak) 406 (406) und

---

¹) Erklärung des Herrn Geh. Rat Stimming.

²) < inpugnatam, es liegt bei uns Suffix-Vertauschung von *in* und *ad* vor, was im Pikardischen, besonders aber im Anglo-Norm. häufig ist.

au: clau (clavum) 10155 (10229), claus 1888 (1909), 4518 (4541), 7924 (7976), ebenfalls in: claufichier 17289 (17669).

2) Im Perf. der 3. starken Konj. findet sich in der 3. pers. sg. und plur. analogisch nach der 1. pers. nur

ọ: ot 265 (263), rot 1478 (1489), pot 2728 (2748), sorent 6508 (6548).

3) = vlt. au + u:

au: trau (traugum) 7395 (7444), pau (paucum) 16263 (16443), sonst erscheint dies Wort stets als: poi, cf. p. 184.

eu: treu (traugum) 1791 (1809).

4) vlt. ọ + u (< l vor Kons.). Dafür erscheint mit großer Regelmäßigkeit:

au: vaurrent 745 (744) u. ö., taut 6453 (6493) u. ö., vaut 354 (352), 1421 (1432) u. ö., vauc 17395 (17782), caup (*colpum) 9778 (9853), 17006 (17290) u. ö., caupe 17000 (17284), recaupe 2605 (2624), besonders auch in vortoniger Silbe: cauper 745 (744), 843 (843) u. ö., decauper 795 (795), saudee 1011 (1013), 4847 (4869), saudoier 5091 (5119) u. ö., missaudour 60 (60), vauti(s) 890 (890), 11397 (11491) etc., sowie stets im Fut. u. Cond. von voloir und tolir, cf. Konjugation p. 114, 115.

ọ + d'l, t'l > oll: mollé 7458 (7507), 7603 (7652), croller 7988 (8041), crollee 14243 (14351), doch erscheint auch in diesem Falle

au: maullé 8922 (8976), craullant 150 (151).

Franz. Ọu.

= vlt. ọ + l vor Kons. begegnet als

ou: genous 16351 (16545), douce 749 (748), coupe (culpam) 3434 (3477), für u steht oft l, cf. Belege unter l. Lat. multum erscheint als: mout 8603 (8656), gewöhnlich steht dafür die Kürzung: ml't.

Vortonig wird ebenfalls ou geschrieben: poucin 4084
(4096), coutiaus 1081 (1084), auch coultel 2194 (2213) mit
überladener Schreibung. In saullers (subtularem + s) liegt,
da der Stamm ǫ hat, „unberechtigte Ausdehnung dialek-
tischer Gestaltung" vor, cf. Raguidel Anm. 101.

Franz. Ue.

= vlt: ọ, zeigt sich auch bei uns gewöhnlich als

ue: puet 3 (3), estuet 366 (364), buef 883 (883),
912 (912), cuer 170 (170), illuec (elloc) 1020
(1021), trueue 174 (174), faudestuef 10272 (10247).

Vor Muta + Liqu.: ueure 1461 (1472), culuevres
2551 (2570), fuerre (fodr) 9432 (9500), pueples
10024 (10097); vor l + j: ueil (oculum) 3128
(3148), acue[i]llent 1578 (1589), 12543 (12620),
dueil 16274 (—) einmal, es ist Verbalsubstantiv
zu doloir, sonst erscheint regelmäßig duel (dolum,
M.-L.) 7931 (7983) u. ö., orgueil 9939 (10014), vuel
790 (790) etc., seltener erscheint

oe: auvec 178 (178), 244 (244), 449 (448), avoeques
2730 (2730), 12574 (12651) in diesem Worte fast
immer; sonst: oés (opus) 10934 (11019), loés (elloc + s) 7690 (7741), troeue 18309 (18997); vor
Kons. + r: oeure (Verbum) 8791 (8845), (Subst.) 11311
(11400), 15846 (15975), manoeure 6543 (6584);
vor l + j: oeil (oculum) 554 (553), 9732 (9807),
uoeil (voleo) 1068 (1069), uoeille 7086 (7132).

e: auec 16547 (16753), wo das u von dem vorhergehenden Labial aufgenommen ist.

eu: heuses▌(hǫsam + s) 5499 (5531).

u: in der bekannten pik. Form: pule (populum) 14817
(14917), wo p > u vokalisiert ist und sich mit
u < ue verschmolzen hat (pueple s. o.).

ọ ist gemeinfranz. nicht diphthongiert in: rose 143
(143), rousseignol 144 (144), gaiole (caveola) 5450
(5481), bei uns ferner niemals in: ione (jovenem)
3608 (3633), iouenes 151 (151), iouene 10315 (10392),

in Analogie nach: jouenece 114 (114), ionete 111
(111), wo o vortonig erhalten ist, (cf. Schw.-B.
Gr. S. 58,2).

vortonig erscheint:

ue: vueilliés 6814 (6856), orgueilleus 9625 (9692),
pueplés 16815 (17053) etc., in Analogie nach haupttonigen Formen.

i: orgilleus 6426 (6466).

Franz. Uẽ:

erscheint auch in unserem Texte als:

ue: quens (comes) 15724 (15840).

lat. bonum-a begegnet mit

o als: bon (Subst.) 188 (188), bon(n)e 2 (2), 1911
(1933), 3853 (3879) u. ö.

ou als: boune 18016 (18577).

oi als: boine, häufig so 661 (660), 9417 (9485), boines
6984 (7029), Bonefoi 3498 (3521), deboinairement
10654 (10730). Nach M-L. Gr. S. 35 ist boin [1])
die betonte pik. Form (also nur Variante von buen),
bon die unbetonte Form. Ferner erscheint o: in
son (sŏnum) 12732 (12813), sonent 8530 (8583),
cf. õ beim Dichter, p. 24.

Franz. Ui.

1) = vlt. ui, u + i; es erscheint als:

ui: destruire 1574 (1585), luist 17719 (18168), fruit
1461 (1472), qui (cui) 15549 (15665), cestui 18131
(18764), fui 10760 (10845) etc. Halbgelehrt in:
ruiste 290 (293), uis (*ūstium statt ostium) 7384
(7434).

iu: im Personal-Pronomen liu (= lui) 960 (−).

oi: troite (trūcta) 350 (348). Neben gewöhnlichem
doi und andoi, ambedoi erscheint selten -ui, cf.
Zahlwort p. 67.

2) vlt. o̦ + i erscheint als:

---

1) Man kann aber boin auch als bon + parasitischem i auffassen.

ui: puis (postea) 555 (554), pui (podium) 293 (291), mui (modium) 4206 (4229), anui 10708 (10784), cuisses 457 (456).

oi: apoie 1029 (1030), anoi (Subst.) 3929 (—) nach den endbetonten Formen. In diesen Verben tritt der Stammausgleich sehr früh ein, cf. Ehrlicher a. a. O. p. 58. Geblieben ist engl. to anoy.

Vortoniges ui erscheint auch bei uns so:

luisant 8408 (8461). Für embuissier 1824 (1842) und embuiscier 6496 (6565) sind die Etima imbuscare und imbusciare anzunehmen, ui und u erklären sich also lautgesetzlich [1]).

cuivers 6201 (6237), 6286 (6327) u. ö. erscheint bei uns nur, wie gemein-franz. gewöhnlich mit ui statt u. Das ui erklärt sich folgendermaßen: collibertum > culvert > cuvert (so belegt in der Hs. W, cf. daselbst unter o), für cu ist im afrz. häufig qui eingetreten, so auch quivert, das belegt ist. Später ist dann q wieder durch c ersetzt worden und so entsteht: cuivert [2]).

c. Konsonanten.

Liquiden.

Franz. L

L vor Kons. ist in unserem Texte entweder zu u vokalisiert, oder als l erhalten, oder spurlos geschwunden [3]).

1) l > u.

Nach a: auques 524 (523), chaut 723 (722), ausnes 1037 (1038), cheuaux 3430 (3453), mautalens 7844 (7896), Amaurris 8232 (8285), sauver 16247 (16426), maus 11430 (11524) etc.

Nach ę: + a (> eau iau): biaus 192 (192), hiaumes 9727 (9802), Arondiaus 1674 (1690) etc., cf. weitere Beispiele p. 164.

---

1) cf. Aiol 10074.
2) cf. Ebeling a. a. O. p. 138 sq.
3) cf. Neumann a. a. O. p. 65.

Nach ẹ: cheueus 888 (888), 2673 (2692), peus, pex
3248 (3269), 6562 (6603), mortex 9258 (9326),
15079 (15192), tex 8992 (9055), afeutree 573 (572)
etc.; ẹ + Gleitlaut a > iau, cf. p. 165.

Nach i: viuté 3183 (3204), 14693 (14807), viutance
12212 (12315), í + l + s > ieus: fieux 29 (29),
11124 (11312), gentiex 2372 (2391), 3276 (3297),
ciex (cil + s) 38 (38).

Nach ọ: caup (colpum) 9778 (9853), cauper 745 (744),
3240 (3261), saudee(s) 4814 (4837), 4847 (4869),
etc., cf. ọu p. 189.

Nach ọ: outre 536 (535), coute (*culcita) 1256 (1266),
coupe (culpa) 3434 (3477), douce 749 (748), 2266
(2285), genous 16351 (16544), cf. ọu p. 189, 190.

Nach ue: iex (oculum + s) 3525 (3246) u. ö., sieut
5972 (6007), aqeut 7427 (7547) u.ö., deus (dolum + s)
11218 (11306), escuireus 4013 (4033) etc.

Nach ié: mieudre 85 (85), 13312 (13394), viex 6011
(6046), miex 153 (153), 843 (843).

2) l graphisch erhalten:

Nach a: malmis 2738 (2758), mals 36 (36), maldie
163 (163), chevals 15866 (16000), Amalris 8232
(8255), saluer 12306 (12400) etc.

Nach ẹ: elme(s) 402 (401) u. ö., pels (pellem + s)
8855 (8909).

Nach ẹ: mortels 856 (856), tels 8 (8), 16073 (16245)
u. ö., quels 9257 (9325) etc.

Nach ọ: fols[1] 1506 (1517) u. ö., colpé(s) 3075 (3094),
5159 (5187), cols[1] (collum + s) 2050 (2069) u.ö.,
soldoier 2564 (2583) etc.

Nach ọ: dols (*dulcium) 1481 (1492), 5284 (5312) u.ö.,
coultel (ou = ọ, oder o + u + l) 2194 (2213).

Nach u: sepulcre 2816 (2836), muls (mulum + s)
13096 (13178).

---

1) In diesen beiden Wörtern scheint niemals das pik. au eingetreten
zu sein (cf. Godefroy), und zwar aus dem Grunde, weil dadurch eine
Verwechselung mit faus < falsum u. caus < colpum + s eintreten könnte.

13

Nach (u)e: esquelt 4256 (4275), orguels 6527 (6567), vels 6225 (6262), dels (dolum + s) 11052 (11137) u. ö.

Nach i: fils 7424 (7473), vilté 3076 (3095), 7146 (7193).

Nach ié: ciels (coelum + s) 7499 (7549), mieldre 14137 (14241).

3) l spurlos geschwunden:

während im Reime l vor Kons. stets gefallen ist, zeigt sich im Versinnern der Ausfall nur nach:

ę: tes (talem + s) 16015 (16176), nur einmal, sonst tels, tex; häufiger aber nach:

̣: cop (*colpum) 468 (467) u. ö., coper 5076 (5104) u. ö., copé 472 (471) u. ö., decopé 3032 (3051) u. ö., rousseignos 1762 (1780), sot (solet) 5972 (6027).

u: nus 786 (786), pucele 1869 (1888), sepucre 2798 (2818).

Der Eigenname St. Omarus erscheint als: Aumer 11240 (11327), 11311 (12405) u. ö., Olmer 8784 (8838), 9064 (9124), und Omé: é 16365 (16559) also, als wenn etymol. ein l zugrunde läge.

Nach dem Hauptton erscheint franz. intervok. l bei uns auch als einfaches:

l: praiele 1768 (1782), nouuele 997 (998), gonnele 2800 (2820), chapele 7419 (7468). Der Eigenname Aegidius erscheint als: Gile 12760 (12840) und Gille 11645 (11744), 11639 (11738).

Vor dem Ton erscheint meist:

ll: Apollin(s) 4405 (4428), 4537 (4560), Mompellier 6188 (6224), 12549 (12624), mallëir 14193 (14297), mallëurés 818 (818), 2741 (2761), sollempnité 10540 (10616), sowie stets in: illuec 1020 (1021), 5132 (5160), 12648 (12725), illueques 848 (848) u. ö. Nur selten in diesem Falle l: maléis 4583 (4607), maléir 14178 (14283).

ll: ebenfalls $<$ d'l, t'l durch Assimilation: mollé
(modulatum) 7458 (7507), maullé 8922 (8976),
sollers 883 (883), saullers 912 (912), croller 7988
(8041), crollee 14243 (14351). Neben Biauliant
7514 (7564), 14771 (14885) erscheint Biaulliant
14963 (14063) und Belleem 15255 (15570). Neben
espaules [1]) 8156 (8209), 9760 (9825), auch espaulles
8156 (8209).

nll $<$ ngl.: Ausser franz. estranglé (strangulatum)
13517 (13596) erscheint stets: estranllé 3184
(3205), estranller 6844 (6886). Zu branllé (brand)
15899 (16043) vgl. Foerster Z. f. r. Ph. II. 170.

Über ll $<$ (s)l vgl. s.

Für l stehen einzeln andere Kons.:

l $>$ f im Auslaut: faudestuef (faltstuol) 10272 (10347)
17478 (17868).

l $>$ r: im Anlaut: gemeinfr. in rousseignol (lusci-
niola) 144 (144), doch besteht im afrz. auch lous-
signol. Nach Konsonant:

apostre (apostolum) 1351 (1362), 1955 (1975), 5511
(5543), daneben das volkstümliche: apostle 1410
(1421), 1422 (1433), aigre (aquilam) 15028 (15142).

l $>$ s: Yvorins *se* ($=$le) lieve 14431 (14450) $=$ graph.
Assimilation.

l ist gefallen im Anlaut gemeinfr. in: asur (lazward)
4906 (4929); im Inlaut infolge Dissim. in: foible
2762 (2782), afeblis 2959 (2779), queuilles 4556
(4579).

Der Eigenname: Noire Comb*l*e 11425 (11518) 12752
(12831) erscheint auch ohne l: Noire Combe 11486
(11580).

Unorganisch ist l in:

Et j'en ai cent qui[l] sont preu ... 4832 (4864).
Une fille qui[l] Flourete avoit non 17665 (18105).

1) Nach M-L. Gr. 1908 p. 137 entwickelt sich t'l, d'l in Wörtern
wie: spatula, rotula, modulare, c[o]rrotulare korrekt $>$ ll, wobei das
erste l wie jedes andere $>$ u wird: espaule, roule, crouler, mouler,
vgl. dazu Schreibungen wie: maullé, saullers [für soullers] p. 189, 190.

13*

Mouilliertes l, das hervorgegangen ist aus lj, g'l und c'l, ist in unserem Text dargestellt:

a) im Inlaut, durch:
(i)ll: baillie 149 (149), apareillie 139 (139), moiller 474 (473), vitaille 12359 (12442), ventaille 9294 (9362), maillent 9725 (9801), paueillons 10080 (10155) etc.

(i)l: touaile 3307 (3329).

ll: trauillier 81 (81), meruilleuse 23 (23), 64 (64), mervillier 6176 (6212), consillier 357 (355), viellart 4577 (4600), viellece 12592 (12669), pauillons 6465 (6505), moullier 76 (76), 341 (339) u. ö. acuellent 1578 (1589), acuelli 3452 (3475), acuelle 3487 (3510), vgl. weitere Beispiele beim Verbum p. 97; bruelle 7931 (7983), 11565 (11659), bruellet 7928 (7980).

b) im Auslaut, durch:
il: sueil 176 (176), ail 446 (447), conseil 4213 (4236), bail 5075 (5103), merveil 5544 (5576), esmerueil 2349 (2368), soleil 4470 (4793), orgueil 127 (127). Nur selten wird die Mouillierung durch:

l dargestellt: vuel 790 (790), viel 1149 (1157), gouuernal 4226 (4249).

Franz. R

r ist eingeschoben wie gemeinfrz. in: tresor (thesaurus) 235 (235), 353 (351). Ein stark ausgeprägter mundartlicher (pik.) Zug unserer Hs. ist die Umstellung des r:

re > er im Futurum der a-Vba:
enterrai 3998 (4020), enterrés 8795 (8849), duerront 15742 (15858), duerrez 7926 (7978), demouerrai 14064 (14169), repaierra 11318 (11407), enconterrai 7379 (7429), mousterrés 2425 (2425) etc.

Ebenso im Fut. u. Cond. des Vb. croire:
kerroie 2355 (2374), kerrai 3328 (3364), querrai 4115 (4138), kerroient 13657 (13747) u. ö., Ausnahmen keine.

Metathesis von er > re zeigt sich in: fremer 2671 (2690), fremé 2614 (2633), 3296 (3317) u. ö. fretés (firmitatem + s) 4028 (4051) u. ö., fremillon 2413 (2431) u. ö., burni 4418 (4441), brousdee 576 (576), escremie 3274 (3294), destrousser (thyrsus G. Paris) 4647 (4700), troussé 12645 (12722), 16595 (16606) etc. Nur selten ist in diesen Beispielen die Umstellung nicht eingetreten: fermés 5857 (5891), fermé 8780 (8834), fermee 13674 (13764), toursés 8086 (8139), tourser 6456 (6496), 7481 (7530); jedoch stets nicht, im Gegensatz zum Franz., in: tourbler 9083 (9143), tourblé 7499 (7549), torblee 1181 (1190) u. ö.

Reziproke Metathesis zeigt sich gemeinfranz in: caurroi < *colyrus für corylus 2908 (3934).

rr

a) Lat. rr in der Schreibung gewöhnlich erhalten:

enterrés 487 (486), aterré 389 (388), courrecie 4463 (4489), terres 2503 (?522), 2834 (2854) u. ö., barres 6984 (7029), Engleterre 8390 (8443) etc. Dennoch findet sich nicht selten r:

enterer 9826 (9901), courechiés 7698 (7749) u. ö., baré 7791 (7843), marison 738 (737), marimant 207 (207), Engletere 8120 (8173), 15369 (15563) u. ö.

b) r + r:

> rr: querre 4324 (4347), conquerron 4821 (4844), ferrai (ferire) 6082 (6117), secourre 14872 (14987) u. ö.

> r, häufiger als rr:

quere 8561 (8614) u. ö., conquere 11902 (12004), u. ö., requerons 6273 (6314), ferés (ferire) 6156 (6192), secoure 14568 (14684) etc.

c) dr, tr:

> rr: lerres 1162 (1170), arriere 1270 (1280), arraisnier 1817 (1845), arrestus 1039 (1040) u. ö., arrestés 5581 (5614) etc.

$>$ r, gleichhäufig:

lere 4887 (4910), araisnier 6285 (6326), quaree 4877 (4900), areste 2826 (2846); stets die pik. Formen: consirer 2541 (2564), desirer 3570 (3595).

Andererseits steht rr für etymol. r:

a) für intervok. r:

Stets derriere 1080 (1081), 1267 (1277), 1275 (1285) u. ö., wohl wegen arriere, deriere findet sich 908 (908); Arrabe 12729 (12809), arrabi 2419 (2438) u. ö. Sodann gehören hierher die Formen mit rr nach vokalisiertem l: taurra 1216 (1225), vaurroit 1252 (1262), faurromes 4355 (4378), pourre (pulverem) 2345 (2364), aussaurront 8429 (8482), caurroi (*colyrum) 3908 (3934) u. ö., Fourré (Volrat) 2038 (2057), 2068 (2088), Amaurris 8232 (8285), denn zwischen l-r ist bei uns mit einer Ausnahme ein Übergangslaut nicht eingetreten (cf. Gleitlaut am Schluß des Konsonantismus). Einfaches r findet sich in diesem Falle nur in: Amauris 10391 (10458) und vaura (valoir) 11592 (11686).

b) für r nach Kons.:

nach st: estrraiers (*stratarium + s) 16098 (16274), ganz besonders aber nach:

n: tenrrour [1]) 53 (53), denree 1985 (2005), menrrai 2411 (2430), 2419 (2438) u. ö., conrreer 3346 (3371), conrrois 12908 (12991), venrredi 15403 (15518), engenrré 16671 (16903), sowie zahlreich im Fut. und Cond. der Verba: donner, venir, tenir, remanoir, cf. Konjugation. Viel seltener ist in diesem Falle das einfache:

r: denree 1951 (1971), conree 1408 (1419), engenré 12412 (12489), couuenroit 5534 (5578), menrai 16540 (16746).

rr für gr: serree (= segree $>$ secretam) 4857 (4874).

Statt rr erscheint sr in den Formen des Verb. iterare:

---

1) rr ebenfalls nicht $<$ dr, denn auch hier fehlt der Übergangslaut.

esrer 3667 (3693) u. ö., esrant 912 (912), 5057 (5085), esré 4791 (4814), esra 2440 (2459) und esrement 15 306 (15 421); selten die gewöhnlichen Formen mit rr: errer 9854 (9929), errant 9240 (9303).

> r > n: pont (= port) 17543 (17935).
>
> r > m: demomer (demorer) 7405 (7454) = graph. Fern-Assimilation.
>
> r > l: ol (or > aurum) 5025 (5050). Durch Dissim. gemeinfrz. in: flaire 512 (511), pelerin 1409 (1421), palefrois 4563 (4586), contraliié 5459 (5491).
>
> r > s: pas (=par) ses gens 16 104 (16 :80) = graph. Assimilation.
>
> r ist geschwunden vor Kons. infolge der schwachen Artikulation (cf. r im Reim p. 35):
> amé (= armé) 14573 (14689)
> enues (= enuers) 8501 (8554).

Nach Kons. in: dois (= drois) 6423 (6464), poiiés (= proiiés) 4077 (4077).

Infolge von Dissim. in: merkedi (Mercurii dies) 258 (257), daneben die gewöhnliche Form: mercredi 329 (327) u. ö., und auch in: herbegiés 18 429 (19 110), r ist nicht eingetreten in: mie (medicum) 15 851 (15 983).

Umgekehrt ist r unorganisch eingetreten: Infolge Wiederholung eines vor der Tonsilbe stehenden r wie allgemein in: pertris 5468 (5499) und forterece 17 659 (18 088), hinter t infolge der Analogie nach Wörtern wie terrestre in:

> tristre 11 083 (11 172), 12 409 (12 486), celestre 12 158 (12 260), dejoustre 12 386 (12 463). Nach Labial stets in: ramprosné 8440 (8493), ramprosnant 16 257 (16 436), frestelant (*fistellando) 5504 (5536).

Im Auslaut ist r stets geblieben:

> meillour 3 (3), iouglëour 4 (4), etc.

Franz. M

Im Anlaut erscheint n statt m gemeinfrz. in: napes (mappam + s) 1175 (1183). Gefallen ist m in monde in der Redensart: mer et [m]onde 2445 (2465).

Lat. m + n im Inlaut:

assimiliert sich > mm: homme 367 (367), omme 3097 (3116), preudomme 930 (931), nommee 1278 (1998), nommer 3112 (3132), erleichtert sich dann >

m: feme 41 (41), homes 399 (398), preudome 357 (355), lumiere 1269 (1279), dame 7085 (7131) etc.

mn gelehrt geblieben stets in: omnipotant 4838 (4861), 9041 (9100), es wird dazwischen p eingeschoben, cf. p. 204.

nm in der Schreibung erhalten: esranmant 8398 (8451), 12 698 (12 778), granment 12 749 (12 829).

Einfaches intervokales m erscheint als:

mm: nach ai: aimmes 16 265 (16 445), aimme 1337 (1348), claimme 1533 (1544), reclaimme 4057 (4080) etc.

nach o: comme 511 (510), sommes 4464 (4487), vaurrommes 6597 (6639), commencier 6090 (6125), Mahommet 4467 (4490), 14178 (14 892) etc.

Lat. mm bleibt graph. als:

mm erhalten: commant 542 (541), commandés 2906 (2926), commandemant 3826 (3852), 3842 (3868), communaument 4208 (4231) etc.

Ursprüngliches und sekundäres mm wird durch Dissim. >

nm: conmandemant 199 (199), conme 5 (5), conmenca 5195 (5223). Nur selten findet sich das einfache

m: Mahomet 4495 (4518), aime 7899 (7951), flame 7956 (8009).

Auslautendes m erscheint als:

n: non (nomen) 2208 (2227), 10 349 (10 426), con (*como) 2197 (2212), flun 3456 (3479), Adan 4760 (4783), Jursalen 2799 (2819), fain (famem) 4265 (4288) etc., und:

m: com 890 (890), Jursalem 3452 (3475), nom 1209 (1218), aim 2371 (2390), Mahom 4434 (4457), faim 3898 (3924), preudom 11 847 (11 949) etc.

In ai = aim (amo) 9414 (9481) hat der Kopist die Abbreviatur für den Nasal vergessen.

Vor den labialen Verschlußlauten p und b bleibt im Franz. m erhalten, und n wird > m. Bei uns findet sich ebenfalls durchweg:

> m: membres (membrum + s) 11286 (11375), embrasés 513 (512), emble 600 (599), amparlier 767 (767), nombrer 799 (799), sembler und Ableitungen, cf. ẽ p. 169.

Ganz selten begegnen Doppelformen mit:

> m und n: embuscier 6486 (6526) und enbuisse 9645 (9717).

> emprisonné 10025 (15139) und enprisonné(s) 15031 (15145).

> m > n vor l: assanlé (ad-simulatum) 15927 (16081), wo also der Gleitlaut b nicht eingetreten ist.

> m > n nach r: tornant 9781 (9856), vielleicht nur Schreibfehler, für: torment 11038 (11123).

Franz. N

Intervokales n wird wie m nach ai und o verdoppelt:

> nach ai: painne 1339 (1350), serainne 577 (576), avainnes 1812 (1830), amainne 4903 (4926), vilainnement 5779 (5813) etc.

> nach o: bonne 1 (1), 2 (2), donne 3288 (3309), notonnier 3470 (3493), esperonné 2940 (2960), pautonniers 3399 (3422), Hanstonne 10077 (10152) etc. Die Beispiele lassen sich beliebig vermehren. Daneben findet sich, wie im Franz., einfaches n, aber viel seltener:

> n: Hanstone 470 (469), prisonier 2153 (2172), pardone 1533 (1544), pautoniers 3425 (3448), paine 8493 (4546) etc. Stets hindert ou die Gemination: prisouniers 2276 (2296) u. ö., Hanstoune 6719 (6761), girouné 8284 (8337) etc., ebenso oi: boine 135 (135), deboinairemant 10654 (10730), Boinefoi 7327 (7374), aber Bonnefoi 3853 (3879).

> n > r: arme (animam) 10963 (11048), hier hat sich n nicht an m angeglichen, sondern es ist > r dissimiliert.

n > l: orfelis 13108 (13189).

nos für non (Negat.) 4920 (4943) ist wohl Schreibfehler.

Einigemale findet sich u statt n:

Roboaus 4995 (5020) sonst Roboans; caufrain (camum + frénum) 12257 (12531) ist auch sonst so belegt, cf. Stimming: Boeve, Fassung I Anm. 9407. pui (pinum) 13849 (13944), vielleicht auch Gousselins 2038 (2057), da sonst immer Gonsselins steht.

Umgekehrt ist n für u eingetreten:

on (= ou, lat. ubi) 7210 (7257), 15188 (15302), nos 5420 (5451) für uos; consant (= consaut = 3 pers. Praes. Konj. von conseillier) 12019 (12121).

Unorganisches n findet sich in:

antant (ad tantum) 4519 (4542), traint (*tragit) 6214 (6249), reuenrront (von vëoir) 18200 (—). Gemeinfranz. in: ensi 449 (347) u. ö., ensement 13444 (13526), daneben erscheint bei uns dasselbe Wort ohne n als: is(s)i 11559 (11638); in anste, hanste 1958 (1978), 15067 (15180) wohl in Analogie nach lance. Neben frait (fractum) 2027 (2047), frais 7981 (8034) begegnen: fraint 2033 (2052), 7349 (7399), frainte 6165 (6201), ferner estraint 3164 (3184), ataint 3252 (3273), wo n aus dem Infinitiv stammt.

Demgegenüber ist n gefallen:

Vor Kons. in: enfecon 16613 (—), vor s und v gemeinfrz.: entesé 9478 (9550), maisnie 15824 (15953), couvenra 8443 (8496), couuiegne 12273 (12367) etc. Doch analogisch wieder eingeführt in: conuenrra 17447 (17837), ebenso in conseil 734 (733), gelehrt in: tenser 8085 (8138), während es in Resten alter Partiz.: esconse 10444 (10521), despens 10298 (10373) etc. aus anderen Formen, z. B. Infinitiv, eingedrungen ist.

Nach Kons. fehlt es bei uns in: gar[n]i 1408 (1419)

und im Auslaut in: u[n] 1440 (1451). Einmal ist sogar nt gefallen: done[nt] 1609 (1620).

Mouilliertes ĩ entspricht: n + j, nd + j und gn. Die Mouillierung wird in unserem Text bezeichnet:

a) im Inlaut, durch:

(i)gn: broigne 1961 (1981), resoignier 3359 (3381), vergoigniés 3400 (3423), compaignon 6958 (7002), peignon 5039 (5067), gaignars 4088 (4101), Couloigne 4340 (4363) etc.

gn: pignie 145 (145), signour 171 (171), signorie 135 (135), signoris 878 (878), gignie 590 (589), poignons 3078 (3097), chaignent 9248 (9311) etc.

(i)ngn: Couloingne 4345 (4368).

ngn: espaingnoit 2640 (2659), poingnent 3399 (3435).

g: espargier (*sparanjan) 9652 (9724).

nn: sainne (signat) 3144 (3164), sainna 12917 (13000). In demselben Worte erscheinen auch Formen mit:

n: sainier 5959 (5993), saina 2445 (2464), ebenso n in: espanois 3846 (3872), 2857 (3883), moine (*monium) 7435 (7484), essoine 11151 (11239), lontain 5959 (5993).

b) im Auslaut, durch:

ng: poing 227 (227), ataing 429 (429), loing 2841 (2861), baing 1853 (1872), besoing 6020 (6055), compaing 10967 (11052), preing 12134 (12235), vieng 6715 (6756) u. ö., und einmal, durch:

n: vien (venio) 8471 (8524).

ñ statt n im Auslaut: in garding 122 (122), cf. Raguid. a. a. O. p. 50.

Franz. P

p intervokal bleibt erhalten in gelehrten Wörtern: Neben tapis 16845 (17070) u. ö. findet sich einmal mit Erweichung zu b: tabi 9200 (9163). Gemeinfrz. zeigt sich diese Entwickelung zu b in: abosmé (apostema) 8952 (9002) und desrube (Ableitg. von rupes) 4218 (4241).

pl wird dialektisch > ul:

> pule (populum) 14817 (14913), sonst aber in diesem Worte wie im Franz. erhalten: pueples 10024 (10099), pueplee 14961 (15073).

p vor t ist erhalten in:

> baptestire 4116 (4139), baptisier 4128 (4151).

Zwischen m und n ist p euphonisch eingefügt:

> dampner 14829 (14933), dampné 13340 (13422), dampnee 12191 (12293), sollempnité 10540 (10616), 10558 (10634) u. ö.

Vor Flexions-s ist p wie Franz. gefallen:

> cans (campum + s) 9220 (9283), dras 10322 (10399), erhalten ist es stets in: cops (colpum + s) 2105 (2124), 3288 (3309), 5084 (5112) u. ö.

Verdoppelung des p ist selten:

> approchier 3264 (3285), approcier 12570 (12647), apparant 1140 (1148), appareillier 7902 (7957), 15649 (15764), sonst erscheint einfaches p.

Franz. B

b anlautend ist unorganisch gemeinfrz. in:

> bruiant 3130 (3150), brüie 17771 (18258) < vl. rugire + b < bragire.

> Vor Kons. ist es erhalten: in obscure 782 (782), 1096 (1099), sonst aber in diesem Worte stets gefallen: oscur 3341 (3363) u. ö., oscurés 17631 (18042) u ö.

> b + l wie p + l > ul: desfule (disfibulat) 7594 (7643), afule 8163 (8216), triula 907 (907), sonst aber desfubla 4610 (4633), afublé 2274 (2293), wo b nur graph. erhalten sein mag. Stets geblieben ist b wie Franz. in den gelehrten Endungen -able, -ible: secourable 11438 (11532), oribles 15942 (16100) etc.

> br > vr: boivre 3464 (3487), 16510 (16714), sonst aber stets boire 2618 (—), 3464 (3487) u. ö. und escrire 6778 (6719), analogisch nach croire, dire.

br > r: dialektisch im Fut. und Cond. von avoir
und savoir: ara 7030 (7076), saroie 14672 (14786),
daneben die Franz. Formen, cf. Verbum. p. 113, 114.

Gemination des b findet sich nur in: abbés 12328
(12418).

Franz. V

Dafür erscheint im Anlaut und Inlaut graph. meist u:
uie 131 (131), uentre 664 (663), uesquisse 822
uache 4705 (4728), reuenrra 5269 (5297), sauroies
6652 (6693), uiue 15983 (16146), selten erscheint
auch v: viue 468 (467), vestus 2859 (2879), evesque
7379 (7429).

Umgekehrt steht v für u:
vne 117 (117), v(ubi) 589 (587), 779 (779), v — v
3506 (3529) = aut — aut.

Intervokal findet sich v und b in dem Eigennamen
Esclavon:
Esclauon 4815 (4838), 15191 (15305) und Esclabon
14204 (—), 15187 (—), hiatustilgend ist v eingeschoben in: iouuir 617 (617) = jouir. Es ist nicht
nötig, dies anzunehmen für das bekannte rover:
rouués 8660 (8703), rouuoison 8744 (8807), rouua
17223 (17556), wenn man statt rogare das germ.
hropan als Etymon annimmt.

Franz. F

erscheint auch bei uns im Anlaut für griech. ph.: fiole
(phiola) 4501 (4524), intervokal finden sich f und ph in
dem gelehrten: profete 12429 (12506), prophetes 34 (34).

Auch sonst begegnen die Doppelbildungen: fors 5665
(5698) u. ö., defors 5127 (5145) u. ö. und hors 2726 (2746)
u. ö., dehors 1914 (1934) u. ö. Für die letzten Formen ist
vielleicht Einfluß des fränk. hüz „draußen" anzunehmen,
cf. Zeitschr. f. r. Ph. XXXI p. 570.

Im Inlaut erscheinen neben Formen mit:

sf: esfräer (< germ. fridu) 4681 (4704), esfroie
11510 (11604), esfree 16692 (16925), desfaé 13585
(13587) solche mit:

ff (sf > [s]ff): effreer 792 (792), effreant 226 (226),
effreés 763 (763), 807 (807) u. ö., deffaé 6884
(6926). Ganz besonders aber umgekehrt neben den
Formen mit:

ff (Franz. f): souffrir 606 (605), 3409 (3432) u. ö.,
souffri 5295 (5323), souffrist 3556 (3581), souffert
8437 (8490), offrir 610 (609), deffendre 9770
(9845), deffent 6631 (6672), deffende 9770 (9845),
deffence 2610 (2629), saffré (arab. zafaran) 344
(342), coiffe 17002 (17286) etc., solche mit:

sf (s unorganisch): sousfrir 1339 (1350), sousfri 59
(59), sousfert 8995 (9054), desfent 441 (440), des-
fendés 9093 (9153), desfense 447 (446), desfendance 2209 (2228), iasfe (Jafa) 3468 (3491), as-
fremer 17723 (18173), sasfré(s) 2045 (2064), 3170
(3191) u. ö., dessafree 14957 (15088) etc.; nur
selten finden sich Formen mit einfachem f: afaire
8704 (8757), safré 9481 (9553), coife 3269 (3290).

f im Auslaut ist gefallen: in tre (trabem), fié (*fęvum),
Belege cf. Deklination p. 48. Es sind darin sekundäre
Acc.-Formen zu sehen.

Dentale.

Franz. T

Ursprüngl. intervokales t ist außer in: mute 1181
(1190) bei uns völlig verschwunden; im Auslaut ist es in
isolierter Stellung manchmal erhalten: liet 957 (957), im
Part. Perf.: laidit 6376 (6416), courut 10455 (10532), rechut
15600 (15715), ferner nachkonsonantisch stets in: en (inde),
wenn dieses dem Verbum nachsteht:

irons nous ent 857 (857), vait s'ent 1283 (1293),
donnés m'ent 1465 (1476), pensés ent 1547 (1558),
lai m'ent 2560 (2579), mainne ent 9501 (9573),
was als eine Eigentümlichkeit des NO. und O.

gilt. Über t in der 3. Pers. Sg. Perf. cf. Konjugation p. 88, 87.

Dem gegenüber ist t geschwunden, hinter:
on: don[t] = de unde 4810 (4833).
on[t] 13 165 (13 246).
an: quan[t] 3555 (3580), 4992 (5017) u. ö.
en: enten (intende) 245 (245), 9964 (9718) u. ö.
pren (prendo) 623 (622), pren (prende) 2199 (2218)
apren (a-prende) 1784 (1802). In diesem Verbum
fiel d allgemein, da es fälschlich für euphonisch
gehalten wurde.
ain: main[t] = kelt. manti 7962 (8015).
s: s'es[t] pourpensés 3008 (3027), s'es[t] esueilliés
3372 (3395).

Zweimal fehlt st in: fu[st] ¹) 11 408 (11 502), 17 617
(18 028).

t ist unorganisch in:
dant (dominum) 4586 (4609), dromont (dromonem)
4396 (4419), arpent (arepennis) 16 922 (17 191),
ferner in: alemant 4813 (4836), 6206 (6243) u. ö.,
persant 3009 (3028) etc., vgl. dazu die Bemerkung
unter t beim Dichter, p. 40.

t findet sich unorganisch nach s in:
plust = lat. plus 1278 (1288).

t > n: geninailles (genitaliam + s) 12 406 (12 483),
es geht n vorher (Assim.) Dieses Wort ist außerdem in der Hs. verwischt.

t > g: gegés (*jectatum + s) 15 672 (16 506), es
geht g vorher (Assim.).

t > d nach n: manandie 691 (690), 5750 (5784),
garandir 619 (618), garandis 450 (449), garandist
9556 (9598); gaiande 3193 (3214) ist wohl nach
dem frühen grande analog gebildet.

___

1) Beide Male nach ainsque, wo der Konj. verlangt wird.

s statt t: connus (*connovuit) 6790 (6332), wohl nur
Schreibfehler.

t wechselt mit c im Auslaut nach n:

Für auant einmal auanc 133 (133), Neben brant
17008 (17292), 17057 (17356), Mombrant 2863
(2883) 15727 (15842) begegnen häufiger: branc
2681 (2700), 8323 (8976), 15915 (16068) u. ö.,
Mombranc 3489 (3512), 3875 (3901), 9230 (9293)
u. ö., im Gegensatz zum Reim, wo t vorherrschte,
cf. p. 44.

t als mittlerer von drei Konsonanten ist geschwunden
vor f in: Monfaucon 258 (257), doch in demselben
Worte ist es auch erhalten: Montfaucon 335 (337).

t'l > ll, l cf. p. 195.

th ist erhalten im Eigennamen: Othöer 17418 (17807).

Gemination des t begegnet nicht, stets:

letré 459 (460), trametrei 536 (535) etc.

Franz. D

d vor folgendem Konsonanten ist gelehrt geblieben
im Praefix ad.-:

adversier 4090 (4113), 12235 (—), adversités 10134
(10203), doch ist es auch geschwunden: aversier
3785 (3811).

Intervokal ist es erhalten in dem gelehrten:

paradis 5480 (5512).

Unorganisch ist d gemeinfr. in:

guerredon(s) < widarlon 1489 (1500), 8030 (8083),
und boisdie (germ. bausi) 698 (697), 5416 (5447),
im ersten Worte analogisch nach donum, im zweiten
nach dem daneben vorkommenden voisdie (vixidum)
4550 (4573), das seinerseits sein oi aus boisdie
entnommen hat (cf. Koerting: Etymol. Wörterbuch). Tepidum erscheint in der jüngeren Form
tieve, cf. Sch-B. p. 84.

Durch regressive Assimilation kann man die Form:
atentent erklären. Lat. apud erscheint als: od 7771 (7821)
13714 (13803) u. ö., und: o 8162 (8215), 13743 (13833) u. ö.

Franz. S

erscheint auch bei uns so im Anlaut, einige Male ist dafür:
c vor e, i eingetreten: cembloit 415 (415), ciecle 4046
(4069), auch nachkonsonantisch: Percie 145 (145), neben Persie
1901 (1921), deffence 2610 (2629), neben defense 6292 (6334).
Daraus darf man wohl schließen, daß c und s, wie im
Lothringischen, gleichgesprochen wurden, also c bei uns
nicht mehr den t Vorschlag gehabt hat.

Wortanlautendes s nach Vokal erscheint als:

ss: lasus 1035 (1036), 2815 (2835) u. ö., desserrer
7986 (8039), desserent 2803 (2823), dessevrés 9728
(9803), desseurement 11543 (11637), dessous 9494
(−), häufig aber findet sich auch einfaches:

s: lasus 1494 (1505), 8702 (8735), 18337 (19015),
desous 2033 (2053), 9488 (9560), deseurer 1740
(1758) etc.

ds < ad + s in Zusammensetzungen erscheint als
ss, doch häufig auch als einfaches s:

assist 6809 (6850) u. ö. und asist 10272 (10347) u. ö.

assisent 10572 (10648) u. ö. und asisent 5576 (5609) u. ö.

assasé 7944 (7997) u. ö. und asasé 3558 (3583) u. ö.

assegie 10434 (10511) u. ö. und asegié 10426 (10503)
u. ö.

assés 509 (508) u. ö. und asés 4783 (4806) u. ö.

Nach Kons. und intervokal erscheint, wie im Franz.,
für stimml. s:

ss: fausse 1548 (1557) u. ö., faussars 2380 (3301)
u. ö.; outrepassés 489 (489), pëussiés 606 (605),
laissour 51 (51), oissour 66 (66), cuisse (coxa) 457
(456) u. ö, froisse 2802 (2822) etc. Ausnahmen
sind selten: im ersten Fall steht:

s stets in: ausi 887 (887), 968 (968), 2527 (2546) u. ö.,
im zweiten Falle in: cuise (coxa) 16968 (17244)
und dëussiés 610 (609), wo der Kopist das zweite
s durch den Punkt getilgt hat.

x: erscheint gelehrt in: surrexi 10894 (10979).

sc: stets in escil 11388 (11482), escilliés 11634
(11733) etc.

sl > [s]ll, d.h. s vor Kons. ist bei uns schon verstummt, l dafür verdoppelt (ebenso vor f: sf > [s]ff, und umgekehrt für etymol. ff erscheint mit unorg. s: sf, cf. p. 206): tranllatee 14 (14), ille (insulam) 5288 (5316), mellé 504 (503), 1186 (1195), mellee 4863 (4886), mellerent 14482 (—), pelle (*pessulum) 2802 (2822), brulla 1175 (1180), brullee 14247 (14399), vallet 1844 (1863), mallers 2165 (2184), einfaches:

l erscheint in: valeton (< kelt gwas + rom. -all+ ittum + -onem) 563 (561), 648 (647).

sn > gn¹): digner 2448 (2467), digners 17620 (18159), digné 8760 (8814), und umgekehrt gn > sn: disne (dignum) 2691 (2700), 11515 (11610) und resne (regnum) 82 (82), das nicht zu verwechseln ist mit resne < retinam 1931 (1951), 3866 (3892) u. ö. Diese Lauterscheinung – vgl. noch posnee < potinata 6171 (6207), 11926 (12028) — wird besprochen von A. Stimming Z. f. r. Ph. XXXV.

s > r: derver 8796 (8850), derué 132 (132), 16703 (16936), derués 8952 (9006), dervee 11732 (11834), 14980 (15093), im Auslaut vour 7048 (7094) = vous

s > v (u): deuiuer 16949 (—) = deviser, durch Einfluß des ersten u (Assim.).

s > g: paregis 12463 (12540) = paresis (parisii + ensem).

s > t: durch Vertauschung der Endungen -sion und -tion (pik. Eigentümlichkeit): desfention 4795 (4818), Ascention 16614 (16843).

Mehrfach ist s auch in der Schrift ausgefallen:

Vor Dental: uoit (= uoist) 14446 (14564), prit (= prist < precare) 16161 (—).

Vor Labial: stets in trebucier (*transbuccare) 11914 (12016) u. ö., trebuche 8372 (3394) u. ö.

Im Auslaut: car[s] et caretes 6456 (6496), ronci[s]

---

1) Auch diese und die folgenden Erscheinungen hängen mit dem Verstummen des s zusammen, cf. Z. f. r. Ph. XXXV, 96, ferner Köstritz: Ged-s im Franz., Strassbg. Diss. 1886, und Genrich a. a. O. p. 64.

6620 (6661); de ses prouece[s] 12062 (12164), laisse[s] (laxas) 7729 (7780), venrra[s] 4533 (4556), gern auch in einsilbigen Wörtern: a[s] pors 4034 (4057), en[s] el fons 5161 (5189), ne[s] (= ne les) 6087 (6122), les (illos) 4615 (4638), 10449 (10526), se[s] ostes 16544 (16750).

Über die Endung -on statt -ons in der 1. pers. plur. vgl. Konjugation, über andeus 1597 (1608), 16073 (—) neben gewöhnlichem ansdeus vgl. Zahlwort, p. 67.

Demgegenüber zeigt sich häufig ein s in gedeckter Stellung, wo es etymol. keine Berechtigung hat:

Vor Labial: resposer 9173 (9236); vor f, cf. p. 206.

Vor Nasal: ausnes (alinam +s) 1037 (1038), dosnoiier (*dominidiare) 101 (101), gesmé 3016 (3035) u. ö., encriesme (intremus?) 13397 (13479), neben en-crieme 13068 (13658).

Vor Dental: träistres 8835 (8887), 7163 (7210) u. ö., brousdé (bord) 14989 (15102), brousdee 576 (576), neben broudés 16847(17084); destort 5049 (5077), neben detort 11040 (11125) u. ö., sowie stets in dem Eigennamen: Hanston[n]e[1]) 581 (580), 4674 (4697), 4671 (4694) u. ö., nur einmal ohne s: Hantone 6032 (6074).

Im Auslaut: au matinés 17270 (—).

Ein adverbiales s ist häufig anzutreffen: longues 1500 (1511), lués 2874 (2894), sempres 3813 (3839), avueques 7468 (7568), lors 4674 (4787), 5169 (5197) u. ö., doch einmal ohne s als: lor 4758 (4781), was auch sonst vorkommt. Ebenfalls ge-hören hierher: par amours 6801 (6843), 9579 (9653), neben par amour -our 311 (309); ferner, wenn mëismes neben einem Worte (Subst., Pron.) im Acc. sg., oder Nom. pl. steht z. B.: de vous mëismes 366 (364), 2343 (2362); et nous mëismes 5716 (5749) etc.

_____

1) Die anderen Hs. (T, RW) haben Hantone, die Schreibung mit s stammt wohl vom Kopisten.

14*

Für s im Auslaut begegnen auch:

z: remez 2677 (2696), chiez 7315 (7566), 12767
(12847), für:

-us fast ausnahmslos das bekannte:

x: ciex 38 (38), diex 107 (107), biax 7883 (7935),
nouuiax 2281 (2290) etc.; doch sehr häufig steht
x für -s: cheuaux 3430 (3453), damoisiaux 7454
(7509), biaux 7539 (7589), maux 11430 (11524),
loiaux 12215 (12316), arondiaux 14473 (14592)
etc., indem vergessen wurde, daß x = us war.

Das stimmhafte s giebt zu keinen Bemerkungen Anlaß;
es erscheint regelmäßig, wie im Franz., als s: tresor 235
(235), raison 244 (244) etc.

Franz. Z

Neben azur (lazvard) 1887 (1907) begegnet asur 4906
(4929).

t + z > Z (graph.): touz 321 (319), vertuz 1500
(1511), tenuz 2816 (2836), hardiz 5873 (5907),
alez 8431 (8484), tenuz 2816 (2836), citez 7933
(7985) etc., gewöhnlich aber als:

s: tous 368 (366), pesans 931 (931), alés 1148 (1156)
u. ö., hardis 5952 (5986), salus 6852 (6894), tenus
10339 (10416) etc. Ebenso:

d + z > z: piez 2618 (2637), preuz 14486 (14605)
etc., meist aber:

s: preus 4595 (4618), piés 15977 (16140), mercis
16465 (16667) etc.

st + s > z, bei uns aber stets schon >

s: mas (mast + s) 7500 (7550), prevos 1677 (1728).
Jhesucris 688 (687), fus (fustem + s) 1595 (1601),
os (hostem + s) 6157 (6193), und stets: cis, i-cis,
ces, cf. Demonstrativpronomen p. 75 sq.

l̃, ñ + s > s: poins, puins 3122 (3141), 5071 (5099)
u. ö., fils 7424 (7473), fiex 11224 (11312) etc.

nn + s > s: ans (annum + s) 884 (884), 2934 (2954).

rn + s > z: iorz 4154 (4177) und s: iors 2693 (2712).

c vor e, das in den Auslaut trat stets:

> s: pais [1]) 43 (43), vois 144 (144), crois 1302 (1313),
fois 5413 (5444), pertris 4320 (4341) etc.

cc im Auslaut stets s: es (ecce) 1106 (1114) u. ö.,
cf. p. 126.

Kons. + tj und cj im Auslaut:

> s: fas 313 (311), solas (solacium) 156 (−), dous,
dols 1547 (1558), 4084 (4096), bras (*bracjum)
1166 (1174), las 14992 (15105), tiers 1638 (−),
ains (*antius) 10673 (10749) und biés = Mühl-
gang 6525 (6565), nach Körting < *bettium (ahd.
betti), als bietium, biezium im mlt. belegt. Das
ié erklärt sich aus dem daneben bestehenden bied
(germ. bed), cf. p. 29. Selten findet sich daneben
die Schreibung:

c: tierc 1428 (1439), 13556 (13635), ainc (*antius)
17622 (18028), palic (*palicium von palus) 3228
(3228).

s = Franz. z > r: estiier (= estiiés) 5406 (5437),
eslaissier (= eslaissiés Part. Perf.) 6029 (6064).

s = Franz. z ist gefallen im Auslaut:

no[s] [2]) francois 17251 (17584).

a vo[s] coupes 4854 (4877).

toutes vo[s] volentés 16590 (16801).

Der Lautwert des z ist natürlich nicht [ts] sondern [s],
also von dem des s nicht verschieden, dafür spricht einerseits die konsequente Wiedergabe von st + s und c vor
vor e durch s, und andererseits die Schreibung z für etymol.
s: remez etc. (s. o.). Auch c muß dem s phonetisch nahe,
wenn nicht gleich, gestanden haben [3]).

---

1) In diesem Worte wird z im Pik., wie allgemein, früher > s,
sonst tritt der Übergang im Pik. im 13s, in den übrigen Dial. im 14s ein.

2) nostre, vostre durch Abfall des e und r > nost, vost, + Flex.
-s > Franz.: noz, vos.

3) vgl. hierzu Horning Z. f. r. Phil. VII, 163.

Franz. C (= k)

zeigt bei uns verschiedene Gestalt; am häufigsten erscheint
wie Franz.:

> c: coc 924 (924), costés 887 (887), cors 364 (362),
> cuisses 457 (456), coute (culcitam) 1256 (1266),
> ancui 1930 (1960), couuers 8585 (8638), court
> 5350 (5379) etc., seltener begegnen:

> k vor eu: keus (*cocus) 206 (205), 351 (349), keu
> 15045 (10120), eskeut (*escolligit) 3159 (3179),
> keurt 5348 (5377), ebenso vor e im Fut. und Cond.
> des Verb. croire: kerai (= Franz. crerrai, cf.
> Metathesis des r, p. 196) 3328 (3355), kerra 14768
> (14882), kerroit 17617 (18021) etc. zur Vermeidung
> der Aussprache [ts].

> q: anqui 1940 (1960), 6487 (6527) u. ö., aqeut (ad-
> colligit) 7497 (7547), quit (cogitet) 6532 (6572) u. ð.,
> quident 11642 (11740) u. ö., quens 15724 (15840),
> esquelt (*es-colligit) 4256 (4279), cf. p. 266.

> qu: querrai (= Franz. crerrai s. o.) 4115 (4138), es-
> quipent (skip) 11521 (11615).

Für lat. donique erscheint bei uns niemals das Franz.
donc, sondern stets das pik. dont 1165 (1176), 1928 (1948),
+ ad: adont 1889 (2009), 2574 (2593), 9734 (9809) u. ö.
Da c häufig für t erscheint, cf. p. 43, 44 u. 208, so kann umgekehrt für t auch c eingetreten sein, außerdem kann man
hier Angleichung an dont < de + unde annehmen.

Hier ist noch zu erwähnen, das c in der 1. pers. Sing.
des Ind. im Praes und Perf: perc 16050 (16163), vauc
17395 (17782), dafür auch ch in: euch 8249 (8302) und g
in: ving, uing 5788 (5822), 5816 (5850) u. ö. Über den
Lautwert desselben bestehen verschiedene Ansichten, man
vgl. hierüber A. Stimming: Bueve d. H., Fassung I p. XXV.

Franz. C (= ts),

das entstanden ist aus ursprüngl. c vor e, i, aus cj oder
aus tj (nach Kons.), falls diese vor Vokal blieben. Dafür
erscheinen bei uns:

c: celer 356 (354), cerf 360 (358), encens 513 (512),
 cainglé 2959 (2979), cercons 1127 (1135), ocist
 5661 (5694), cierges 6926 (6969) etc.

 forcc 410 (409), hauce 643 (642), souspecon 747
 (746), commencier 6087 (6125), drecier 6440 (6480),
 desfiance 9508 (9067) etc.

acier 1877 (1897), douce 2727 (2747), lace 3016 (3036),
 embracié 3418 (3441), chauces 1863 (1882), tron-
 conner (*trunceus für truncus) 6232 (6270) etc.

Aber ebenso häufig steht dafür:

ch: enchans 2707 (2726), cherf 387 (386), chierges
 5603 (5636), ochi 331 (329) fast stets in: cherkie
 1254 (1264), 1294 (1304), cherkent 1292 (1302)
 etc., und chaigne 708 (707), chaignent 403 (402) etc.,
 cachier 82 (82), hauche 3967 (4095), commenchier
 3804 (3836), 6474 (6514), souspechon 4756 (4779),
 justichier 2171 (2190) etc.

 achier 9187 (9250), cauches 919 (919), tronchonner
 6088 (6123), embrachier 7904 (7956), lache 13724
 (13814) etc. Seltener begegnen die Schreibungen:

ss: roinssoi (rumicem + ētum) 3909 (3939), espesses
 (*speciam + s) 9148 (9223), estrassion 13379
 (13461), ferner, und wohl allgemein früher, in:
 cainsse (*camicem) 11514 (11608), cainssil 11449
 (11443).

s: tensés (*tentiatum + s) 450 (459), sowie für lat.
 ecce hic immer in den Wendungen: de si[1]) es
 3393 (3416), de si au 3344 (3366) de si en 17657
 (18684), sonst aber dafür: ci 497 (496), 1302
 (1313) u. ö., zw. Vokalen: ici 1900 (1920) u. ö.

Intervokales tj in: gratia und gratiatum + s erscheint
als:

sc: grasce 1873 (1893), 11849 (11951), grasciiés 2155
 (2174), 3484 (3507).

---

1) In dieser Wendung erscheint allgemein sehr früh s für c, es
ist offenbar der Ursprung vergessen worden und Verwechselung
mit si < sic eingetreten,

c) graciiés 5201 (5229) und erhalten als:

ti: gratiiés 15820 (15949).

Vielleicht sind hier folgende Eigennamen zu nennen:

Gonsses 2331 (2350), Gonsselin 2005 (2025), neben Gonsce(s) 2327 (2346), 2649 (2658) und Vencadoce 16705 (16938), neben gewöhnlichem Vencadousse 16666 (16896), 16672 (16904) u. ö.

Schreibungen wie ss besonders aber die Wiedergabe von anlautendem s durch c (cf. p. 209) sprechen für Verlust des t Vorschlags.

Das Suffix-itia.

Es zeigt, wie allgemein, auch bei uns verschiedene Entwickelungen:

1) > -oise < -eise, < -ītia korrekt:
richoise 11935 (12037), richoises 12098 (12199), doch gerade hier erwartet man i wegen des Palatals; richise ist belegt im Poema morale, cf. Schw-B. Gr. § 193 A.

2) -ece < -īkia, das an die Stelle von -ītia getreten ist:
iounenece 114 (114), richece 10523 (10599), hautece 10563 (10639), viellece 12592 (12664) etc.

3) -ise < -itiam statt -ītiam:
faintise 376 (374), servise(s) 8732 (8785), 10545 (10621), 10548 (10624) u. ö.

4) -ice gelehrt:
seruice 1424 (1435), 7614 (7663), 16831 (17069) u. ö., iustice 10046 (10164).

5) Noch sei erwähnt: malisses 42 (42).

Franz. Qu

Es erscheint bei uns als:

qu: quier 604 (603), quartier 1072 (1073), quarante 6093 (6123), quérés 594 (593), qui 2539 (2558), que 6048 (6083), qu'on 13982 (14082), jusqu'en 4738 (4761), quite(s) 10170 (10244) etc.

c: c'une 155 (155), c'on 6520 (6560), 7248 (7295)
u. ö., jusc'a 2505 (2524), puisc'a 8907 (8961), cois
(quętum + s) 9001 (9058), coiement 5494 (5526),
caree 5379 (5409), coi que 499 (498) etc.

k: ki, k' 2460 (2479), 2625 (2644), 7173 (7220), k'avés
210 (209), k'envers 220 (220), jusk'au 2398 (2417),
dusk'au 14501 (14620), kes (qui les) 17293 (17673),
karriere 1276 (1286), 1293 (—) etc.

cu: cuites 6009 (6044), 13439 (12516), cuite 16886
(17138).

q: qe = que 10809 (10884).

Franz. Ch

Die Darstellung schwankt zwischen mehreren Zeichen:

I. c vor erhaltenem a:

1) c: canchon 2 (2), cante 8 (8), cachier 330 (331),
cambre 773 (773), cäir 2489 (2508), caueus (capillum + s) 9687 (9762), castel 4777 (4800), acater
10820 (10905), cascun 10613 (10682) und cose
731 (730), coisi 1412 (1423), im gleichen Falle sehr
häufig aber auch:

2) ch: chambre 678 (677), chamberlenc 1851 (1870),
(r)achata 943 (943), 2120 (2139), chantee 3 (3),
chastel 1894 (1914), chaveus 888 (888), chascuns
708 (707), chacier 10043 (10118) und chose 703
(702) etc.

II. c vor e (ie) aus lat a:

1) c: ceval 381 (380), plancier 1042 (1043), cierté 4235
(4258), cheuaucier 6460 (6500), france 9884 (9959),
marcié 16240 (16418), ciés (casus) 16295 (16484)
etc., in diesem Falle häufiger:

2) ch: chenu 407 (406), chief 419 (419), chiens 381
(379), cheval 436 (436), chevaliers 1892 (2012),
chevauchier 8357 (8410), chemise 3851 (3877), chëu
10992 (11077), planchier 1053 (1054) etc. Ferner
erscheinen:

3) k: kenu(s) 3610 (3633), 6680 (6721), 8380 (8433),

keuillier 5456 (5488), hanke (hanka) 17884 (18364),
cerkent 1089 (1097), cherkié(s) 1275 (1285), 12847
(12930), und

4) qu: quenu 5142 (5170), fourques 8074 (8127), cher-
quier 11622 (11720), cerquiés 1280 (1290), cherquierent 16130 (16305), cerque 12768 (12870),
cherquent 1130 (1138), quevilles 4556 (4579) etc.

III. cc (kk) vor e (ie) aus lat a:

1) c: bouce 6667 (6708), trebucier (*transbuccare)
6094 (6129), 11914 (12016), atacier 7065 (7111),
baceler 9060 (9120), broce 13801 (13893), rice
(*riccam) 17582 (17578), ricoise 12130 (12231).

2) cc: pecciés 18440 (19123).

3) ch: pechiés 3460 (3483), 3462 (3485) u. ö., bacheler
161 (161), 6681 (6722), bouche 512 (512), trebuche
6137 (6173), broche 2880 (3000), atachier 7065
(7111), clochier 17674 (18120), riches 1046 (1047),
richece 10523 (10599).

4) sch: peschiés 667 (666).

5) k: clokes (*clocca) 8530 (8583), clokiers 7533 (7583),
18429 (19112), rikece 17740 (18195).

6) qu: broques 2803 (2823), riquece 1017 (1015).

IV. sc vor e (ié) aus lat. a:

1) sc: haiscie 1248 (1258), 5295 (5323) u. ö., fresce 288
(286), embuscié (*imbuscatum, Stamm būsc) 5496
(5528), embuscier 6486 (6526), pescëour 16560
(16768), mescief 3781 (3807) etc.

2) sch: haschie 159 (159), meschief 3951 (3978),
peschieres 11833 (11935), fresche 17455 (17835) etc.

3) sk: aharneskier 10251 (10326), paskes 18235
(18891).

4) squ: lasque (lask) 10690 (10766), pasques 166 (166),
15423 (15538).

V. lat. pj + Vok.

Es erscheint dafür bei uns neben

ch: sache 846 (846), sachiés 475 (474), 3651 (3676),

approchier 3264 (3285), aproche 11635 (11733), prochainement 11176 (11264), seltener auch:

c: hace 1945 (1965), 14161 (14265), approcier 12570 (12647), aproce 12363 (12446), aprocent 17313 (17693), proçain 10473 (10550), aber nie in den Formen des Verbums: savoir, cf. p. 113.

Franz. G (= g)

findet sich auch bei uns als g:

gouster 41 (41), regort 7526 (7576), angoisses 12171 (12273).

Franz. gu, das aus germanisch. w hervorgegangen ist, wird bezeichnet durch:

g vor a, ai: gart 570 (569), garde 1464 (1475), gans 1492 (1503), garant 13578 (13666), gaires 2024 (2044), gaitie 1240 (1250), gaut 1485 (1496), einmal noch gu: guarnie 4289 (4313).

gu vor e, i: guerredon 1489 (1500), guerre 1778 (1796), guerroier 8632 (8685), gué (lat. vadum + germ. wad) 1239 (1249) (qué 13268 (13349) ist Schreibfehler), guerpier 4126 (4149); Guis 71 (71), 123 (123), guicet 5277 (5309), desguise 1286 (1296) etc.; g vor e einmal in: gerpir 4363 (4386).

Erhalten ist w: in wagnart 10825 (10910), ferner erscheint es in: Wistasse 18430 (19112) und Widemer 6669 (6710), wofür sonst Uidemer 7445 (7495) und Huidemer 6607 (6649) steht.

Für er begegnet gr in: grenu (crinitum) 2787 (2808) umgekehrt für Franz. gr erscheint cr in: cras 8369 (8422). Cl statt Hl stets in dem Eigennamen: Cloecestre 10331 (10408), 10333 (10410) u. ö.

Franz. G und J (= ž)

ist dargestellt durch:

j: jambes 2625 (2644), jante (genita) 2197 (2216), ja 622 (621), 656 (655), jouene 95 (95), jut 1036 (1037), jeté 7156 (7203) etc.

g: gambes 2293 (3315), garding 121 (121), gaiant
3200 (3221), gaiande 3193 (3214), geterent 1083
(1084), gesir 2540 (2569), gens (genitum + s)
2228 (2247), gehi 2542 (2561), bourgois 11213
(11301), gut 15397 (—), mengier 351 (349), mengai 3211 (3232) etc., besonders häufig ist:

i geschrieben: ior 65 (65), ioie 44 (44), iuer 112
(112), iehan 669 (668), seriant 8407 (8460), iaioliers
2887 (2897), iursalen 2799 (2819), bouriois 7139
(7185), iut 1202 (1211), maniue 3313 (3335), meniai
7429 (7479) etc. Die verschiedenen Formen des
Pronomen ego cf. p. 68 u. 70.

In echt pikardischer Weise steht ñ für ng (dž): entres-
loignent 16922 (17191), aloignier 7044 (7090) neben Franz.
eslonge 11416 (11503), entreslongent 9315 (9383); doignon
(dominionem = Burgturm) 2414 (2433), 14217 (14325)
neben Franz. dongon, donion [= dž] 1131 (1139), 17343
(—); oingement 4479 (4502) neben Franz. ongement 4571
(4594), hier könnte auch Einfluß von oindre bezügl. des
oi vorliegen. Ebenfalls ist echt pikardisch der stimmlose
Laut in: carchent (carricant) 3857 (3883), carchié 2133
(2152), 10401 (10478) statt des stimmhaften Franz., wie in:
carge 4199 (4220), (en)cargié 3853 (3884), 4199 (4222). Vgl.
zu beiden Erscheinungen, Foerster: Chevalier as II. espees,
(zu dieser p. LIV, zu jener p. L).

Franz. J (= j)

Es sind hier einige Wörter mit unorganischem hiatustilgendem j zwischen Vokalen zu erwähnen:

praiel 1890 (1910) und praiele 1768 (1782), gegenüber praerie 122 (122); delaier 3454 (3476), delaiés
15810 (15939), delaiant 8386 (8438), delaiement
8378 (8429) = lat. dilatare. Nach Foerster Aiol
Anm. 3733 sind ebenfalls hierher zu rechnen:
fiier 10868 (10953), merciier 11920 (12022), merciié 15275 (15390) etc., cf. p. 31.

Franz. H

Latein. h hat sich in Wörtern romanischer Herkunft zuweilen graphisch erhalten; es finden sich nebeneinander:

eure 966 (967) und heure 935 (935),

oirs 984 (985) und hoir 15416 (15531),

ier 4024 (4047) und hier 4026 (4049),

omme 12030 (12132) und home 2355 (2374) etc.

Aus diesem Schwanken erklärt es sich auch, daß h bei uns, wie allgemein, zuweilen unorganisch im Anlaut eines Wortes vorgeschlagen ist:

huis 6983 (7028) und korrekt uis 2869 (2889),

hermites (eremita) 4170 (4193) und ermite 4178 (4201), ferner Helie 17599 (17996). Intervokal ist es erhalten in Jehan 16834 (17072), Rohars 8981 (9035), neben Roart 10699 (10775).

Bekannt ist die Erklärung für h in Jhesus 1491 (1492), Jhesucrist 2743 (2763) und Jherusalant 536 (535), dieses auch als Jursalen 2799 (2819).

h in germanischen Wörtern ist erhalten: haches 1590 (1601), haster 8456 (8505) etc.; über die Doppelformen: hauberc — auberc, hiaumes — elmes etc., cf. Metrik p. 120, 121.

d. Übergangslaute.

Wenn zwei Mittellaute zusammenstoßen, so wird der bequemeren Aussprache wegen ein Zwischenlaut eingeschoben. Doch ist der Gebrauch euphonischer Kons. nicht gleichmäßig in allen Dialekten, sie werden verschmäht besonders im Pik. und Wall. Unsere Hs. stellt sich hierzu folgendermaßen:

1) n — r: d fehlt, r wird gewöhnlich geminiert:

tennrrour 53 (53), engenrrés 4016 (4039), tenrrai 15173 (15287), soustenrriés 4206 (4229), tenrront 16377 (16570), reuenrra 6635 (6676), reuenrrés 9147 (9207), couuenra 5888 (5922) etc.

Ausnahme: vendront 18272 (18938).

d bezw. t tritt jedoch stets ein, wenn außer dem trennenden Vokal noch ein Konsonant (g, c) ausgefallen war:

oindrai 886 (886), empaindrc 7721 (7772), vaintre 8755 (8809). Über prendre cf. p. 106 u. 207.

2) s − r: t erscheint im Fut. und Cond. von: issir und estre: istrés 6992 (7037), istront 6581 (6622), istroie 2957 (2977), estrai 14691 (14805), te einmal in: esterés 423 (423). Nie tritt dieser Gleitlaut ein in der 6. pers. pl. Perf. der si-Verba: misent 1545 (1556), ocisent 1834 (1852) etc., cf. Konjugation, p. 89.

3) l − r: d fehlt nach u (< l), r wird meist geminiert: pourre (pulverem) 1324 (1335), vaurrent 745 (744), vaurroient 4541 (4564), faurront 17571 (17964), faurrommes 4355 (4378) etc.

Ausnahmen: faudrai[1]) 4527 (4550), vaudrai (voloir) 12059 (12161), und stets: mieudre 85 (85), 13312 (13394), mieudres 87 (87) u. ö.

4) m − l: b ist eingetreten: semblance 340 (338), tremblant 206 (206), comblé 12626 (12703), ensamble 169 (169), assemblés 4696 (4719).

Ausnahmen: assanlé 15927 (16081), wo ursprüngliches m > n geworden ist.

5) m − r: b ist ebenfalls stets eingetreten: marbrin 249 (249), 4010 (4033), nombrer 799 (799), membrer 4682 (4705).

Ausnahmen: keine.

V. Bestimmung von Ort und Zeit des Gedichtes und der Überlieferung.

a) Die Heimat des Dichters.

Für die Bestimmung des Entstehungsortes kommen folgende Kriterien in Frage:

---

1) Diese Formen erklären sich durch Einfluß des Centralfranz., vgl. dazu Schulże: Der Konsonantismus des Franz. im 13 • p. 11, wo umgekehrt für das Franz. pik. Formen wie: venroit, venrroient, convenra etc. belegt werden.

1) ẽ und ã sind im Reime gemischt, auch graph. ist *en* stets durch *an* wiedergegeben.

2) ę + i > i.

3) ẹ̃ und ę + i > oi reimen mit oi < ǫ + i.

4) Palat. + ata > ie.

5) a. -ilem, -ilium und -ivum + s > is,
   b. -alem + s > és.

6) ā > e.

7) ai vor Kons. > ę, ai im Auslaut > ę.

8) ǭ > ou, o aber nur in -our und vous; o vor Nasal > õ und õu.

9) ieu > iu.

10) s und z im Reime gemischt.

11) servise, iustise stets in dieser Form.

12) focum > fu.

13) Die 2. Sing. d. Personal-Pron. lautet neben tu einmal te und zwar elidiert e vor vokal. Anlaut.

14) Die betonte Form des Personal-Pron. der 1. und 2. Pers. ist im Obl. mi, ti daneben seltener moi, toi.

15) Als Possessiva erscheinen no, vo neben nostre, vostre.

16) Verbum:

   vëir, sëir neben vëoir, sëoir.

   -om(m)es neben -on.

   Impf. u. Cond. stets: -oie, -oies, -oit.

   -e (aus lat. a) ausgefallen im Fut. u. Cond. der Verben der I. Konj., dagegen unorganisch eingetreten in denen der II. u. III. Konj.

   -ois (-oiz) neben -és (-ez) im Fut.

17) Auslautendes ungestütztes t in 3 Fällen erhalten, doch ist es fraglich, ob wir diese Eigentümlichkeit für den Dichter in Anspruch nehmen dürfen.

Auf Grund dieser Kriterien kommen folgende Dialekte nicht in Betracht:

Das Wallonische, da hier -abam $>$ -eve, $e + i > ei$
und $\bar{e}$ nicht mit $\bar{a}$ gebunden wird.

Der Westen (Norm.), da hier $\bar{e}$ und $e + i$ stets als -ei
nicht oi erscheinen und die Verbalendung -om(m)es hier
nicht vorkommt

Der Osten (Lothr. und Burg.), da von dem charakteristischen i-Nachlaut dieser Dialekte bei uns nur geringe
Spuren zn finden sind.

Wir werden somit inbezug auf die lautlichen Kriterien
unseres Gedichtes auf die Pikardie oder die Isle de France
verwiesen, doch ist es nicht angängig, eine dieser Sprachprovinzen allein als Heimat des Dichters zu erschließen, denn
gegen diese sprechen die Punkte: 4, 5b, 9, 10, 11, 12,
13, 14, 15, 16, z. T. 17, gegen jene die Punkte: 1, 5a
und 7 unserer Aufstellung. Der Umstand vielmehr, daß
die Lauterscheinungen unseres Denkmals teils in beiden
Mundarten gemeinschaftlich, teils nur in einer derselben
vorkommen, nötigt uns zu der Annahme, daß die Heimat
unseres Dichters in dem Grenzgebiete des pik. und franz.
Dialektes: in *Beauvaisis*, zu suchen ist. Die Richtigkeit
unserer Ausführungen ergibt sich durch einen Vergleich
mit anderen in dieser Mundart geschriebenen Denkmäler:
ich verweise auf Suchier: Philippe de Remi, Sire de Beau-
manoir, Paris 1884, p. CXXVII sq. und Niederstadt: Doon
de Maience, Diss. Greifswald 1889, p. 18 sq. Beide zeigen
in den charakteristischen Punkten eine völlige Übereinstimmung mit unserem Denkmal.

Versuchen wir nun, ob sich die Grenzen innerhalb
dieses Gebietes noch enger ziehen lassen. Im östl. Teile
von Beauvaisis dürfte das Gedicht nicht geschrieben sein,
dort findet sich nicht die völlige Gleichstellung von *en* und
an, überhaupt zeigen die hier entstandenen Urkunden ein
streng pik. Gepräge, z. B. die regelmäßige Erhaltung der
auslautenden Dentalis, vgl. die von Niederstadt p. 35
zitierte Urkundensammlung: Cartulaire de l'abbaye de
Notre-Dame d'Ourscamp, p.p. Peigné-Delacourt, Amiens
1885. Die Stadt Beauvais selbst, die Oeckel p. 68 u. a.
als Entstehungsort unseres Gedichtes nennt, fällt ganz

außer Betracht, da hier ẽ und ã in pikardischer Weise streng geschieden sind, cf. Suchier in Gröber's Grdr. I, Karte IX. Es bleibt also nur der westl. Teil des Gebietes, wo die Pikardie, Isle de France und Normandie zusammentreffen und demgemäß die Bestandteile dieser 3 Mundarten gemischt erscheinen.

Daß hier in der Tat die Heimat unseres Dichters zu suchen ist, zeigen die folgenden Punkte unserer Aufstellung:

a) 4, 9, 10, 11, 12, 13, 14, 15, 16, 17 mit pikardischem Charakter.

b) 1, 7 und 5 (Ausfall des l und v nach i vor s) mit franz. Charakter.

c) 8: die Schreibung *ou* für *o* vor Nasal, ein normannischer Zug unseres Textes, vgl. hierzu Schwan: Rom. Studien IV p. 361 sq.

Ergebnis: Der Dichter stammt aus dem südwestlichen Teile der Sprachprovinz: Beauvaisis[1]).

b) Die Abfassungszeit des Gedichtes:

Eine verläßliche Datierung kann nur auf Grund der sprachlichen Kriterien erfolgen, da innere Gründe (Anspielungen auf historische Tatsachen etc.) fehlen.

Kriterien, auf Grund derer das Gedicht schon im 12[s] entstanden sein könnte:

a) ai vor Kons. ⸗ ẹ, im Auslaut > ẹ, beides schon im 12[s] belegt.

b) Die Inklinationsverhältnisse, cf. p. 127: sie deuten auf das Ende des 12[s]. Ich möchte aber diesen Punkt im Gegensatz zu Oeckel p. 69, welcher hieraus das Denkmal datiert, für die Bestimmung der Zeit außer Betracht lassen, da er zeitlich in keinem

---

1) Keineswegs spricht gegen diese Gegend das Vorkommen der Endung -oiz neben -ez, denn -oiz ist wiederholt sogar in Franz. Texten belegt, cf. Behrens: Die 2. pers. plur. des. Altfrz. Vb., Diss. Greifswald 1890 p. 34 sq.

15

Einklang steht mit den nachstehenden Lauterscheinungen unseresTextes und daher höchstwahrscheinlich die Verhältnisse der Vorlagen (cf. p. 152) wiederspiegelt. Ein altertümlicher Stand der Inklination ist auch in anderen Denkmälern beobachtet worden, man vgl. z. B. die Bemerkungen Friedwagner's: Meraugis de Portlesguez p. LXIV. Dies ist erklärlich, wenn wir erwägen, daß jegliche Auflösung solcher in den Vorlagen sich findenden Kontraktionen eine Gefahr für die korrekte Verszahl in sich birgt, die gewissenhafte Dichter, wie der unserige, auf das Peinlichste zu vermeiden suchten.

2) Sämtliche übrigen Kriterien deuten auf das 13 * hin:

a) ẹ (lat. ē, ĭ in ged. Silbe) ist mit ẹ (lat ĕ in Position) gebunden, was auf dem Festlande nach 1200 (Paris seit 1243), im Agn. schon nach 1150 vorkommt.

b) Die Substantive: estrier, fief, bon und die sek. Acc. Form jor, welche bei uns ausschließlich so begegnen, erscheinen nicht vor dem 13 *.

c) lat. ọ > o und ou. In Paris begegnet ou nach 1200 und ist daselbst um 1250 noch nicht durch eu verdrängt.

d) oi < ẹ oder ẹ + i reimt mit oi < ọ + i: in Paris seit 1243, im N. schon seit etwa 1200.

e) Auch spricht für eine relatif späte Entstehungszeit der Stil unserer Dichtung: Die Fülle der Epitheta ornantia, die Form der Vergleiche, Sentenzen und der häufige Gebrauch und die geschickte Verwendung des Enjambement.

Für einen etwas späteren Zeitpunkt (bis Mitte des 13 *, oder kurz vorher) sprechen folgende Erscheinungen:

f) die 3. Pers. des Pers. masc. Pron. lautet betont lui, meist aber li (so stets in den reinen i-Laissen). Diese Form. begegnet im Agn. seit Anfang, auf dem Festlande seit Mitte des 13 *.

g) die einzelnen Wörter mit Ausfall des Hiatus e:
Im Pik. seit 13ˢ, Franz. 14ˢ, cf. Reydberg a. a. O.

h) die Verhältnisse in der Deklin. und Konj:

α. Deklination:

Masc. Ia Nom.: 4 Fälle ohne s, 25 Fälle mit s,
„ Ib „ : 10 „ mit s (s aber niemals
im Reim), 9 Fälle ohne s. Fem. Ib mit analog. s
(im Reim auch Formen ohne s).

Masc. u. Fem. II: Der flexivische Unterschied ist nicht
mehr konsequent gewahrt. Im Nom. begegnen neben
Formen auf s: ancestres, träitres, bers etc., schon Acc.
Formen: glouton, felon, baron etc. Im Acc. sg.: träitre,
prestre, suer etc. Im Nom. pl.: hom, sire, träitre etc.,
Acc. pl.: prestres, glous etc. Trotzdem haben die lautgesetzlichen Formen das Übergewicht. Stärker ist der Verfall
der Deklin. bei den Eigennamen. Die Adjektive auf -al,
-il, -ant erscheinen noch ohne e im Fem., aber talis und
qualis sird mehrfach mit e belegt.

Genau dieselben Verhältnisse zeigen sich bei Huon
de Bordeaux, den Friedwagner in das 1. Viertel des 13ˢ
setzt (cf. daselbst p. 111), ferner im Chevalier as II espees, den Foerster p. LXII vor die Mitte des 13ˢ setzt;
dagegen begegnet in den von Le Proux herausgegebenen
Urkunden aus Vermandois[1]) (1218—1250) zwar öfters
analog. s im Nom., aber keine Vertauschung von casus
rectus und obliquus, und im Mer. de Portl., dessen Entstehungszeit nach Friedwagner p. LXXV in das Jahr 1215
fällt, ist selbst das analoge s im Nom. der Klasse II noch
niemals eingetreten.

β. Konjugation:

a) die 3. pers. Praes. Konj. der a-Konjug. zeigt in
3 Fällen ein analoges e: sonne 989 (989), donne
983 (983), sauue 2515 (2534), sonst begegnen
stets noch die organischen Formen. Das e begegnet in der ersten Hälfte des 13ˢ im allgemeinen

---

1) cf. Neumann a. a. O. p. 115.

15*

noch nicht, man trifft es häufiger nach der Mitte dieses Jahrhunderts.

b) In der 1. pers. Ind. Praes. ist e durch das Metrum gesichert in 2 Fällen: pleure 3693 (3718), claimme 5680 (5713), zwei weitere Beispiele stehen in der Caesur, sind also nicht beweisend. Hier erscheint e schon in der ersten Hälfte des 13[s]: Im Mer. de Portl. (1215) findet sich noch kein e, vgl. das. p XLVI, ebenfalls kein e in der Chronique rimee des Philippe Mousquet, deren Abfassungszeit sich bis zum Jahre 1245 erstreckt, cf. Link p. 34; dagegen enthält der Roman de la Violette par Girbert de Montreuil pp. F. Michel '(1225—1251) 30 Formen mit und 6 Formen ohne e; der Octavian (1229—44) nach Vollmöller nur eine Form mit e; der Cheval. as deus espees, wie unser Ged., 2 Formen mit e, und im Huon de Bord. ist das Verhältnis der alten zu den jüngeren Formen 91 : 11, cf. Friedwagner p. 110.

Nach alledem unterliegt es keinem Zweifel mehr, daß unser Gedicht nicht schon am Ausgang des 12[s], wie Oeckel p. 70 festgesetzt hat, entstanden ist, sondern die Abfassung aller Wahrscheinlichkeit nach innerhalb des zweiten Viertels des 13[s] stattgefunden hat.

Ergebnis: Das Gedicht ist in dem zweiten Viertel des 13[s] abgefasst worden.

c. Mundart des Kopisten.

Die Sprache des Kopisten hat mit der des Dichters viele Punkte gemeinsam. Im Folgenden seien die charakteristischen Züge derselben sämtlich aufgeführt:

1) *an* und *en* sind graphisch geschieden. Für vortoniges *an* erscheint manchmal *en*, umgekehrt für *en* (lat. Präfix in-) auch *an*; *in* erscheint in: infer. Da diese Vertauschungen in vortoniger Silbe in Texten begegnen, die haupttonig $\bar{a}$ und $\bar{e}$ im Reime streng

geschieden haben (cf. Auc. et Nic., Raoul de Houdenc, Adam de la Halle etc.), so müssen wir annehmen, daß diese Laute auch in der Sprache unseres Kopisten phonetisch geschieden gewesen sind.

2) a erscheint selten für ai; häufiger begegnen ai und ui für a, u.

3) -aticum > -age niemals -aige.

4) ā > e nicht ei.

5) ẹ + i > i.
   ǫ + i > ui.

6) ẹ und ẹ + i > oi, -iscum + s > -ois und -ẹs.

7) ẹ und ẹ + i + Nasal > ain.

8) ĕ in Position bleibt e, selten daneben auch ie.

9) vorton. e häufig > a.

10) Palat. + ata > ie nicht iée; ebenfalls
    ẹ   + e   > ie   „   iée.

11) -iculum und -ilium + s > -aus.

12) ẹ + u > ieu, iu (ui).

13)   + u > ieu, eu, iu (ui).

14) -ivus > -is; -ilis und -ilius > -ieus, einmal -ius; -alem + s > -eus.

15) ẹ + l + Kons. > -iau selten au und einmal ia.

16) ǫ + l + Kons. > au.

17) ǫ̣ > eu (ou, o).

18) o + Nasal > o, ou und u.

19) oi > o.
    ǫi und ǫi + Nasal erscheinen auch als ui und uin.

20) vorton. o als: o, ou, u.

21) Bartsch'sche Gesetz stets noch ié, ebenfalls ié < ẹ.
    -arem noch -er, einmal jedoch -ier.

22) ui erscheint je einmal als oi und iu.

23) vorton. ai, ei, oi vor ĩ, ñ und ss häufig > i.

24) aqua > eue und iaue.
    integrum > entir und entier.
    qua re > car und cor.

25) Verdoppelung und Vereinfachung der Konsonanten, Schwinden und unorganisches Zusetzen derselben.

26) l vor Kons. > u vokalisiert, graphisch erhalten, und ausgefallen.
27) m und n vor Lab. m, selten n.
28) pl, bl manchmal > ul.
29) sn > gn und gn > sn.
30) Methatesis des r.
31) Ausl. Dentalis selten erhalten, häufig ist: ent (inde).
32) t und c wechseln im Auslaut nach n.
33) stimmloses s erscheint als ss, seltener als s.
34) Auslautendes z ist in allen Fällen s.
35) Franz. c (ts) > ch.
    Franz. ch (tš) > c, k, qu.
36) v fällt vor r.
37) ng (dż) erscheint auch als ñ; ch (tš) statt g (dž) bei später Synkope.
38) germ. w erscheint fast ausschließlich als gu, g.
39) Artikel:
    Fem. Nom. Sg.: li und la.
        Acc. „ : le und la.
    Masc. + Praep. de, a, en: dou, del, du; au, al; el, ou, u.
40) Personal-Pronomen:
    jou (ego) betont und unbetont.
    moi selten mi.
    tu daneben einmal te.
    Fem. Acc. Sg. le und la.
    iaus, als, aus und eus, els.
41) Possesivum:
    miue, tiue, siue (suie) neben moie toie soie, pl. siues.
    men, ten, sen und mon, ton, son.
    me te se und ma, ta, sa.
    Nom. nos, vos neben nostre, vostre.
    Acc. no, vo „ „ „
42) Demonstrativum:
    Formen mit erhaltenem i und ohne i.
    Nom. sg. ciex 38 (38). 243

43) Konjugation:

vëir, sëir, caïr neben -oir.

-gam Formen im Konj. Praes.

Endungen: neben -ons selten -om(m)es, neben -iens,
-ions auch -iemes.

Impf. u. Cond. stets -oie, -oies, -oit, -oient.

Perf.: but, jut, connurent etc., aber: liut (leguit)
und liut (licuit), ferner: châi, châirent, crëist.

-irent, -isent, nicht istrent, -isdrent.

-aisse, -aissent aber -ast, -astes.

Fut. u. Cond.: e gefallen in der 1. Konj., unorganisch eingetreten in der II. und III. Konj. In der
2. plur. für -és selten auch -ois.

Überblicken wir diese Aufstellung, so ergibt sich, daß
eine Reihe von Erscheinungen, so die Punkte: 4, 5, 6, 10,
32, 34, soweit sie durch Reim oder Metrum gesichert sind,
auch: 41, 42 und 43 mit der Sprache des Dichters identisch sind. Bei der geringen Mannigfaltigkeit der Assonanzen ist es nicht möglich, den Vergleich auf weitere
Punkte auszudehnen. Trotz aller Wahrscheinlichkeit, daß
die ursprüngliche und überlieferte Mundart sich sehr nahe
gestanden haben, ist es nicht möglich, Beauvaisis als
Heimat für unseren Kopisten anzunehmen, denn die durch-
gängige Vokalisierung des l vor Kons. nach i und e
(Punkt 14) ist hier nicht heimisch; es wird im Gegenteil
das spurlose Schwinden des l (wie im O.) als typisches
Kennzeichen dieses Dialektes hervorgehoben, cf. Gennrich
a. a. O. p. 78, Niederstadt a. a. O. p. 26, Ebeling a. a. O.
p. 153. Außerdem käme nur der nordwestliche Zipfel in
Frage, da *en* und *an* (Punkt 1) in der überlieferten Sprache
streng geschieden sind.

Gegen das Wallon. den ganzen Westen und Osten
sprechen die p. 224 aufgeführten Erscheinungen. Wir haben
also die Heimat unseres Kopisten in der eigentlichen Pikardie zu suchen, wofür ganz besonders charakteristisch
sind die Punkte: 7, 12, 13, 15, 16, 18, 20, 22, 23, 24, 25,
26, 30, 31, 32, 34, 35, 36, 37, sowie die meisten unter
39—43 aufgeführten Erscheinungen. Da nun die Pikardie

eine große Anzahl selbständiger, durch eigene Sprach-
eigentümlichkeiten sich unterscheidende Unterdialekte besitzt, muß eine weitere Untersuchung ergeben, in welcher
dieser Sprachprovinzen die engere Heimat zu suchen ist.
Die östliche Pikardie kommt hierfür nicht in Betracht:

1) Der Dialekt von Flandern (Tournay und Lille):
   Hier ist die Diphthongierung des gedeckten ẹ besonders häufig, cf. Suchier: Auc. p. 64. Bei uns
   zeigen sich davon nur Spuren. Außerdem sprechen
   dagegen die Punkte 3 und 4.

2) Der Hennegau: Hier ist infolge der Nähe des
   Ostens (Burg + Lothr.) der parasitische i Laut
   häufig anzutreffen, ferner wie in Flandern ẹ in
   Position > ie diphthongiert, cf. Foerster: Richars
   li Biaus, p. VII u. IX.

3) Der Dialekt von Vermandois: Kommt nicht in
   Frage wegen Punkt 3, besonders aber wegen Punkt 4,
   da die Entwickelung des betonten a > ei statt e
   als charakteristisches Merkzeichen dieses pikardischen
   Unterdialektes gilt, cf. Neumann a. a. O. p. 17.

4) Beauvaisis s. o.

Es bleibt somit nur noch der westliche Teil der Pikardie,
bestehend aus den beiden an die Normandie angrenzenden
Unterdialekten Artois im Norden und Ponthieu im Süden
(nahe der Isle de France). Die sprachlichen Unterscheidungs-
merkmale dieser beiden auf das engste mit einander ver-
wandten Untermundarten der Pikardie sind bisher noch
nicht festgestellt, die Kenntnis derselben ist mehrfach vermißt
worden: So sagt Friedwagner am Schluß seiner sprachlichen Abhandlung über Huon de Bordeaux p. 105: „Die
Heimat unseres Dichters liegt in Artois oder Ponthieu.
Auch zwischen diesen eine Scheidung vorzunehmen, fehlen
uns sprachliche Anhaltspunkte". Ebenso sagt Suchier Auc.
p. 69: „Die Hs. wird im Ponthieu oder in Artois geschrieben
sein."

Durch einen Vergleich der Resultate meiner Untersuchung mit diesen beiden und noch zwei weiteren Arbeiten glaube ich in der Lage zu sein, auch zwischen diesen

Dialekten eine, wenn auch nicht absolut sichere Lautgrenze ziehen zu können, die es wahrscheilich machen wird, daß Auc. und Nic. und Huon de Bordeaux in das nördliche Artois (etwa St. Omer, was Friedwagner p. 113 von seinem Denkmal aus anderen Gründen auch vermutet) zu setzen sind, dagegen die Heimat unseres Kopisten *im südlichen Teile von Ponthieu* und zwar nahe der Grenze von Beauvaisis (Sprache des Dichters) zu suchen ist. Es werden noch herangezogen die Arbeiten von: Helfenbein: Die Sprache des Trouvere Adam de la Halle aus Arras (südl. von St. Omer) in Zs. für rom. Phil. Bd. 35 p. 309 sq. und die von Raynaud: Étude sur le dialecte picard dans le Ponthieu d'après les chartres des XIIIᵉ et XIVᵉ siècles, Paris 1876[1]). Allen Denkmälern gemeinsam fehlen die obengenannten Eigentümlichkeiten der ostpikardischen Mundarten. Unterscheidende Merkmale zeigen sie inbezug auf unsere Lauttabelle in folgenden Punkten:

1) in dem Verhalten des Diphthong ié.

Im nördl Artois kann Reduktion $>$ i eintreten:

Auc. p. 65: destrir, civres.

Huon p. 106: aidir.

In Arras findet sich schon nur ié, cf. Adam de la Halle p. 317 u. 321.

Im Ponthieu tritt daher ebenfalls nie die Reduktion $>$ i ein: cf. Raynaud p. 10 u. 27 und bei uns p. 183, es findet sich also stets ié. Auf diesen Unterschied macht schon Bächt a. a. O. p. 34 aufmerksam.

2) in dem Verhalten des Suffixes-aticum:

In Artois erscheint neben -age sehr häufig -aige: Im Huon, cf. p. 94, ist das numerische Verhältnis 79:27, Adam d. l. H., cf. p. 318, 319 zeigt ebenfalls -aige neben -age, doch seltener[2]).

Im Ponthieu findet sich fast nur -age cf. Raynaud p. 19: 30-age und 2-aige. Bei uns cf. p. 160: findet sich nur -age.

---

1) Vergleiche zu dieser Arbeit die Bemerkungen p. 159 A.

2) Im Auc. ist die Lautuntersuchung nicht vollständig, es sind Belege für -age nicht aufgeführt.

3) m und n vor Labial:

In Artois: n selten m: cf. Huon p. 66, Auc. p. 25 und Adam d. l. H. p. 339 (hier ist m schon etwas häufiger).

Im Ponthieu m sehr selten n: cf. Raynaud p. 328: 3 n neben m, sonst m. Bei uns findet sich ebenfalls fast ausschließlich m, cf. p. 200 und 201.

4) Übergangslaute:

In beiden Dialekten fehlt d zwischen n-r und n-l, dagegen ist b stets eingetreten zwischen m-r, cf. Huon p. 67, Auc. p. 58, Adam d. l. H. p. 400. Raynaud p. 327, bei uns p. 221.

Unterschied zeigt sich in dem Verhalten von m-l:

In Artois: nl selten mbl: cf. Huon p. 67, 75, Auc. p. 58, Adam d. l. H. p. 332, 400.

Im Ponthieu: mbl selten nl, cf. Raynaud p. 328: 3 nl neben mbl, sonst stets mbl. Bei uns 1 nl, sonst stets mbl, cf. p. 222 sq.

5) r nach n und u ($<$ l vor Kons.).

In Artois: r selten rr, cf. Huon p. 67[1]), Auc. p. 58, Adam d. l. H. p. 400, 402 hier ist sogar rr nicht belegt.

Im Ponthieu: rr, selten r: cf. Raynaud p. 22, 335; bei uns p. 198. Ein weiterer Zug unseres Dialektes ist, wenn ich allein nach meiner Untersuchung urteilen darf, die durchgehende Verdoppelung des l und f (cf. p. 194, 195 und 206) in vortoniger Silbe; bei Huon und Adam d. l. H. ist diese Eigentümlichkeit nicht ausgeprägt.

6) -abilis ist belegt bei Huon, cf. p. 321, als -aule, auch -able, bei Raynaud, cf. p. 328, finden sich -avle und -able, bei uns nur -able [2]) cf. p 204.

Man gewahrt also, daß bei genauer Untersuchung der Verhältnisse sich rechtwohl Unterschiede zwischen den Mundarten von Artois und Ponthieu feststellen lassen, dieselben

---

1) Schultze a. a. O. p. 32 belegt aus dem Franz. des 13ᵃ ebenfalls Wörter mit rr: venrront, donrree, donrra, seltener auch solche mit r. Diese Formen sind aber wohl aus dem Ponthieu eingedrungen. Umgekehrt finden sich bei uns selten Franz. Formen mit d, cf. p. 221.

2) Über b $>$ u in anderen Fällen cf. p. 204.

erklären sich aus der geograph. Lage beider Provinzen; die
Denkmäler aus Artois (besonders die aus dem Norden
stammenden) zeigen strengpikard. Züge, die aus dem Pon-
thieu dagegen weisen neben diesen starken Einfluß des
Centralfranzösischen auf; Arras nimmt in allen Punkten eine
Mittelstellung ein.

**Ergebnis: Huon de Bordeaux u. Auc. und Nic.
stammen aus dem N. von Artois, die Fassung P des festl.
Bueve de Hanstone dagegen aus dem südl. Ponthieu.**

d) Zeit der Fassung P.

Es sind folgende Punkte zu nennen:

1) ai graph. noch nicht ẹ, was im Pik. noch nach Mitte
   des 13ᵃ die Norm ist.

2) virge, nicht vierge; aber cierge, nicht cirge; ie zeigt sich
   zuerst im 13 ᵃ.

3) ọ > eu (ou, o) seit dem 12ᵃ ; im Reime zeigen sich
   nur ou, o, daher ist nicht festzustellen, ob für den
   Dichter auch schon die dritte Stufe der Entwickelung
   anzunehmen ist.

4) jou (ego), das sich im Norden und Nordosten (Pik.)
   neben je im 13ᵃ entwickelt, erscheint auch bei uns
   schon so.

5) Für den Nom. pl. tuit erscheint gleichhäufig tout eine
   pik, Form, die sich seit dem 13ᵃ findet.

6) Die Form des Demonstravif-Pron., Nom. sgl. ciex 38
   (38) erscheint nicht vor der Mitte des 13 ᵃ, sie gehört
   also dem Kopisten.

7) -arem erscheint einmal als -ier sonst stets noch als -er.

8) Einmal inkliniert der acc. sg. des unbetonten fem. pers.
   pron. :nel(sc. Josiane) vëissiés 13068(13 149), was sich
   in. pik. Denkmälern gelegentlich seit dem 13ᵃ zeigt
   (cf. Tobler Versbau p. 37). R W haben hier: Ne
   la vëisse.

9) Das ié des Bart'schen Gesetzes ist noch stets erhalten,
   ebenso ie < ẹ, die Entwicklung > e zeigt sich

einzeln am Ausgang des 13⁶ häufiger seit Anfang des 14 ⁹.

10) Das seit Ende des 13⁸ begegnende pron. poss.: *lors* (illorum + s) ist bei uns noch nicht zu belegen, es begegnet stets noch lor.

Es geht hieraus deutlich hervor, daß die Entstehungszeit der Hs. P zwischen die Mitte und den Ausgang des 13⁸ zu setzen ist.

Ein annähernd bestimmter Zeitabschnitt läßt sich durch die Namensnennung P Vers 18 435 (19 118) sq. ermöglichen. Es heißt hier [1]):

Jcest romant signeur, que vos lisiés, Escrist Pieros qui est nommés du Riés. Derselbe Pieros du Riés nennt sich auch in anderen Werken, so am Schluße des: Judas Machabee, welcher Roman von Gautier de Belleperche unvollendet gelassen und von Pieros du Riés zu Ende geführt ist (Nähere Angaben hierüber bei: Bonnard: Les Traductions de la Bible en vers français au moyen âge, Paris 1884, p. 174 — 176 und H. Everlien: Über Judas Machabee von Gautier de Belleperche. Diss. Halle 1897). Der Roman „J. M." ist überliefert in der Hs. B. N. 789, es heißt hier fol. 218 b:

Et se Gautiers le commencha
Pieros du Riés des lor en cha
Remist du parfaire son us.

Einige Verse weiter wird die Jahreszahl genannt:
Mil et CC et quatre vins,
De ce me fai je drois devins,
Fu lors partrovés cis romans,
Tesmoins le eskevins dormans.

Dieser Roman wurde also im Jahre 1280 von Pieros du Riés vollendet. Derselbe Name P. d. R. findet sich ferner im „Ansëis de Cartage". Vgl. hierzu L. Gautier: Les Epopees françaises III p. 648 — 654 attribue ce roman

---

1) Diese Ausführungen decken sich mit denen von Oeckel p. 77 sq., ich gebe sie nur der Vollständigkeit halber wieder.

de la décadence à un poëte du nom de Pierre ou Pierrot du Riés. Or le seul manuscrit d'Anseïs où il soit, à notre connaissance, fait mention de ce personnage, c'est le ms. frç. 12548 de la bibliothèque nationale:

> No chanchons fine: de Dieu de paradis
> Soit benëois qui les vers a oïs
> Et cil si soit qui aussi les a dis.
> Par Pierot fu [i]cis roumans escris
> Du Riés qui est et sera bon chaitis
> Ne n'en sai plus, foi que doi saint Denis,
> Ne plus avant n'en truis en mes escris,
> Mais alons boire, qu'il est bien miedis (B. N. 12548
> fol. 78 b).

Les deux autres manuscrits de la bibliothèque nationale ne renferment rien de semblable, et voici leurs derniers vers:

> Soit benëois qui les vers a escris
> Et vous aussi qui les avés öis (B. N. fr. 793 fol. 72 b).
> Nostre cançon fine de Deu de Paradis
> Cil qui dit li romans et li vers scris
> Et vos aussi qui li avés öis
> Que Deu vos mete en la gloria de Paradis (B. N.
> fr. 1598 fol. 107 b).

Daprès les citations précédentes, il est facile de conclure que Pierrot du Riés n'est veritablement qu'un scribe. C'est le copiste d'un roman qu'il n'eût pas su composer. Il s'est donné la fantaisie de communiquer son nom à ses contemporains en quelques vers de sa façon, qui sont vraiment détestables, et ou l'on a tort de voir la signature de l'auteur.

Diese inbezug auf den „Anseïs de Cartage" gemachten Bemerkungen paßen im Wesentlichen auch auf die Fassung P des festl. Bueve de Hanstone: *Pieros du Riés ist nicht als Autor sondern als Kopist des ursprünglichen Gedichtes zu betrachten.* Wäre er wirklich der Verfasser desselben gewesen, so würden die Schreiber der Parallelhandschriften R W, (T) sich nicht gescheut haben, dessen Erwähnung zu tun, allein die fraglichen Verse mit der Namensnennung Pieros du Riés, die Verse: 18435 (19118), 18444 (19127) finden sich nur am Schlusse der Hs. P und erweisen sich schon rein äußerlich als bloßes Anhängsel. Ein weiterer Stützpunkt für unsere Vermutung ist der Umstand, daß gerade die beiden Hss. des „Ansëis de Cartage" und „Bueve de Hanstone", an deren Schluß Pieros du Riés sich nennt, unter derselben Nummer B. N. 12548 überliefert worden sind.

Betreffs der Veränderungen, die das ursprüngliche Gedicht unter der Hand des Kopisten erfahren hat, ergab die Untersuchung, daß dieselben nicht unbeträchtlich sind: so haben wir es p. 132 sq. wahrscheinlich gemacht, daß die Vorlage um mehr als 600 Verse gekürzt worden ist; ferner zeigte sich bei der Untersuchung der Assonanzen und Reime (cf. p. 153 sq.), daß durch freies Schalten mit dem Flexionskonsonanten die unreinen Ausgänge des ursprünglichen Gedichtes in der Überlieferung durchweg in Augenreime umgewandelt worden sind. Zweifel lassen sich erheben über den Ursprung der L 1 (1), cf. p. 145 und 152. Dieselbe findet sich in P W, darf auch als zur Hs. R gehörig betrachtet werden[1]), von welcher die ersten Bogen fehlen, aber nicht ist diese Laisse durch die Fassungen C T überliefert. Da nun die Hss. P C T aus derselben Quelle geschöpft haben, liegt die Vermutung nahe, daß diese Laisse der Vorlage (von P) nicht angehört hat, sondern erst vom Kopisten verfaßt worden ist. Allein, es fehlen uns für diese Vermutung weitere Stützpunkte; wir betrachten daher die L 1 (1), die dem Epos alz Einleitung vorgesetzt ist, schon als Eigentum des Dichters und nehmen an, daß sie in die Hs. P, und von hier weiter in [R] W übergegangen ist.

Als Entstehungszeit der Hs. P kommt etwa das Jahr der Vollendung des Mackabäerromans in Betracht: also 1280, hierzu stimmen auch die oben aufgeführten Lautkriterien.

---

1) W ist eine Abschrift von R, cf. Kap. VII.

Ergebnis: Die Hs. P ist höchstwahrscheinlich im Jahre 1280 von Pierot du Riés geschrieben worden.

Bemerkungen zum Text:

Wortkompositionen sind häufig graphisch getrennt:

si faitemant 211 (211) = sifaitemant

dame diex 801 (801) = damediex

la brieuee 2082 (2101) = l'abrievee

la uesprement 18290 (18957) = l'auesprement

umgekehrt werden nicht selten mehrere Worte graph. zu einem zusammengezogen:

desi 216 (216) u. ö. = de ci (ecce hic)

nia 1012 (1014) = n'i a

emportent 1180 (1188) = em portent

enparlés 9128 (9230) = en parlés etc.

Folgende Wörter sind in der Hs. doppelt geschrieben worden:

s'est 3408 (3431), chr (= chevalier) 7641 (7690), sa fille 15417 (15532).

Verschrieben ist: tetonoit 10334 (10410) = tenoit, verwischt: geninailles 12406 (12483) = genitailles; millours 799 (799) statt milliers ist eine graph. Verwechselung. Manchmal erscheint en statt et (lat. et) so 63 (63) und 3554 (3579), umgekehrt Et statt en 11093 (11189) (in diesem Falle, weil in der vorhergehenden Zeile am Anfang des Verses ebenfalls Et steht). Sonst sind Schreibfehler und Ungenauigkeiten nur äußerst selten, da die Hs. mit größter Sorgfalt angefertigt worden ist. Es sind noch zu erwähnen:

Dont vos *ferés* servir et honnerer 5870 (5904): Hier wird dem Sinne nach ferons verlangt, ferés erklärt sich als Versehen, veranlaßt durch vos, daß in diesem Falle nicht Subjekt sondern Objekt ist. Ferner sind Ungenauigkeiten:

Bueon 5192 (5219) statt Soibaut V. 5189 (5226).

Gaifier 6129 (6165) statt Rainier V. 6139 (6175).

terre 5475 (5507) statt guerre 5523 (5555).

bourgois 10115 (10190) statt broion.

Yvorin statt Hermin 13533 (13615).

3 pers. plur. statt sing. im Verbum:
ont 5141 (5169) statt a
voient 13696 (13 786) statt voit
soient 8951 (9005) statt soit.

VI. Bemerkungen zur Hs. R.[1])

Die Hs. R befindet sich in Rom, bezeichnet als: Vat.
Chr. 1632. Sie ist beschrieben in Kellers „Romvart." p. 403 sq.:
Es ist eine Pergamenthandschrift. Auf jedem Blatte sind
4 Spalten, je 41 Zeilen enthaltend. Die Hs. ist sehr ver-
dorben, die Schrift verblichen. Das erste oder die ersten
Blätter fehlen. Am Anfang ist von neuerer Hand der
Name Bourdelot eingezeichnet, der vielleicht den Besitzer
bedeutet.

Die Hs. „R" stellt keinen selbständigen Typus unter
den Bueve-Fassungen dar, sie ist eine freie Bearbeitung
der Fassung P und zwar nicht des Originals
sondern der Überlieferung, wie aus typischen Überein-
stimmungen mit den Eigenarten dieser hervorging.
Der Schreiber ist sehr ungeschickt und arbeitet flüchtig.
Er nimmt nicht nur eigenmächtige, sehr beträchtliche Kürzungen vor, sondern ändert beständig den tadellosen Wortlaut der Vorlage, was durch die außerordentlichen Verstöße gegen die korrekte Silbenzahl (s. u.) bestätigt wird.
Andererseits zeigen die zwar unbeträchtlichen Interpolationen, die sicherlich nicht seinem Geiste entsprungen sind,
daß er hier und da andere Hss. mit herangezogen hat, so
besonders für den Anfang des Gedichtes, der uns freilich
nicht erhalten ist, aber wie aus W [2]) (V. 377—1388) zu
schließen ist, mit P nicht übereingestimmt hat.

Was den Wert der Hs. „R" für die Textkritik anbe-
langt, so ist derselbe insofern nicht unbedeutend, als uns
diese Hs. die sämtlichen vom Kopisten P ausgelassenen
Verse (cf. p. 133 sq) des ursprünglichen Gedichtes überliefert hat. Doch finden sich diese Verse auch in der Hs.

---

1) Vergl. das in der Einleitung p. 2 über R. W. Gesagte.
2) W ist seinerseits eine wortgetreue Abschrift von R, cf. Kap. VII.

T[1]), mit welcher R von V 13141 (13222) an auch sonst manche Punkte gemeinsam hat, und man wäre sogar geneigt, anzunehmen, daß R dieselben nicht direkt aus dem Original P, sondern aus diesem erst indirekt durch Vermittelung von T übernommen habe, wenn nicht R schon sämtliche vor V. 13141 (13222) in P ausgelassenen Verse aufwiese. Der Sachverhalt ist daher vermutlich folgender: *Der Schreiber von R benutzt als Vorlage die Hs. P, zieht aber für die fehlenden Verse das Original P und für gelegentliche Interpolationen andere Hss. heran.*

Die hier gemachten Angaben über das Verhältnis der Hss. sind das Resultat zahlreicher im Verlauf meiner Arbeit gemachten Beobachtungen; auf diese näher einzugehen, ist hier nicht der Platz, zumal diese Frage augenblicklich Gegenstand einer besonderen Dissertation ist.

Bezeichnend für die Unfähigkeit und Ungeschicklichkeit des Schreibers von R sind, wie schon erwähnt, die ganz außerordentlich häufigen Verstöße gegen die korrekte Silbenzahl der Vorlage, es seien davon nur einige Beispiele aufgeführt:

a) Verse mit einer Silbe zu wenig:
1571[2]) in R fehlt: ne.
1584 P se il, R: sil.
1615 P poiions, R: pooms.
1687 P en ennoie, R: ennoie.
1484 P Bueves, R: Et. Ähnlich so in den V.: 1694, 1784, 1798, 1802, 1809, 1810, 1817, 1833, 1881, 1901, 1930, 1980, 2035, 2049, 2098, 2107, 2163, 2177, 2184, 2785, 2882 etc. 2 Silben zu wenig haben: 3316, 5947 etc., 3 Silben zu wenig: 4313, 4366 etc.

b) Verse mit einer Silbe zu viel:
1534 P car, R: Et car.

---

1) T folgt von V (13222) an bis zum Schluß wörtlich der Fassung II, und zwar hat sie diese Verse (ca. 6400) nach Wolf a. a. O. p. 141 direkt aus dem Original P entnommen, cf. Einleitung.
2) Bezifferung nach dem kr. Text.

1565 P vendent, R: vendirent.
1574 P sui, R: sui ie.
1601 P salent, R: il saillent.
1938 P l'auberc, R: le heaume.
Ähnlich so in d. V. 1963, 2201, 2242, 2276, 2779,
3092, 3113, 3485, 3503, 3771, 3891 etc. Zwei
Silben zu viel haben d. V. 3908, 4886 etc.

Die Häufigkeit der Verstöße gegen die Silbenzahl
bleibt sich im ganzen Gedichte nicht gleich, sehr zahlreich
sind sie etwa bis V. 4000, nehmen dann mehr und mehr
ab, um allmählich fast ganz aufzuhören. Daraus geht
auch der sek. Charakter der Hs. R gegenüber P hervor.

Die lautlichen Charakteristika von R sind bereits von
Oeckel p. 79 sq zusammengestellt worden, dieselben weisen
ohne Zweifel auf die *Champagne und zwar wegen des
pik. Einschlag auf den nördlichen Teil derselben.*

Betreffs der Entstehungszeit vermag ich Oeckels An-
sicht p. 83 nicht zu teilen, daß die Hs. noch vor T (1311),
und gar noch im 13ᵃ geschrieben sei. Gegen dieses Jahr-
hundert spricht, um nur den Hauptpunkt zu erwähnen,
der in R schon zahlreich eingetretene Übergang von ie > e.
Derselbe läßt sich in P (geschr. um 1280) noch an keinem
Beispiel belegen, ebenfalls wird davon im Richars li Biaus,
der nach Foerster (cf. p. XXI) am Ende des 13ᵃ abgefaßt
ist, noch nichts erwähnt, dagegen zeigt die Hs. T (entstanden 1311) schon wiederholt Wörter wie: mengers,
acer, percher, commencher etc., cf. Sander a. a. O. p. 91.
Hierzu stimmt also genau die Bemerkung M.-L. Gr. p. 86,
daß der Übergang von ie > e sich um 1300 vollzogen
hat. Wenn demnach in R in großer Häufigkeit schon e
anzutreffen ist, z. B.: cheualer 6288, destrers 6094, plancher
6355, acer 6143, aprocher 6158, vergoinez 3422, auilé 2156,
prisez 1634, arracher 8882 etc., *so dürfen wir wohl nicht
noch das Ende des 13ˢ, sondern das erste oder besser das
zweite Jahrzehnt des 14ˢ als Entstehungszeit derselben
annehmen.* Für diese Zeit spricht auch der stärkere

Verfall der Flexion in R und manche andere Erscheinungen, die sich in P noch nicht finden.

VII. Bemerkungen zur Hs. W.

Die Hs. W befindet sich in der Wiener Hofbibliothek unter der Bezeichnung: W 3429. Über das Schicksal derselben sind einige Notizen zu finden im: Essai statistique sur les bibliothèques de Vienne, Vienne 1835 par Adrieu Balbi. Hier ist unter den Ankäufen p. 9 für das Jahr 1738 verzeichnet: Achat. de la bibliothèque du prince Eugène. Zu dieser Bibliothek des Prinzen Eugen gehört auch unsere Hs., sie ist in: Tabulae codicum manuscriptorum praeter graecos et orientales in: Bibliotheca Palatina Vindobonensi asservatorum, edidit: Academia Caesarea Vindobonensis Volumen II, Vindobonae 1868 unter: N 3429 aufgeführt; weitere Bemerkungen finden sich hier nicht.

Blatt 1 und 12 der Hs. sind aus Pergament, die übrigen Blätter aus Papier.

Die Hs. W ist die jüngste der auf uns gekommenen frz. Hss. des Bueve de Hanstone, *nach Prof. W. Meyer stammt sie aus der zweiten Hälfte des 15 s.* Abgesehen von kleinen Verschiedenheiten stellt sie eine wörtliche, aber äußerst nachlässige Kopie von R dar, geht also wie diese, ebenfalls auf P zurück. Der Schreiber ist noch viel unselbständiger als der von R, er zeichnet die Worte seiner Vorlage rein äußerlich nach, versucht niemals zu bessern, sondern hat im Gegenteil an manchen Stellen den Text durch die unwesentlichen meist sinnstörenden Veränderungen und durch seine Unachtsamkeit derart entstellt, daß derselbe vielfach unbrauchbar geworden ist und daher für meine Untersuchung nicht in Betracht kommen konnte. Aus einigen Punkten der Untersuchung könnte man vielleicht schließen, daß der Schreiber auch P (Kopie) herangezogen hätte, doch ist auch dies unwahrscheinlich, im allgemeinen hält er sich streng an R und wird wohl keine weitere Vorlage benutzt haben.

16*

Die Sprache der Hs. W zeigt im Wesentlichen dieselben Eigentümlichkeiten, wie ihre Vorlage R, *die Heimat
des Kopisten ist also ebenfalls die Champagne.* Selbstverständlich sind aber wegen des jugendlichen Alters der
Hs. die mundartlichen Züge nicht mehr streng durchgeführt,
sondern vielfach nur noch angedeutet. Im Folgenden sei
nur das Wichtigste daraus hervorgehoben, Vollständigkeit
kann hier nicht angestrebt werden, da mir nur der 3. Teil
der Hs., etwa 6000 Verse, in Abschrift für meine Untersuchung vorliegen. Zum Vergleiche ziehen wir besonders die
Arbeit von Friemel: Laut- und Formenlehre zu Longnon's
Documents relatifs au comté de Champagne et de Brie,
Diss. Halle 1906 heran, mit welcher W. die Hauptpunkte
gemeinsam hat.

a. Vokale.

1) Franz. A:

    erscheint bei uns als *a*: armes 68, bras 588, trace
    353, auch vor ss (P hat hier regelmäßig *ai*):
    mandasse 2134, pourchassent 5202 etc.

    -aticum > -age: mesage 346, riuage 1440, mariage
    505, 568 etc. und -aige: couraige 75, 176, 909,
    riuaige 1499, dommaige 1263, auch saige 38,
    saigement 811 etc., ebenso bei Friemel p. 13.

2) Franz. Ã:

    an < lat. a + Nas. wechselt in der Schreibung mit
    en (ebenso Friemel p. 25), mande 256, apparissant
    827 etc. und ens (annos) 2542, alement 476, 828,
    trenchent 958, enffent 61, gentes (gantam + s)
    1996, emples 2354, entendent (Gerund.) 1641 etc.

besonders auch findet sich *en* statt *an* in vortoniger Silbe
(ebenso Friemel p. 29): mentel 606, engoissier 935, enty
606 etc.

3) Franz. Ẹ:

    = vlt. ẹ erscheint bei uns als ẹ: fer 272, feste 117,
    haubers 1877 etc., selten erscheint ein parasi-
    tisches i hinter ẹ: veist (vestit) 1706, teire
    (terram) 3496.

häufig findet sich a für e vor r:

> haubars 1468, haubart 1860, aubarc 4922, garre 5574 etc., vortonig: garedon 1025, guarrier 918, garpir 4922 etc.

ie statt e: iestes (estis) 12096.

Friemel p. 13 belegt: ę und ęi; a findet sich besonders im Burg. u. Lothr., cf. Apfelstedt a. a. O. p. XVIII.

ę + u (< l) entwickelt sich mit dem Gleitlaut a >.

> eau: costeaulx 973, manteaulx 978, chasteaulx 1662, damoiseaulx 1272, 1572, 1696, nouveau 1969 und
>
> iau: chastiaulx 1728, 1745, iaume 324, hiaume 1709, nouuiaux 2113, damoisiau 758 etc.

Dasselbe bei Friemel p. 19.

4) Franz. Ę:

> 1 = vlt. ę erscheint wie im Franz. als e: clerc 243, 703, mectre 240, meschinete 60 etc.
>
> -iculum findet sich als -oil, aber selten: vermoille 3598, ebenso -iliat: meruoille (10389), analogisch in esmeruoil 5569, meist aber dafür wie Franz. -eil: soleil 51, 66; merueille 98 etc. Dieselben Verhältnisse in Cligés, cf. p. LXIV.
>
> 2) = vlt. ā ist immer e, niemals ei (auch Friemel p. 15): pre 374, gre 506, auez 430, denree 7, amenerent 1052, monterent 1054, selten dafür die umgekehrte Schreibung ay: nay (natum) 47191, tiray (tiratum) 694.
>
> -alem > -el: mortel 222, ostcl 5242, tel 6, quel 5 und > -al: loyal 220, desleal 335, mal (Subst.) 203.
>
> > ie: quiel 5117, li quielz 4871 (5964), tiex (5117), ebenso Friemel p. 15.
>
> -arem schon = -arium > -ier: sanglier 407, pilliers 2340, solliers 819 etc., -er noch in: bacheler 424.

5) Franz. Ẽ:

> en > e + Nasal ist = ã, wie die Vermischung der Schreibung en mit an beweist (ebenso Friemel p. 26): prent 59, vendre 78, entent 723, longue-

ment 197 und: fame 35, 39, 121, randre 3940, prandre 4039, pran (Imp.) 2030, an (inde) 1478, besonders vortonig (ebenso Friemel p. 30): planier 1997, antrepris 2337, prandra 398 etc.

6) Franz. I:

erscheint als i:

folie 576, souffrir 569 etc., meist graph. dafür y: oyr 1, oye 3, träys 332, pleuy 564, mary 101, häye 143, folye 123 etc.

i vor r > ie: vierge 540, 734, 1609, cierges 702.

vlt. ẹ + i stets > i: yst 242, lit 605, despit 1621, 1409, pis (pectus) 2349, Friemel p. 17 ebenfalls nur i.

ẹ nach Palatalis > i:

mercy 2261, pays 555, cire 2235; jacet > gist 2325.

i + l + s >

-is: jentis 3357.

-ius: fius 996, 794, 1007, filz 29, 64, 327, gentilz 25, cilz 629.

-uis: fuiz 1037, 330 u. ö.

Vgl. Friemel p. 15, 16, 17.

7) Franz. Ī

begegnet auch bei uns so:

fin 381, espines 1162 etc.

8) Franz. Ọ:

1) = vlt. au begegnet als o: chose 49, tresor 215, parolle 365, 523 etc., vortonig o: öyir 1, öye 3.

ou: jouie 116, coniouie 145, au: aurez (Fut. v. öir) 126.

2) = vlt. ọ: erscheint als o: port 1460, cors 111, tost 150, col 879 etc.

9) Franz. Ọ:

1) = vlt. ọ = cl. freiem ō, ŭ erscheint als:

eu: honneur 42, 44, valleur 43, heure 458, douleur 63, meilleur 44, jougleur 3145, courageux 68, glorïeux 732, merueilleuse 859, leurs 978, preu 172 etc., daneben noch:

ou: pour 189, und häufig:
o: menor 40, coureor 55, oysor 48, plusor 1922,
träitors 2146 etc.

2) = vlt. ǫ, cl. ged. ō, ŭ, griech. ǫ:
ou: tout 78, 97, tour 51, iours 445, 400, jour 46,
bouche 778, tour (turris) 236, redoubte 490 etc.
selten graph. noch:
o: tor (tornos) 66, ioste 175, estor 2148, borc
2081.
eu: creuppe (kruppa) 1765.
vortonig: ou: coureor 55, souef 202, doubtance 283,
tourné 420 etc., o: formez 1880, florie 106,
ploree 20 etc.

3) ǫ > eu > u (sek. Wandel):
sur (supra) 82, 175 u. ö.

10) Franz. Ǭ:
erscheint als
on: chanson 1, 9, raison 104, hommes 25, honte 28,
conte 24.
vortonig:
on: corronpue 9, fondu 363, honnoree 886 etc. und:
un (cf. Friemel p. 25): confundu 1310, enbruncha
2022, auch iungleur 3 u. ö.

11) Franz. U:
erscheint ebenfalls als u bei uns:
murs 449, escus 351, ramu 355, chanu 353, auch so
in der 3 sg. Perf. der st. Vb.: dut 2144, receut
1289, jut 120, courut 851 etc., vgl. Friemel p. 10.

b. Diphthonge.

1) Franz. Ai:
erscheint als:
ai, ay: desormays 4, vraye 11, plaist 440, 469. Im
Auslaut: diray 10, achetay 165, feray 173 etc.
meist aber als:
e: palés 932, fet (factum) 912, prestre (pascere)
2305, huymes 1593, lesse 341, gresle 139, fret

(fractum) 1864, im Auslaut: donré 1521, 1541, 169, e (habeo) 2327, auré 784, essaieré 1790 etc., vortonig: abessier 84, chetif 1390, bessier 329, aresnier 290, guetier 289 etc.

Seltener erscheinen:

ei, ey: feire 310, 1532 u. ö., scey (*sajo) 494, serei (9794), areignier (adrationare) 659, meignie (mansionata) 124 etc.

oi: uoyt (= vait) 1489, Moiance (= Maience) 4695, poiles (= pailes) 4565, umgekehrt für oi steht ai: saiez (= soiez) 5550; lat. aqua begegnet in den Formen: eue 839, 1073 und eaue 303 (793), aber nicht als aigue, diese Form ist der eigentl. Champagne fremd, cf. Cligés p. LXI; lacrima erscheint als: lerme 1087 und larme 20.

In allen Punkten (außer oi für ai und umgekehrt) zeigt sich Übereinstimmung mit Friemel, cf. p. 21, 22.

2) **Franz. Aī erscheint auch** bei uns gewöhnlich als:

ai: main 182, 1177, germains 1268, pain 1362, saincte 143, ayme 1463, vortonig einmal ai > a: mantenant 3494.

ei, das Friemel p. 27 neben ai belegt, kommt in dem mir vorliegenden Teil der Hs. nicht vor, darf aber vielleicht für das Gedicht angenommen werden.

3) **Franz. Ei (Oi) < e erscheint** auch in unserem Denkmal:

1) = vlt. ẹ: doibt 16, voir 34, poil 71, foy 151, 2601, seroyt 193, moy 144, voye (viam) 891.

2) vlt. ę + i:

doy (*dejo) 151, 260, doys (discum + s) 1677, otroy 1690, Angloys 1693, Francoys 1705 etc.

auch vortonig oi:

loyaulx 584, poison (piscionem) 293.

4) **Franz. Ei:**

erscheint nur selten so:

peine (Vb) 2704, enseignes 2245, gewöhnlich begegnet dafür:

ain: plain 57, plains'156, plaine 124, fain 818, 1641,
auaine 1641, sainte (cinctam) 1712, mainent 958,
saignent (cingunt) 1888, paine 560, painne (Vb.)
850, und daneben aber nur selten:

oin: poinne 288, poingne 219, ramoine 5052, poine[nt]
3457.

cf. Friemel p. 28: ain seltener ein und oin.

5) Franz. Ié:
dafür ist natürlich schon oft e eingetreten:

enseigner 70, enforcer 85, esliger 305, iostiser 332,
paumer 925, changer 938, hucher 941, bailler 961,
eslongner 976, laisserent 1145, sercherent (cir-
caverunt) 1129, brisee 1143, embucher 1653, em-
bracer 1655, trencher 2466, hucher 2406, mehangner
5995, noncer 2713, moiller 462, losenger 3674,
venger 5920, arresner 336, asseger 6403; es
erscheint sowohl ę in ié Assonanz: trouuerent
1130, menerent 1136, porter 311, conter 346 etc.,
wie ié in é Assonanz: destrier 2804, 4099, tren-
chier 3193, pillier 3197, soullier 4055, sanglier 3889
etc., wo P überall den korrekten Reim hat.

Franz. iee erscheint bei uns ebenfalls so: aprimiee 1120,
serchiee 1125, corouchiee 1128, contrariee 1126, archiee
(8470), chauciec 130, besiee 508, > ee: couchee 1121, ategee
1123, nuitee 1127 etc., daneben begegnet, aber seltener:

ie: traueillie 1122, meignie 1124, menie 991 (beide =
mansionatam); besie 146 hachie 153, 5222 etc., cf.
Friemel p. 24: iee daneben ie.

6) Franz. Jeu:

1) = vlt. ę + u: erscheint bei uns als:

ieu: dieu 41, 100, 572, dieux 740, mieulx 1172, 9261,
cieulx 1783, vielz 148, lieue 3900, lieues 4563 etc.
Seltener daneben:

iu: triuez 276, liues 757, 3772, mius 855 und:

eu: meudre 80, 82, dex (< lat. deus) 461.

Go gle

2) $= \underset{.}{\text{o}} + \text{u}$: erscheint als: ·

    ieu: lieus 2478.

    eu: feu 303, 988, 1164, 5214, 5822, queu (cocum)
      160, 299, cf. Friemel p. 24: ieu und eu.

7) Ou:

  1) $=$ vlt. a $+$ u dafür erscheint:

    ou: clous (clavum $+$ s) 2765.

  2) $=$ vlt. au $+$ u:

    o: tro 1621, paucum ebenfalls als: po 1623, daneben
      als: pou 11933 und peu 516. Friemel p. 18 belegt
      ebenfalls Formen mit o, ou, für paucum daneben
      auch eu und einmal poi.

  3) $=$ vlt. o $+$ l vor Kons. erscheint als:

    ou(l): voult 345, 1241, vouldra 2177, 2158, vouldroye
      1172, vouroyt 5417, uoudront (11 999)[1]), couper
      (6699), soudees (6200), soudeier etc. doch auch:

    au: taurei (5065), cf. Friemel p. 28:

7) Franz. Ue: zeigt sich bei uns als:

    ue: descueure 264, muere 645, cuer 37, 141, 148,
      puet 298.

    e: auec 162, 421, jllec 244, ber ($=$ buer) 1788, stet
      ($=$ estuet) 337 etc.

    eu: peut 96, 410, peult 561, 389, ceur (cor) 1302,
      meure 368, meurent 1171, deul 1347, treuue,
      treuuent 353, 892, feure (fodr) 1906, Beuues 29,
      64 etc.

    ueu: cueur (5007), cueurs (5455), (5519).

8) Franz. Ui erscheint auch bei uns

    so: fruit 1382, destruire 2012, celluy 38, luy 82, 123,
      156, tuit 283, 377 meist als: tint 1725, 1920, 1963,
      2939 u. ö., suis 994, puis (postea) 2199, huy 312,
      muy 313, annuy 271, ui niemals oi in: dui 420,
      5832, 5936, anduy 5985 5633, ambedui 5633.

  ui $>$ u: du ($=$ dui) 1035; cuuert 809 statt gewöhnlichem

---

1) Die in Klammern gesetzten Zahlen entsprechen denen der kr.
Textes (cf. p. 4 A), die übrigen beziehen sich auf die Hs. W.

cuivert ist korrekt, cf. p. 192. Friemel p. 42 belegt ebenfalls nur ui < o + i und als Zahlwort dui.

c. Konsonanten. ·

Unter den Konsonanten herrscht eine derartige orthographische Verwilderung daß vielfach die ursprüngliche Gestalt eines Wortes nicht mehr zu erkennen ist. Es seien nur die Hauptsachen daraus hervorgehoben.

1) Franz. L:

l vor Kons. ist natürlich schon vokalisiert: escoutee 17, haubert 415, heaume 414, chauciee, meudre 80, mius 855, iteus·(11400), uieus 11 545), fius 996, 1007, graph. steht noch l: gentilz 25, cilz 629, filz 29, 64, vielz 390, 106, 148, maldie 123 etc., in den meisten Fällen vokalisiert und noch geschrieben: haulce 578, doulcement 146, coulpe 670, costiaulx 1089, vouldroye 1172, mauldie 148, mieulx 147, voult 345, desloyaulx 124 etc. So kommt es auch, daß l manchmal da erscheint, wo es etymol. keine Berechtigung hat: dieulx (deus) 1222, peult (potet) 389 etc. Ausgefallen ist l nur selten: jentis 2357; votie 135, coppa 1644, decoppé 1172, coper 1551, vorent 1295 etc. also besonders nach o; cf. Friemel p. 31: Vokalisierung, graph. Erhaltung und Ausfall des L.

2) Franz. R:

> lat. rr ist erhalten: terre 57, querre 1126, corrompue 9, courroucié 801, 1008 etc. r: coureor 55.
>
> dr, tr > rr: orrés 65, arresnier 336, nourry 163, 202, arriere 1031, arrestee 516, consirrer 750 etc.
>
> > r: orés 19, ariuerent 1644, nourisson 601, araisonnee 527, aregnier 659 etc.

Neben jureras 167, dureroient 689 etc. finden sich demourray 1347, enterrons 3883, enterrai (9400) etc. Auch sonst findet sich Umstellung: garnon = grenon 1043, espreuiers 4545 etc. Dasselbe bei Friemel p. 32.

3) Franz. M und N:

> Vor Labial finden sich:
>
> > m: chambellant 336, emploier 969, enflambee 521, jambe 1142 etc. und:

n: Monpellier 317, enbaumé 426, enbedui 1295, menbres 302, 383, 747, enbuchier 349, enparentee 888 etc., bei Friemel p. 31 nicht erwähnt.

Vor s: homs 144, 572, 389.

Für n steht sehr häufig u:

meua 1071 = mena, cueux 470 = cuens, ysuelement 791, 864, 1051, auuyt = anuyt 755, Bouuefoy 1643 = Bonnefoy, douuoier 96 = donnoier; umgekehrt für u ein n: vanaçor 57, vanroit (von valoir) 314, 2161, noiez 1657 = uoiez, an 452 = au etc. Oft ist n unorganisch eingetreten: vint = vit 752, jungleur 3, fast stets im Perf. und Part. Pass. von prende: print 290, 336, prinrent 1134, prins 276 etc. Vgl. ferner p. 261. Ebenso Friemel p. 32.

Intervokales n ist erweicht > ñ:

aresongner 3355, prangnes (2. p. praes. Ind.) 5371, poingne (*penat) 219, congnoys 493, ein Vorgang der sich im O. (Lyoner Jsopet) häufig findet. nt gefallen in Verbformen:

responde[nt] 629, demande[nt] 1111, cherche[nt] 1127, fine[nt] 1380, poine[nt] 4457.

Im Auslaut neben: non (nomen) 240 auch: nom 29, 1042, 2224, Mahom 4523.

4) Franz. P B V:

Vor. Kons sind dieselben oft erhalten:

soubz 355, 456, doibt 16, doubtee 10, redoubte 490, obscure 697. p vor (Flexions)-s: cops 968, hanaps 973, temps 697, 1594, corps 95, 111, 189, 418, aber auch sonst: escript 231, nopces 529, 852. Ebenfalls intervokal p. > v, aber graph. noch erhalten: nepueu (nepotem) 1261, doibuent 22, debueroit 954 etc.

Anlautend b > v:

vergier 912 = bergier
vranc 920 = branc. Friemel p. 34 belegt b statt p im Anlaut.

5) Franz. F:

Im Auslaut: souef 1170 und soué 692.

Vor Flex. -s geblieben in: chetifs 1497.

6) Franz. T, D:

Vor t findet sich sehr häufig c, nicht nur in Wörtern, in denen etym. ct zugrunde lag:

> droicturier 100, 315, octroy 1447, faictes 40, gecter 300, dictee 5, dicte 18, saincte (cinctam) 1712 etc., sondern auch sonst: mectras 232, mectez 234, maincte 20, traictre 411, 961, actendirent 1361, leictres 2346, prophecte 34 etc.

t > d nach Kons.:

> manandie 113, gard (gardo) 1323; t im Auslaut erhalten: matinet 151, ebenso Friemel p. 35.

c wechselt mit t:

> branc 1906, 2188, vranc 920, blianc = bliaut 4892, fronc (frontem) 1020, haubert 2251, aubert 324, haubart 1860.

t im Auslaut gefallen:

> on[t] 617, quan[t] 70, di[t] 1325, 464 etc.; fut 12, 28, 116 und fu 386, 1259, nasquit 584 und nasqui 566, entendit 881.

ad- in Zusammensetzungen geblieben:

> advenant 484, aduis 2089, aduenir 2284, adourer 2122, adoré 1305.

Einzelne Wörter:

> eurent 2181 = entent, Tesvre 2081 = Desvre, voyt 575 = voy (*vejo), raindrons 780 = taindrons 780, respons 1434 = respont, creancer 1186, 2087 = creanter etc. Solche Entstellungen finden sich auf jeder Seite.

7) Franz. S.

Im Anlaut und hinter Kons. erscheint häufig c:

> celle (sellam) 1633, cy (sic) 574, c'est (= s'est) 130, 137, 323 u. ö., deceurer 1576, cil (= se il) 901; faulce 214, 485 u. ö., Percie 138, pencez 654, pencee 549 etc.

sc in: scay 603, scet 149, scellé 231.

Für intervokales stimmloses s findet sich neben *ss*:
assez 325, ressemble 537, messagier 852, assemblee 852
etc. auch *s*: asouagier 852, oisor 60, poison (piscionem)
291, asoty 575 etc. und *c*: vauacor 56. Stimmhaftes intervokales s erscheint auch als *ss*: poisson (potionem) 221;
s vor Konsonant ist verstummt und häufig nicht mehr geschrieben: menie (mansionatam) 991, blanmer 751, ante
(hastam) 1797, fremit 574, pent 339 = 3. Conj. v. penser,
quit (= quist) 839, parratre 2311, mechines 129 etc.; andererseits ist es unorganisch eingetreten: traistres 477,
609, affeustree 511 etc.

sl > ll: trellie 1750, ellés (eslais) 1724 etc.

sn > gn: regne 422, 514, 1624, aregnier 659, maignie
1124, digner 2297 etc., umgekehrt gn > sn: resnier
(regnum + arium) 577. Dies bei Friemel p. 32
nicht erwähnt.

s im Auslaut erscheint auch als:

z: povrez 622, armez (armas) 3841, onquez 872,
meismez 471 etc., weit häufiger aber als:

x: loyaulx 574, paix 40, courageux 68, dieux 142
u. ö., voix 137, desloyaulx 124, ·maulx 36, costiaulx 1089, ceulx 602 etc.

8) Franz. Z:

Im Auslaut werden s und z nicht mehr unterschieden
und gehen vollständig durcheinander; ferner findet sich
dafür auch x:

z: orrez 65, 126, piez 318, fiez 36, degrez 519,
vielz 587, gentilz 25, filz 29, 54, fuiz 330 etc.

s: orrés 43, ferus 352, escus 351, tous 36, 97, pareus
470, fus (fustem + s) 993, malars 1996, poins
(pugnum + s) 390, fius 996.

ss in: filss 912.

x: mieulx 926, yeulx 596, preux 244 etc.

9) Franz. C (ts).

= ursprüngl. c vor e, i oder cj, Kons. + tj, sofern
sie vor Vokal bleiben:

c: ceste 21, cel 81, cy 199, cité 429, cierges 702, force 357, acier 973, chauces 819, cerf 313, semblance 270, doubtance 282, chacier 77, commance 86 etc.

s: chanson 1, iostiser 332, ser (cervum) 307, 354, aserez (acier + atum + s) 404, asesmé (*acismatum + s) 2112, serchent 1149, serchiee 1125, malëison (1035), serchierent 1030, saincte (cinctam) 1712, selee (celatam) 876, resercelé 1484, saignent 1878 etc.

ss: ssist (= cit) 1224, redressié 587, vieillesse 108, 150, jeunesse 110, richesse 1479 etc.

ch: cherchent 1127, escorchier 4596.

10) Franz. Ch.

= lat. c vor a, oder pj: Es findet sich dafür stets, wie im Franz.:

ch: chanson 1, chante 6, chascun 46, chacier 77, haches 1416, chief 78, planchié 933, fresche 136, bouche 778, chambre 604, approchier 87, chier 132 etc. Dieselben Verhältnisse bei Friemel p. 34.

11) Franz. G.

Für germ. w findet sich stets g, gu:

guise 1749, Guinemant 160, gueres 749, guerir 572, gart 330, gans 321, garant 199, garenty 585 etc.

12) Franz. G und J (= dž) erscheint als:

j: jeune 90, jut 120, jour 416, jura 175, joye 260, joyant 141, jambe 1142 etc.

i: ioie 762, iugleor 906, iours 94, iostiser 334, iecter 1891, ia 196, ioste 175, bourioys 1118 etc.

g: ge 805, gectez 450, gectent 972, argent 610, geté 1495, gente 139, sergant 1565 etc.

13) Franz. H.

Es finden sich:

homme 80 und ome 1494,

haubers 1877 und aubarc 4922,

hiaume 1709 und iaume 324.

Intervokal eingetreten in: trahy 1390, anlautend un-organisch in: habandonnee 1820, 1865.

13) Übergangslaute:

Stets eingetreten zwischen: m-r und m-l:
chambre 604, remambres 198; samblés 534, tremb-lant 189.

Eingetreten und nicht eingetreten zwischen: n-r u. l-r:
tendrement 596, semondre 853, couuiendra 568, vin-drent 1380; mendre 80, 82, vouldray 1217, voul-droyes 2270, vouldra 2177, fauldront 4245 etc.
und: tenrement 747, couuienra 2267, couuanra 5359, vourra 2158, vourent 2344, vanroit (v. valoir) 314, 2161 etc. Ebenso bei Friemel p. 31.

14) Doppelkonsonanten:

Dieselben sind typisch für unsern Text; sie finden sich besonders im Anglonormannischen und Pikardischen:

ll: celle 99, pucelle 107, sálle 427, parolle 523, ville 515, apelle 159. Vortonig: tollir 125, chambellant 336, jllec 244, scellé 231, apella 262, Mompellier 317 etc.

mm, nn: homme 80, 168, nommer 263, pommier 931, commencommes 27, commandie 619; felonne 35, sermonne 34, Hantonne 29, ennuier 916, felonnie 124, anciennement 13, villennie 628 etc.

Für mm auch nm: preudonme 856, Mahonmet 2740, ebenso bei Friemel p. 30.

pp: creuppe 4765, couppes 1091, copper 2179, soupper 697, decopper 927, tappis 150, approchier 87, ap-porte 187, appelle 160, apprint 453 etc.

bb: abbez 432, abbé 1267, abbaye 13 etc.

ff: enffent 61, 193, deffi 1934, souffrir 561, 567, deffendent 200, reffuser 2140, affeustree 511, reffroidié 308. Im Anlaut: ffoiz (fidem + s) 508, 1736.

Für tt steht gewöhnlich ct, cf. p. 253.

cc: occire 222, occie 220, occi 465, 279, occiray 646,
occira 472, occirons 484, occiroyt 178, occis 459,
occist 272, occiste[t] 457 etc.
Nur selten sind die einfachen Konsonanten anzutreffen.

d. Die Flexion:

Das altfranz. Deklinations-System ist selbstverständlich
längst verschwunden; es erscheinen alte und neue Formen
nebeneinander, und so zeigt der Text auch in diesem
Punkte ein buntes Bild:

Der Nom. sg. erscheint ohne s:

soleil 51, bon chevalier 67, fier 68, dieu 103, rous-
signol 137, le sang 573, mon amy 268, vostre mary
570, le pont 366, le mautalent 460, le fer 369 etc.
auch so der Voc.: beau sire 740, franc chevalier
747, pere puissant 143 etc., daneben noch die
archaischen Formen: li ualez 188, li uielz chanus
barbés 390, voc: dieux 142, amis 161 etc.

Der Nom. plur erscheint mit s:

les chevaliers 1110, sergens 1085, deceuz 39 etc.
• neben den archaischen Formen: pautonnier 1129,
sergent et escuier 943 etc.

Festgewachsen ist s bei:

fils: Acc.sg.54, 64 etc., ebenso bei preus Acc.sg. 72 u.ö.,
Über das Flexionszeichen im Reim cf. „P" p. 153 sq.

Auch die Substantive mit bewegl. Accent sind bereits
auf dem neufranz. Standpunkt angelangt, da der Schreiber
aber sklavisch die Worte der Vorlage nachzeichnet, so sind
die alten Formen sehr häufig geblieben:

Als Nom. erscheinen:

venieres 407, hons 859; in enfens 1801 kann n
unorganisch sein, cf. p. 252; ferner die obliquen
Formen: homme 228, 159, 2155 u. ö., preudomme
93, 856 u. ö., glouton 366 etc.

Als Acc. sg.: prestre 703.

Als Nom. plur.: traitre 1368, traistres 477, 609, als
Voc. plur.: seigneurs 1, 21, 33, 2205 u. ö., barons
102, 266 u. ö.

17

Go gle

Als Acc. plur.: traitres 1840, prestres 433 etc. Daneben für alle Casus die organischen Formen, es herrscht also ein wirres Durcheinander.

Die Feminina bieten nichts Bemerkenswertes, sie haben den heutigen Standpunkt erreicht.

d. Artikel:

Als Masc. Form des best. Artikels erscheint im Nom. gewöhnlich schon: le 34, 93, 95, 137, 148, 189 etc., daneben begegnet noch archaisches: li 186, 206, 407, 583 und die bemerkenswerte Form: luy 407, 409, 421 u. ö. Dieselbe begegnet sehr häufig im Anglonorm., cf. A. Stimming: Der Anglonorm. Boeve p. XIII (33 mal in der Hs. B belegt). Festländische Beispiele geben: Tobler Versbau[1] p. 31 Anm. 2[2], p. 34 Anm. 1 und Foerster zu Elie de St. Gille 1045. Die Form erklärt sich nach Stimming p. XI entweder als umgekehrte Schreibung für li oder ist von dem Pron. pers. der 3. Person herübergenommen, bei welchem lui mit li wechselt (cf. p. 259).

Im Nom. pl. finden sich neben: les 292, 1110 u. ö. noch archaisches: li, ly 58, 98, 992 und sehr häufig wieder: luy (cf. Stimming p. XII) 282, 321, 1029 u. ö.

de + le > du 16, 77 und dou (5042), (10008), (15381).

a + le > au 74, 182, 243, graph. an 54.

en + le > ou 326, 352, 1137 und v 850, 950.

a + les > aux 68, 214, 974, 1356, diese Form findet sich ebenfalls in R, niemals aber schon in P. (cf. p. 64).

Der Art. Fem. bietet nichts Bemerkenswertes:

li als Nom. sg. und le als Acc. sg. kommen nicht vor.

Dieselben Verhältnisse bei Friemel, cf. p. 39, 40 (lui statt li nicht belegt).

Der unbest. Art. lautet im: Nom. sg. vngs 3391, Acc. sg. vng 12, 14, 55, 138 u. ö., Nom. pl. vngs 944, Acc. pl. vngs 982.

Derselbe ist bei Friemel nicht aufgeführt, doch siehe dort die Form ung unter n p. 31.

f. Pronomen:

α) Pronomen personale:

Nom. sg. der 1. pers.: je, j' 161, 203, 474 und ge 465, 764 u. ö., aber nicht jou, ebenso Friemel p. 38.

Die 3. pers. erscheint unbetont im Dat. sg. als: luy 95, 111, 156, 189, 246, selten: li 523, 617; luy auch als Fem: 287.

Der Nom. pl. erscheint unbetont als: ilz 1152, 1886 u. ö. daneben auch: il 1355.

Der Acc. pl. betont als: eus 452, eux 1407, eulx 1701, ebenso Friemel p. 38.

β) Relativum:

Nom. sg. masc. u. fem.: qui 60, 62, 81, 107, oft auch que 7, 2226, 2313, u. ö. cf. Bemerkung p. 267.

Acc. sg.: que 27, 2122 und cui 26, qui 121, 145.

Nom. pl.: qui 945, q' = 1035.

γ) Possessivum:

Zu: mien 279, tien 576 erscheinen als Fem.: mienne 834, sienne 41, 742 ferner tene = teue 726 und sene = seue 759, 1777; mon espee statt m'espee 3986, 4000, 4764, son esqee 411, daneben noch m'ame 381, 738.

Für mes sires 678 auch mesire 435.

Vom Pronomen der Mehrheit erscheinen selten auch die verkürzten Formen:

Nom. sg. nos nouuiaux adoubez 2113,
no damoiselle 2154,
vo mere 1273,
de vo[s] vie 622. Friemel p. 39 belegt diese pik. Formen nicht.

Das Poss. der Mehrheit lor erscheint im Acc. stets schon mit -s:

en leurs poins 1880, 1881, en leurs nez 1435, leurs escus 1612, leurs manteaulx 978 etc.

Im Nom. pl. erscheinen:

mes hommes 1372, ses parens 1333, leur sigle 1436, doch auch noch: si compaignon 1604 etc.

δ) Demonstrativum:

Nom. sg.: cil 344, 345 etc., celluy 585.

Acc. sg.: cel 1232, 1500, icel 1731, sel 2115; celluy 38, 7117.

Nom. pl.: cil 906, 1052, sil 2217, cilz 1145, 1501; ceulx 602, yceulx 602.

Neutr. Acc. sg.: yse 1274.

Diese Formen auch bei Friemel p. 41.

g. Zahlwort:

Nom. dui (nicht doi) 194, 679, 1943 und deux 1355, graph. deulx 5000, stets auch: andui 1478, enbedui 1295; troys 706, 1219, sept 438. Ebenso Friemel p. 42.

h. Verbum:

Es seien einige Verben aufgeführt:

aller.

Praes. Ind.	2. uays 2331.
	3. va 974, reua 506, sonst aber: uet 190, 196, 217, 2218, vayt 2332, voyt (?) 1489.
Praes. Conj.	1. aille 926.
Fut.	4. yrons 1591.
	5. yrois 2243.
Cond.	1. yroie 316.
Impf. Conj.	1. alasse 557.
Imp.	2. vas 181.
	5. allez 2068.

laissier.

Praes. Ind.	3. laisse 2334, lesse 341, let 2305.
	5. laissiez 469.
Fut,	4. lerron 1583, lerons 1456.
	6. lesseront 2193.
Cond.	1. lerroye 363.
Impf. Conj.	1. laissasse 555.
	3. laissast 1738.

donner.

Praes. Ind.	1: doint 156, donne 1357.
Conj.	3. doint 42, 102, donne 620.

Fut.	1. donré 152, donray 498.
	4. donrons 614.
Cond.	1. donroye 1280.
	5. donriez 1340.
Impf. Conj.	3. donnast 1522,

yssir 771.

Praes. Ind.	3. yst 242.
Perf.	6. yssirent 1626.
Part. Perf.	yssu 275, Subst. issue 1907,

faillir 241, **(as)saillir** 580, 2344.

Praes. Ind.	3. fanlt 1120.
Fut.	1. fauré 4011.
	4. assauldrons 5417, faurons 6425. fauldron 4340, faurommes 4241.
	6. assanldront 6526, fanldront 4245.

estre.

	1. sui 1007, suy 627. 912, suis 275, 915.
	2. yés 380.
Perf.	3: fut'.12, 28, 116, fu 766.
	6. furent 245.
Fut.	3. iert▌1821.
	2. seras 577.
	4. serons 1433.
	5. serés 622, seroiz (5883).
Cond.	5. seriés (2 silb.) 1427.

auoir.

Praes. Ind.	1. ay 291, e 267, ai[t] 2229.
	4. auons 4339, auon 594, auomes 4234.
	6. ont 61, on 617.
Praes. Conj.	1. aye 1113.
	3. ait, ayt 113, 1592.
	5. aiez 1684.
Fut.	2. auras 333.
	3. aura 570.
	6. auront 1773.
Perf.	3. ot 62, 74.
	6. orent 1389, 2187, eurent 1094.

Impf. Conj. 3. eust 970.
           6. eusseut 310.

feire 221, 310.

Praes. Ind. 2. fays 996, fez 183.
           3. fayt 59, 89.
Praes. Conj. 2. faces 686.
Fut.   1. feray 173, 206.
           2. feras 379.
           4. ferons 778.
Cond.   1. feroye 626.
Imp.   2. fay
           5. faictes 40.
Impf. Conj. 1. fëisse 266.
           6. fëissent 429.

vëoir 1016.

Praes. Ind. 1. voy 1814, voy[t] 575.
Perf.   1. vy 756.
           3. vit 510, 934, vi[s]t 251, vin[n]t 875, 752.
           6. virent 610.
Fut.   3. verra 328.
Part. Perf. vëuz 786.

venir, tenir.

Praes. Ind. 6. vienent 991.
Conj.   1. viengne 2329.
           3. viengne 1050, tienge 560.
           5. vegniez 2093.
Fut.   2. vendra 2117, couuiendra 568, 5789, couuienra 2267, couuanra 5859, deuiendra 1073.
           4. vendrommes 1457.
Cond.   3. tendroyt 1019.
           5. soustiendriez 4096.
Perf.   6. vindrent 1380.
Impf. Conj. 1. tenisse 556.
           3. venist 475.

occire 222.

Praes. Conj. 3. occire 220.

Perf.	1. occi 465.
	3. occist 920.
	5. occistes[t] 457.
Fut.	1. occiray 646.
	4. occirons 484, occiron 492.
	6. occiront 773.
Cond.	1. occiroy 720.
	3. occiroyt 178.
Conj. Imp.	2. ocëisses 361.
Part. Perf.	ocis 1172,
	mectre 240.
Praes. Ind.	5. mectez 234.
Perf.	3. mist 251.
	6. mistrent 777, tramistrent 1746, mirent 1372.
Fut.	1. trametré 2213.
	2. mectras 232.
	3. mectra 653.
Cond.	3. mecteroit 311 (e zählt als Silbe).
	prandre 4049.
Praes. Ind.	1. prens 559.
	6. prenent 819.
Conj.	1. praigne 277, prangne 2011.
	3. repraigne 84.
Perf.	3. print 290, 336, 756, 757, apprint 453.
	6. e[s]pristrent 1747, prinrent 1134, pristrent 5454.
Fut.	1. prendray 2036.
	3. prandra 398.
	5. prendrez 564, 1356.
Imp.	2. pren 181, pran 2030.
	sëoir 953, sëir: ir 2068.
Perf.	3. assist 174, 986.
	6. sistrent (8866), assirent 451,
	dire 49.
Praes. Ind.	3. dit 33.
Perf.	3. dist 252, dit 142, 266, di 464, 1325, dy 482.

Imp. Conj.	5. dëissiez 2197.
Fut.	1. diray 10, direi (9875).
	4. dirons 1593.
Imp.	2. dy 2051.
	5. dictez 831.
Part. Perf.	dicte 18.

chëoir.

Perf.	3. chëy 1303.
	6. chëirent 2652.

devoir.

Praes. Ind.	1. doy 151.
	3. doibt 17, 916.
	6. doibuent 22.
Impf.	3. debuoyt 286.
Perf.	3. dut 2144.
Conj. Impf.	3. dëussions 1614.
Cond.	3. debueroit 954 (e nur graph.), ebenfalls 3430.

pöoir.

Praes. Ind.	1. puis 48, 65, peux 458.
	2. peulx 632.
	3. peut 96, peult 388.
„ Conj.	2. puisses 331.
	3. puisse 2160, puist 2555, 673.
	4. puissons 675.
Perf.	3. pot 141.
	6. porent 974, 1567.
Fut.	1. pourray 2123.
	3. porra 572.
	4. pourrons 690.
	5. pourroiz 6383, pourrez 4859.
Cond.	1. pourroye 305, 569.
	3. pourroyt 2124.
	4. pourions 4863.

sauoir 206.

Praes. Ind.	1. scay 603, scey 494.
	3. scet.

Perf.
Fut.
Cond.

4. sauon: on 263.
6. seuent 1608.
3. sot 240.
5. saurez 660.
5. sauriez (2 silbg) 1682.

congnoistre 1155, 3512.

Praes. Ind.

Perf.

Impf. Conj.
Part. Perf.

1. congnoys 493.
4. congnoisson: on 1003.
6. congnoissent 4528.
3. cognut 1201, recognut 3482.
4. conneumes 1048.
6. connurent 1830.
3. conneust 990.
conneu 356.

voloir.

Praes. Ind.

Perf.

Fut.

Cond.

1. vueil 167, veil 269.
3. veult 591, 1097, veut 222.
3. volt 1318, voult 345, 1241, vost 2138.
6. vourent 2344.
1. vouldray 1217, vouré 4608.
3. vouldra 2177, voura 2158.
4. vourons 1511.
1. vouldroye[s] 2270.

valoir.

Praes. Ind.
Cond.

3. vault 629, 1206.
3. vanroit 314, 2161.

Friemel p. 43 sq. belegt im allgemeinen dieselben Formen, nur von der Endung -om(m)es, die bei uns auch als -osmes: chantosmes 26 begegnet, wird bei ihm nichts erwähnt, sie findet sich aber Cligés p. LXXV.

i. Versbau:

Die Verstöße gegen die korrekte Silbenzahl sind in W ebenso häufig wie in R. Einige Beispiele (Zahlen nach kr. Text) seien aufgeführt:

Verse mit einer Silbe zuviel:

25: Et de statt de in R(P),
38: celluy statt ciex in R(P),
47: oncques statt ainc in R(P),
1418: ains que passe mydy statt ainsque soit midi.
1570: regarde statt garde.

Ähnlich: 1427, 1534, 1570, 1601, 1681, 1803, 1843, 1847, 1950, 2042, 2905, 2990, 3357, 3825, 4014, 4088 etc.

+ 2 Silben 268: Jusques a la forest statt: dusc'a Maience.

Verse mit einer Silbe zu wenig:
1480: voise statt Bueves et, in R(P),
1658: fehlt vert der Hss. R(P).
1983: fehlt mort „ „ „
2021: fehlt ert „ „ „
3105: fehlt tint „ „ „
3275: fehlt viel „ „ „

Ähnlich: 1851, 1859, 2098, 2147, 2321, 2843, 2866, 2961, 3026, 3158, 3189, 3295, 3332, 3374, 4259, 4313, 4403 etc.

-2 Silben: 1557, fehlt fausse.

-3 Silben: 3811 l osenger statt R: as glotons losengiers.

Noch seien einige in der Hs. W stets wiederkehrende Abweichungen von R(P) erwähnt (Bezifferung nach W)[1]):
avant statt ainz 18, 51, 66, 85, 151, 115 etc.
matin statt main 1589, 2156, 2175.
verité statt verté 1444, 2509, 2512, 5887.

jusques statt jucs'̇ 243, 316, 1648, 1697, 2356, 2433 etc.
est statt ert 1324, 1580, 2752, 4284, 4618 etc.
tint statt tuit (cl. toti) 1725, 1920, 1963, 2939, 3856,
tremit statt trestuit 2884.

estent statt estuet 313, 2990, 3565, 4014, 5406, 5865.
le ne oder len statt leue (illa aqua) 1601, 2466, 6309, ähnlich 2731.

---

1) Diese Abweichungen entnahm ich der Handschrift-Kopie des Herrn Geh.-Rat Stimming, wo sie bereits besonders aufgeführt waren.

puis für pour 2199, 2241, 2456, 2713, 3049, 3364 etc.

sanḡ statt sens 1886, 2015, 2070, 2202, 2452 etc.

sus statt sor: 1620, 1793, 1828, 1863.

desus statt desor 1549, 2589.

decoste statt deioste 1270, 1628, 2304, 3256, 5831, 6139.

fil au putain statt fil a putain 1853, 1930, 2603, 2910, 6018, 6076 etc.

qui statt que (oder st. cui und qu'il) 120, 308, 1214, 1278, 1438, 1454 etc.

que statt qui 7, 193, 2294, 2474, 2598, 2070 etc.

Durch Elision oder Enklise geschwundenes e wird oft wieder eingeführt, so: que, se, ne, ce, vor Vokal: 1243, 1447, 1455, 1759, 2156, 2186, ne le, je le, si le statt nel usw.: 1266, 1563, 2016, 2134.

Natürlich werden durch diese Umänderungen die Zahl der Verstöße gegen die richtige Silbenzahl in W bedeutend erhöht, doch nimmt dieselbe wie in R von V. 4000 an immer mehr ab.

Obwohl der Untersuchung nur etwa 6000 Verse (= $^1/_8$ des ganzen Gedichtes) zugrunde liegen, so sind doch die Grundzüge der Mundart des Schreibers erkennbar. Sie zeigen in den Hauptpunkten eine auffällige Übereinstimmung mit der Sprache der Dokuments Friemel's, welche dieser p. 58 als ein *„stark abgeblasstes Champagnisch"* bezeichnet.

Versuchen wir noch, die Heimat innerhalb des Sprachgebietes der Champagne näher abzugrenzen. Der Osten derselben kommt nicht in Frage, hier findet sich häufig der „i" Nachlaut (besonders $\bar{a} >$ ei statt e, cf. Zemlin a. a. O. p. 28), der bei uns nur äußerst selten und nach ę $< \bar{a}$ überhaupt nicht auftritt; ferner erscheint hier schon häufig ęi für ę + i wie im O. gewöhnlich, bei uns stets i (cf. p. 264). Die westliche Champagne (die Sprache Chrestiens) ist ebenfalls ausgeschlossen, da hier ie für und neben iée nicht vorkommt, was Foerster: Cligés p. LXIII besonders hervorhebt. Der S. kommt ebenfalls nicht in Frage; es bleibt somit nur der nördliche, an die Pikardie angrenzende Teil der Champagne übrig. Daß hier in der Tat die Heimat des Kopisten zu suchen ist, zeigen zahlreiche Punkte der Untersuchung z. B.: iu neben gewöhnl. ieu; ie neben gewöhnl. iée; no, vo neben nostre, vostre; gn für sn; sn für gn; iau neben gewöhnl. eau; echt pikardisch ist auch die starke Verdoppelung der Konsonanten.

Also:
Die Hs. W ist höchstwahrscheinlich in der 2. Hälfte des 15ᵗ in der nördl. Champagne geschrieben worden.

VIII. Gesamt-Resultat unserer Untersuchung:

1) **Die Fassung „P" des festl. Bueve de Hanstone ist im zweiten Viertel des 13ˢ im südwestlichen Teile von Beauvaisis entstanden und im Jahre 1280 von Pieros du Riés in pikardischem Dialekt (Unterdialekt: Pon-thieu) abgeschrieben und dabei stark gekürzt worden.**

2) **Die Hs. „R" ist eine freie Bearbeitung (Abschrift) von „P" (Kopie), entstanden im Anfang des 14ˢ. Der Kopist schreibt in champagnisch-pikardischem Dialekt.**

3) **Die Hs. „W" ist eine sehr nachlässige Abschrift von R, entstanden in der zweiten Hälfte des 15ˢ. Der Kopist schreibt ebenfalls in nord-champagnischem Dialekt.**

Lebenslauf.

Ich, Johannes Karl Hermann Meiners, wurde am 5. September 1889 zu Nordenham a. d. Weser geboren, als Sohn des Oberbahnhofsvorstehers Gustav Meiners und seiner Ehefrau Meta, geb. Lüpsen. Meine Eltern wohnen jetzt in Oldenburg i. Gr., da mein Vater infolge eines Schlaganfalles leider vorzeitig vom Dienste zurücktreten mußte. Ich bin oldenburgischer Staatsangehöriger und evangelisch-lutherischer Konfession. Nach 3jährigem Besuch der Elementarschule zu Cloppenburg i. Old. kam ich auf die Bürgerschule daselbst. Ostern 1902 trat ich in die Quarta des Realgymnasiums Quakenbrück ein und erwarb auf dieser Anstalt Ostern 1909 das Zeugnis der Reife.

Zum Studium der neueren Sprachen und der Geographie bezog ich zunächst die Universität Göttingen, von Ostern 1910 bis Michaelis d. J. war ich in Genf, von Michaelis 1910 bis Ostern 1911 in Berlin, seitdem bin ich ununterbrochen wieder in Göttingen immatrikuliert. Bei den folgenden Herren Professoren und Dozenten hörte ich Vorlesungen:

1. Genf: Bouvier, Mercier, Thudichum, Bally.
2. Berlin: Morf, Ebeling, Spieß, Smith, Riehl, A. Wagner, Roethe, Sieglin, v. Wilamowitz-Moellendorf.
3. Göttingen: Stimming, Morsbach, H. Wagner, Claverie, Schücking, Roeder, Peech, Schroeder, Mecking, Wolkenhauer, Baumann, Müller, Titius, Stange, Bousset.

An den Übungen der Professoren: Stimming, Morsbach

und Wagner nahm ich mehrere Semester als ordentliches Mitglied teil.

Allen diesen Herren, meinen hochverehrten Lehrern, bin ich für die Förderung meiner Studien zu dauerndem Dank verpflichtet, insbesondere aber Herrn Geh. Reg.-Rat Prof. Dr. Stimming, der mir die Anregung zu der vorliegenden Arbeit gab, mir seine Handschrift-Copie zur Abschrift überließ und mich bei der Ausführung stets in entgegenkommender Weise mit seinem freundlichen Rat unterstützt hat.